Über dieses Buch

Friedrich Hegel, die »Stimme des deutschen Geistes« und ein »europäisches Ereignis«, hat das philosophische und politische Denken seit dem Beginn des 19. Jahrhunderts bis in die jüngste Zeit entscheidend beeinflußt. Friedrich Heer, Dozent für Geistesgeschichte des Abendlandes an der Universität seiner Geburtsstadt Wien, sieht Hegel nicht nur im Zusammenhang mit der Philosophie des 19. Jahrhunderts, sondern verfolgt die Wurzeln seines Denkens bis zu Leibniz und Nicolaus von Cues und stellt in seiner auf profunden philosophischen und historischen Kenntnissen beruhenden Einleitung Hegels gewaltiges Gedankengebäude eindringlich dar. Die Auswahl entscheidender Stücke – vor allem aus der »Philosophie der Weltgeschichte« und der »Philosophie der Religion« – führt den Leser unmittelbar zu den Gedanken Hegels und läßt deren Wirkung auf die Gegenwart erkennen. »Es hängt von der Glaubenskraft des Lesers ab«, sagt Friedrich Heer, »ob sich ihm Hegels Philosophie als eine Philosophie des Todes und der Zerstörung, oder als eine Philosophie des Lebens und der Auferstehung darstellt. Es hängt von der Artung dieses Glaubens ab, ob ihm Hegels Denken zu einer Aufforderung wird, alles zu erleiden, zu akzeptieren, oder alles zu tun, zu ‚machen'.«

HEGEL

AUSGEWÄHLT UND EINGELEITET VON

FRIEDRICH HEER

FISCHER BÜCHEREI

Umschlagentwurf: Wolf D. Zimmermann
Portrait Hegels nach einem Gemälde von Johann Jakob Schlesinger
Berlin, Nationalgalerie (Foto Ullstein)

In der Fischer Bücherei
1.-50. Tausend: Mai 1955
51.-62. Tausend: Januar 1957
63.-87. Tausend: März 1958

Fischer Bücherei KG. Frankfurt am Main und Hamburg
Gesamtherstellung: Hanseatische Druckanstalt GmbH, Hamburg-Wandsbek
Printed in Germany

INHALT

FRIEDRICH HEER

HEGEL, DER PHILOSOPH DES SIEBENTEN TAGES

Hegels Philosophie ist ein »europäisches Ereignis«. Um so mehr fällt es auf, wie wenig seine Gedankenwelt in Deutschland wirklich gekannt wird. Die »Hegel-Renaissance« in Deutschland zwischen 1900 und 1930, verdienstvoll eingeleitet durch Wilhelm Dilthey und durch Nohls' Edition der theologischen Jugendschriften, blieb eine einigermaßen papierene, akademische Angelegenheit, obwohl Männer wie Nicolai Hartmann, Johannes Hoffmeister, Hermann Glockner, Theodor Haering, Erwin Metzke, Theodor Litt die Erschließung seines Werkes fortsetzten, die Georg Lasson begonnen hatte. Die Hegel-Literatur ist, auch bei den Deutschen, seit Jahren wieder im Steigen: E. Schmidt, G. Dulckeit, H. Marcuse, M. Bense, K. Nink, Th. Steinbuechel, E. Coreth, J. Fluegge, J. Moeller, R. Heiß, A. v. Martin befassen sich kritisch mit dem großen Schwaben. Heidegger beschlagnahmt ihn für seinen Begriff des Seins als Anwesenheit.

Im heutigen Frankreich interessieren sich nicht nur die existentialistische Linke (um J. P. Sartre, M. Merleau-Ponty) für Hegel, sondern mit der eigentümlichen Wachheit und Intensität der französischen Intelligentsia Kreise und Gruppen, die ihre eigenen politischen, religiösen und philosophischen Anliegen bei Hegel erstmalig präsentiert finden. Charakteristisch sind die Übersetzungen, vor allem auch von Hegels theologischen Jugendschriften: in Frankreich beginnend mit D. D. Rosca 1928, führend zum Werke Jean Hyppolites und J. Martins 1948, in den Vereinigten Staaten zum Sammelband, herausgegeben von T. M. Knox und Richard Kroner, 1948. Italien hat, seit Benedetto Croces eigenwilliger Hegel-Nachfolge, bis zu Carlo Antoni und einem halben Dutzend gegenwärtiger Hegel-Interpreten, dem großen Schwaben ein steigendes Interesse gewidmet. Südamerika, Japan, der angelsächsische Geistesraum erschließt sich von Jahr zu Jahr mehr dem Denken Hegels. Was aber Hegel als Lehrmeister von Karl Marx und als Anreger des Denkens in der slawischen und östlichen Welt heute bedeutet – er ist hier eine Weltmacht, eine Strahlkraft, die immer wieder *alle* Gehäuse von Monaden, geschlossenen Gesellschaften, dogmatistischen Systemen durchbricht –, das läßt sich in Westeuropa im Augenblick kaum ersehen. Wir kennen die kühnen Bodensee-Ritte von Georg Lukacs, die eifrigen Sammel- und Registerversuche, wie sie seit Dm. Cyzewsky (»Hegel bei den Slawen«, 1934) in Ansätzen vorliegen. Wir hören von fernöstlichen Bemühungen, Hegels Denken in Begegnung zu bringen mit der Mystik etwa des Zen-Buddhismus. Das alles sind Zeichen, Anzeichen; vielleicht eines großen Wetterleuchtens, das ja im Donnergrollen unserer Zeit die große Begegnung des westeuropäischen Geistes mit dem Osten ankündet, um die einige der echtesten deutschen Väter Hegels rangen: Anselm von Havelberg, Nikolaus von Cues, Jakob Böhme, Leibniz.

Die eine Welt beginnt Hegel zu rezipieren; sehr verschiedene Geister, Gruppen und Mentalitäten schmücken sich mit Beutestücken aus seinem Erbe, andere geraten tiefer hinein in die magnetischen Felder, die nicht von Hegels Antworten ausstrahlen, sehr aber von seinen Fragen und Anliegen. Der deutsche Raum verwehrt sich ihm. Aus vielen Gründen. Mit verschiedenen Mitteln und Methoden. Wobei es schwierig ist, festzustellen, wer Hegel im 19. Jahrhundert und herauf in unsere Tage mehr geschadet hat: seine timiden Schüler und Adepten, die Hegelorthodoxen und Systemschmiede, dann die bisweilen tragischen Hegel-Schwärmer (von denen der unglückliche Christoph Steding keiner der schlechtesten war), oder jene Hegelfeinde, die sich auf Kanzel und Katheder über Hegel lustig zu machen pflegten und bisweilen noch pflegen, indem sie einzelne und nichtverstandene Sätze als Waffe gegen ihn gebrauchen. Es muß heute als eines der alarmierendsten Signale für die innere Haltlosigkeit und Unsicherheit, die denkwürdige Mischung von Angst und Überhebung des deutschen 19. Jahrhunderts (das europäische 19. Jahrhundert ist das Jahrhundert der Deutschen, das gilt für seine reichsten und seine fragwürdigsten Bezüge) gesehen werden, wie da über Nacht der gefeiertste Philosoph und Professor, der Denker der Nation, erst mit Schimpf und Schande bedeckt, sodann einem empfindlichen Schweigen überliefert wurde. Die Brüchigkeit, die Substanzschwäche, die Diskontinuität des deutschen Geisteslebens wurde hier mit einem Schlage offenbar. Wer das Ungeheuerliche und Unheimliche dieses Vorganges noch nicht recht begreift, stelle sich vor: Newton, Descartes, Voltaire, Galilei würden in ihren Vater- und Mutterländern ausgeschlossen aus der täglichen Kommunion und Kommunikation der Geister, aus dem »Communismus der Geister«, um mit Hegels Tübinger Stiftsfreund Hölderlin zu sprechen. Platonistische Engländer, englische Böhme-Schüler und englische Nonkonformisten aller Art mochten und mögen zu allen Zeiten Newton bekämpfen, französische Klerikale und Spät-Royalisten mochten und mögen zu allen Zeiten Voltaire befehden als einen »Feind der Kirche«, und italienische Aristoteliker und Neuscholastiker mochten und mögen zu allen Zeiten Galilei verurteilen, dieses dämonische Genie voll Leidenschaft und Leidenskraft: sie alle aber verbinden, in der Bildungswelt ihrer Nation, viele bewußte Bindungen mit diesen ihren Gegnern, die mit vielen anderen geistigen, weltanschaulichen und politischen Denkern zusammen die Kapazität der Nation bilden, ihren inneren Raum. An ihm hängt die Konstanz und die Konstante, die Gestalt, die Prägung, in der diese Nation auftritt im Spiel und Widerspiel der europäischen Nationen. Besitzt das deutsche Volk, eines der jüngsten Völker Europas, diese Konstante, diese Weltgestalt noch nicht? Ist dieser Mangel an Weltgestalt vielleicht der tiefste Grund für die von den Franzosen oft angesprochenen *incertitudes allemandes*, für das deutsche Pendeln zwischen »Ost« und »West«, eine Plastizität, in deren offenem Schoß das Sämige, Fruchttragende und Furchtbare, das Gefährdete und Gefährdende, das Chancenreiche der deutschen Existenz zwischen den Welten vorgegeben ist? Das Verhalten der Deutschen Hegel und auch Goethe gegenüber (dieser letztere wurde nur durch seine Einsargung im Kitsch, in der Phrase und Sentimentalität äußerlich abgeschirmt wider das Schicksal, das Hegel bereitet wurde) findet kein Beispiel im westeuropäischen Raum. Stellen wir es uns noch einmal vor: über Nacht wurde der Heros der Nation, der, wie tausend Stimmen freiwillig bekannten, die Stimme des deutschen Geistes gewesen war, »entlarvt« als ein Narr, ein Hanswurst, als ein Clown, der es gewagt hatte, durch die Harlekinaden seines Systems das ganze Volk – das »Volk der Dichter und Denker«! – an der Nase herumzuführen, ihm, diesem Volk von Kaisern, Königen, Fürsten, Professoren, Naturwissenschaftern und Superintendenten, weiszumachen, was nachtschwarz verborgen war: der Gang der Weltgeschichte, das Uhrwerk des Kosmos (wenn es einen solchen gab), das Schicksal Gottes (wenn es je einen gab) und des Menschen (wenn es diesen gab – war der Mensch aber etwas anderes als ein *homunculus* des Menschen, als eine Zelle, ein schiefgewachsenes Untier oder Übertier?). Eine Flut von Hohn, Gelächter schwemmte Hegel hinweg aus dem Bewußtsein der Nation. Selbst Hegels großen Schülern und Gegnern, Kierkegaard und Karl Marx, gelang es nicht, ihn rückzuführen ins Bewußtsein, in das Geistesleben der Deutschen; was nicht nur damit zusammenhängt, daß diese Schüler und Gegner selbst erst heute langsam hier und dort Deutsche influenzieren zu einer *Auseinandersetzung* mit ihnen.

Deutsche Rache an Hegel

Die Rache an Hegel schien gelungen. Er selbst hatte sie herausgefordert: er hatte in offener und verdeckter Polemik nicht nur Kant, Schleiermacher, Fichte, Schelling, Tholuck angegriffen, hatte nicht nur die binnendeutsche Aufklärung und Romantik als eine »leere Breite« und »leere Tiefe« zu enthüllen gesucht, sondern hatte sein ganzes Werk gebaut gegen eine Grundtendenz des neueren deutschen Denkens: gegen jene tiefe, abgründige Spaltung zwischen Geist und Materie, Vernunft und Glauben, Ich und Gesellschaft, Herz und Verstand, Gott und Welt. Sein eigenes Denken war erwacht in der Begegnung mit dieser Zerklüftung des Menschen und des Kosmos, für die repräsentativ stehen Alteuropas Manichäismus und Gnosis, Augustin, Calvin, Luther, Kierkegaard, die geistigen Tendenzen des »protestantischen Prinzips« in Europa, denen im katholisch beeinflußten Raum der (bis heute nicht überwundene) Jansenismus entspricht: Port Royal, Pascal, mit all der Faszination, die dem Bewußtsein eines großen und tragischen Gespaltenseins entbunden werden kann. Hegel wurde das Opfer eines Phänomens, das Nietzsche, seiner eigenen Herkunft in Haß und Liebe gedenkend, in folgenden Worten konstatiert: »Der protestantische Pfarrer ist Großvater der deutschen Philosophie, der Protestantismus selbst ihr *peccatum originale.* Definition des Protestantismus: die halbseitige Lähmung des Christentums – und der Vernunft ... Man hat nur das Wort ,Tübinger Stift' auszusprechen, um zu begreifen, was die deutsche Philosophie im Grunde ist –: eine hinterlistige Theologie.« (Der Antichrist, I, 10.) Alle anerkennenden Worte Hegels für Luther konnten nicht verdecken, daß dieser protestantische Schwabe aus Österreich, der gerne in katholischen Landen leben möchte, der sich für die »franke Lustigkeit« des Aristophanes und Shakespeare begeistert, die Grundbezüge des deutschen Denkens, soweit sie durch Luthertum, Pietismus und Idealismus geprägt worden waren, aufhebt. »Aufhebt« nicht nur in dem ihm selbst eigentümlichen Willen, um sie zu bewahren in einer höheren Einheit, sondern *vernichtend* aufhebt. Mochte seine eigene Frau eifrig die Predigten des ehrwürdigen Goßner in Berlin besuchen (Goßner war früher katholischer Pfarrer gewesen und blieb auch als Haupt einer lutherischen Gemeinde in Berlin getränkt von der milden irenischen Katholizität seiner Herkunft), mochte Hegel selbst sich in seiner Rede zur Dritt-Jahrhundert-Feier der Augsburger Konfession bekennen zum protestantischen Prinzip als Begründer und Träger des neueren Europa: er konnte dem vereinigten Angriff der Theologen, der deutschen Pietisten und Irrationalisten nicht entgehen, weil er ihre geistige und religiöse Existenzgrundlage aufhob durch seine Philosophie eines grenzenlosen Vertrauens in Gott, Geist, Vernunft, Mensch, Geschichte. Vergebens verwahrte er sich gegen jene »christlichen« Ketzerrichter, die sich wie Dante anmaßen, andere in die Hölle zu verdammen; gegen die »ungeheure Anmaßung« der deutschen Theologen, ihren Dünkel, ihre geistige Impotenz. Hegel enthüllte hier, wie oft zuvor, das Zusammenspiel einer gewissen Aufklärungstheologie, die den Glauben entleert hat von allem Wissensgut, mit der pietistischen und orthodoxistischen Frömmigkeit, die immer nur »Herr, Herr« sage und freiwillig verzichte auf konkrete wissensmäßige Glaubenslehren. – Karl Barth hat die schmerzliche Frage gestellt und sie oft wiederholt: »Warum wurde Hegel für die protestantische Welt nicht etwas Ähnliches wie es Thomas von Aquino für die katholische geworden ist?« Barth trifft den Nagel auf den Kopf: Hegel kommt im protestantischen Raum Europas die geistige Position, die Führerstellung zu, die der »Ochse von Aquino«, der breitnackige Sproß aus italischem, normannischem und deutschem Blut, mit seiner *philosophia perennis* sich im katholischen Weltraum erkämpft hat. Hegel kann diese Stellung nur deshalb nicht einnehmen, weil es diese Stellung nicht gibt. Nicht geben kann, solange das »protestantische Prinzip« sich nicht selbst aufhebt.

Die europäische Tradition seines Denkens

Große, weit offene Augen; die Augen eines großen Kindes, eines genialen Kindes, das, wie im Biedermeier nicht selten, Züge des Kindhaften und des Greisenhaften vereint: so sieht uns Hegel heute noch an auf dem bekannten Stich. Der Mund, der breite, genußfähige Mund (wie gern aß und trank er in Bamberg und Nürnberg, in Frankfurt und Bern und Berlin!) verrät in den harten Falten, die ihn umziehen, etwas vom tiefen Leid, dessen sich Hegel immer bewußt war, das er aber nur selten verrät; der Dreizehnjährige wird erschüttert durch den Tod der Mutter; noch wenige Wochen vor seinem eigenen Tode gedenkt er des Todes seiner einzigen Tochter, seines ersten Kindes, das bald nach der Geburt starb; *oft* entrang sich, wie seine liebe Frau Marie nach seinem Tode berichtet, ein Stoßseufzer seiner Brust: »Wer von *Gott* dazu *verdammt* ist, ein *Philosoph* zu sein . . .!« (Halten wir den erregenden, zusammenschwingenden Dreiklang fest: Gott, verdammt, Philosoph.) Die Augen, die großen, weit offenen, manchmal etwas angestrengt und überanstrengt sehenden Augen bekunden aber das *archaische Vertrauen*, das diesen letzten großen Denker *Alteuropas* prägt. Es ist Selbstvertrauen des denkenden und des glaubenden Menschen, ist Seinsvertrauen, ist ein Wissen und Glauben, daß im Abgrund des Seins und der Schöpfung, dort, wo »Gut« und »Böse«, Bitteres und Süßes, wo Freude und Schmerz, Leben und Tod noch miteinander und ineinander hausen, *alles gut ist.* Tutte le cose son buone, alle Dinge sind gut, sagt der Italiener. Whatever is, is right, was immer ist, ist recht und richtig, sagt der Engländer (»Was vernünftig ist, ist wirklich; und was wirklich ist, das ist vernünftig«, wir werden uns mit diesem berühmten vielumstrittenen Bekenntnissatz Hegels aus der Vorrede zu den »Grundlinien der Philosophie des Rechts« noch zu befassen haben, hier aber ist seine letzte mentale Grundlage). Deus impar gaudet, Gott hat Freude am Ungeraden, sagt der Lateiner. Beeten scheev hot Got leev, ein bißchen schief hat Gott lieb, sagt der Schleswig-Holsteiner. Gott schreibt gerade auf krummen Linien, bekennt der Osten, der Araber, der Portugiese im gleichlautenden Spruchwort. »Mir kann nix g'schehn«, sagt der Steinklopfer Hans bei dem Wiener Volksdichter Anzengruber. Die Mystiker sehr verschiedener Kulturkreise und Religionen bekennen dieses archaische Identitätsbewußtsein, mit dem sich wissenschaftlich in unserer Zeit im deutschen Raume befaßt haben Eduard Spranger, der Dilthey-Schüler, und der Historiker Otto Brunner, der Sohn des niederösterreichischen Landes. Dieses Urvertrauen in einen letzten guten Sinn aller Dinge, aller Geschehnisse wurde von den Frauen und Männern vieler Geschlechter und Generationen seit grauen Vorzeiten bezeugt nicht in Rede und Schreibe, wohl aber in einem Austragen und Ertragen von scheinbar unüberwindlichen Gegensätzen, Unterschieden und Widersprüchen. (Hegel kann, das ist hochcharakteristisch für ihn, nicht unterscheiden zwischen Heterothesis und Antithesis, zwischen widerspruchsfreier Andersheit und einem Anderen als Widerspruch und Gegensatz.) Alles *Leben* verlief in Krisen: Geburt, Tod, Feste, Kriege, Ernte und Mißernte, Plünderung, Krankheit, Überfall, Hunger, Freude: bestanden wollte dieses widerspruchsreiche Leben werden, ertragen, ausgetragen wie ein Kind, nüchtern, in einer harten Liebe. Hegels Denken wurzelt nicht nur in diesem archaischen Identitätsbewußtsein und Urvertrauen, sein riesenhafter Systembau, oft wie ein Riesenspielzeug anmutend, ist ein Versuch, diesem archaischen Urvertrauen Ausdruck zu geben in der Sprache, die Europas Denker, Theologen und Forscher gemeißelt hatten: in einer Sprache also, deren Grundgesetz eine harte, herrscherliche Logik ist, die von oben her, vom Geist-Thron ihrer Burg und ihres Klosters überherrscht die Materie und die Mater, die niederen Bereiche des Individuellen, der »bloßen Natur«, der »schlechten Dinge«. Hegels Größe und Grenze wird hier bereits schattenhaft sichtbar: als ein Denker des Urvertrauens steht er in Kommunion und Kommunikation mit dem Seinsbewußtsein der archaischen Gesellschaft, mit einer mentalen Grundlage des asiatischen, afrikanischen und fernöstlichen Verhaltens des Menschen zur Welt und zu sich selbst. Deshalb kann ungezwungen heute ein östliches und außereuropäisches Denken bei ihm anknüpfen, das die Erneuerung der archaischen Gesellschaft, das

Zusammenleben des Menschen und seiner religiös-politischen Gemeinde mit allen Dingen und Bereichen seiner Arbeitswelt anstrebt mit neuen Mitteln und Methoden. Deshalb aber scheitern auch anderseits alle europäischen Versuche, aus Hegel Nutzgenuß zu gewinnen für ihr eigenes Denken, das der tiefen schizoiden Zerspaltung neuen Ausdruck verleiht, die mit gewissen platonistischen, manichäischen und christlichen Tendenzen verbunden ist.

Dieses Urvertrauen ist bewußt und unbewußt wirklichkeitsverpflichtet; es strebt danach, die *ganze* Wirklichkeit anzunehmen, sie empfangend zu begreifen. Keiner hatte das auf seine Weise großartiger versucht, als der Ahnherr dieses Denkens aus dem Urvertrauen, Aristoteles (die tiefen inneren Bezüge Aristoteles – Thomas von Aquin – Karl Marx zeigt Marcel Reding in seiner Grazer Antrittsvorlesung 1953 an). Seit Haym, Trendelenburg, Heyder, Paulsen, Harris und Seth bis zu Iljin, Nicolai Hartmann und der Gegenwart ist Hegel immer wieder mit Aristoteles verglichen worden. Hegel hat 1802 bis 1815 zahllose Aristoteles- und auch Platon-Stellen in teilweise wörtlicher Übersetzung in seine Philosophie eingearbeitet. Hegel selbst, der sehr gut Bescheid weiß um seine archaischen Bezüge und untergründigen Verbindungen, meint charakteristisch, sich der Sprache alter Sippen bedienend, Platon sei ihm »so familiär, wie der Bauersfrau ihr verstorbener Bruder und Ohm«. Das Verhältnis zu Platon ist aber tragisch und beunruhigend. Es gelingt Hegel nicht, Platon »aufzuheben«, einzuformen in seine Synthesen. Ein heftiger, weltfeindlicher, wirklichkeitsfeindlicher Platonismus steigt in Sturmwellen hoch, übermannt den ermüdenden Denker, zwingt ihn in den Bann: die Entmündigung und Entwertung des Individuums, die Beseitigung des »Anderen«, die Entwertung der Natur, der Materie, des für den Weltgeist unbrauchbaren Menschenmaterials und Naturmaterials (wie schrecklich groß sind diese »Abfälle«, mit denen Gott, die Geschichte und ihr Denker nichts Rechtes, Richtiges anzufangen wissen!) zeigen, wie sehr Hegel im Bann des großen Hassers steht, des Aristokraten aus Athen, der den Sieg der »niederen, unteren Massen« nicht verwinden kann. Hegel hat sein schwieriges, ausschwärendes Verhältnis zu Platon abzureagieren und zu überwinden gesucht in seiner Auffassung des Sokrates: immer mehr wird dieser im Laufe seines Lebens aus einer Christus gleichwertigen Gestalt (das war eine alte Lieblingsidee des europäischen Humanismus zwischen Abälard, Erasmus und dem *siecle des lumieres*) zu einer tragischen, fragwürdigen Größe: schuldig und unschuldig zugleich, ein großer Zerstörer der athenischen Polis-Gemeinde durch das von ihm erstmals vertretene Prinzip der Innerlichkeit. »Sokrates« ist eine Schlüsselfigur zum geheimen, umschwiegenen Selbstverständnis Hegels, wir lassen seine Sokrates-Darstellung deshalb in unserer Auswahl zu Wort kommen.

Von Platon her aber führt eine große Linie des alteuropäischen Denkens zu Augustin, Luther, Calvin, Jansenius, Pascal, Kierkegaard. Augustin, ein Vulkan aus afrikanischem Untergrund, hatte das Leitmotiv klassisch ausgesprochen: *territus terreo.* Ich, ein Mensch, ein Mann, dem Angst gemacht wurde, ängstige nun mich und dich und alle anderen Menschen weiter. *Territus terreo:* als erster Angstmacher kann dann im Laufe der Kettenreaktionen, die von diesem schizoiden Zerspaltensein ausgehen, angenommen werden: Gott (dieser schrecklich *unbegreifliche* Über-Herr und Über-Fürst), der Papst, der leibliche und der geistige Vater, ein Es (ein politisches Kollektiv, ein Unterbewußtsein, ein biologisches Gift, ein Weltgesetz, ein Schicksal, eine »weltgeschichtliche Notwendigkeit«). Geängstete, tief einsame und sehr männische Männer machen von nun an Angst, machen in Angst. Die Tragik der Inquisitoren, die Tragik Luthers, Pascals, Kierkegaards. Große Selbsthasser sind sie; »Keine andere Religion als die christliche macht die Anforderung, sich zu hassen« (Pascal). ». . . ist es nicht wie Haß, wenn man selbst in einem Glauben lebt, in dessen Kraft man glaubt selig zu werden, und nicht die anderen dazu bringen kann, und also in Kraft desselben Glaubens leben muß, daß sie ewig verloren gehen« (Kierkegaard). Aus Pascal spricht Calvin (der von Hegel oftmals Befehdete!), aus Kierkegaard spricht Luther. Dieser Selbsthaß zerteilt die Wirklichkeit in ein Reich Gottes und ein Reich des Teufels, ein Reich des Geistes und eines der schlechten, bösen Materie, wobei es den »Kindern des Lichts« aufgetragen ist, die »Kinder der Finsternis« zu »entlarven«, zu denunzieren, als verworfen darzutun. Eine unüberbrückbare Kluft trennt Oben und Unten; es gibt sogar zwei Lieben, wie bereits Augustin lehrt: eine Liebe der Teufelsdiener und eine Liebe der Gottesfreunde. Dieser Zerklüftung des Seins und der einen Wirklichkeit (in ihr wurzeln alle Denunziationen, Diffamierungen und Schizophrenien auch noch unserer Zeit) wirft sich im Mittelalter ein Mann entgegen: Thomas von Aquin, der erste *bewußte* große Anti-Augustin Europas! Hegel ist nur als ein Anti-Augustin zu verstehen. Hegel als Anti-Calvin, Anti-Luther, Anti-Kant holt sich seine Waffen gegen Platon und Augustin dort, wo sie bereits Thomas gesucht und gefunden hatte, beim *maestro di color che sanno,* beim »Meister aller derer, die *wissen«* (Dante), bei Aristoteles. Bei Aristoteles findet Hegel bereits ausgesprochen, was ihn zutiefst bewegt: das große Ja zur *ganzen* Wirklichkeit; aus diesem Ja ergeben sich zunächst bereits zwei wichtige Ausfolgerungen: das Denken des Menschen sagt das Sein aus, und: Antinomien sind nicht zu verteufeln oder auszuschalten, sondern positiv zu würdigen. – Die Logik des Aristoteles ist von vornherein ontologisch. »Ihre Gesetze sind unmittelbar Seinsgesetze« (Nicolai Hartmann). Aristoteles ist der Meister der Methode, überall Aporien, letzte Gegensätze und Denkschwierigkeiten aufzuzeigen. *»Dialektische Lösungen bestehen in nichts anderem als im Geltenlassen des Widerspruchs im realen Sachverhalt.«* »Jede einzelne Kategorie hat ihre einzig mögliche, zureichende Definition in der Totalität ihrer Relationen zu allen anderen.« Nicolai Hartmann, dem wir hier folgen, bemerkt bereits: Hegel selbst gelang es nicht, Aristoteles hier volle Nachfolge zu leisten – sehr oft wird er selbst versuchen, die Widersprüche und Gegensätze völlig »aufzuheben« und Lösungen vorzutäuschen, die keine sind. Aristoteles bleibt also der unerreichte Meister des Denkens für Europa: *als Lehrer des Geltenlassens.* Sein großer Schüler im Mittelalter, Thomas von Aquin, erkannte, daß ein christliches Denken sich nur legitimieren konnte als glaubwürdig, wenn es sehr viel gelten ließ von Weisheit und Wissen der Heiden, der Griechen, der Juden, der Araber, der Pantheisten und »Atheisten«, und scheute sich nicht, in die Schule bei diesen Denkern zu gehen. Der größte neuzeitliche Aristoteliker vor Hegel, Leibniz, auf den sich Hegel immer wieder an entscheidender Stelle beruft, wurde zum Lehrer des Geltenlassens des ganzen Seins und aller mit ihm verbundenen Widersprüche und Gegensätzlichkeiten, weil er einsah, daß dieses zerklüftete Europa in seinen nationalen und konfessionellen Gegensätzen anzunehmen und als ein sinnvolles und gutes Gespräch der Feinde und Gegensätze in diesen selbst zu reifen war; so wurde Leibniz zum Denker der Großen Allianz von Ost und West, der die Gegner und Gegensätze befrieden will dadurch, daß er ihnen Lebens- und Wirkräume aufzeigt. Ludwig XIV. soll sich nach Ägypten wenden, Rußland nach China (gemeinsam mit den Jesuiten!), Rom nach Nordamerika ... – Hier, bei Leibniz, wird eines der mächtigsten Motive der so oft mißverstandenen Dialektik Hegels sichtbar: die Vielfalt der Geschichte, der in jeder *Gegenwart* präsenten Gegensätze: wer es wagt, einen dieser Gegensätze »auszulöschen«, wagt es, Völker, Gruppen, Bekenntnisse, Menschen, Leben zu »liquidieren«. Erst diese Erfahrung der Geschichte als Gegenwart vieler lebendiger und sehr lebensfähiger Gegner und Gegensätze ermöglicht es dem Denker, den Bann des Einheitswahns zu zerbrechen: also nicht mehr die Wirklichkeit auf das Prokrustesbett eines Gedankens, eines »Systems« zu zwingen, sondern sich selbst *hinzugeben* (die Bedeutung des Selbstopfers, der Hingabe bei Hegel wird uns noch zu beschäftigen haben); sich also ergreifen zu lassen von der denkwürdigen Einung vieler

Gegensätze, Widersprüche und Gegnerschaften im gelebten Leben der Völker, Gruppen und Einzelnen. Es ist beachtenswert und interessant, daß Hegel nicht seine beiden großen »Vorläufer« vor Leibniz kennt, nicht namentlich kennt und deshalb auch nicht nennt in seinem Werk: Anselm von Havelberg und Nikolaus von Cues.

Anselm von Havelberg, der Reichsbischof des 12. Jahrhunderts, Nikolaus von Cues, der Kardinal des 15. Jahrhunderts, und Hegel, gültiger als Auguste Comte, der sich in der zweiten Hälfte des 19. Jahrhunderts die Stellung anmaßte, die Hegel auf dem Zenit seiner Geltung besaß als Laienpapst in der Welt der Bildung, werden zur stärksten Entfaltung ihres Denkens gedrängt durch ihr Erlebnis des Gegensatzes zwischen Ost und West. Anselm von Havelberg erfährt als Gesandter des Kaisers in Konstantinopel, als Kirchenmann in Rom, Unteritalien, Ravenna, Deutschland, zuletzt in seinem Ostland Havelberg (dieses neue Bistum ist damals noch nicht eingedeutscht, wird von Slawen und Heiden bewohnt), nicht zuletzt aber durch die neuen Orden, die neue Farben, Formen, Frömmigkeitsstile in der einen Kirche zur Geltung bringen, daß Gott die Vielheit und die Fülle will. Anselm von Havelberg konzipiert aus diesem seinem Welterfahren die neue Welterfahrung: *die Welt ist Geschichte,* ist ein Wachstum, ist ein Fortschritt, der freilich unendlich mühsam und langsam *(paulatim crescendo)* durch die Weltzeitalter sich ausfaltet; der Gang der Weltgeschichte geht vom Osten nach dem Westen (diese uralte Idee nimmt Hegel wieder auf), und vollzieht sich in den drei Zeitaltern des Vaters, des Sohnes, des Heiligen Geistes. Diese und andere Motive werden wir bei Hegel wiederfinden. Wie Anselm, so wird auch für Nikolaus von Cues die Überfahrt von Konstantinopel nach Westeuropa zur Stunde der Geburt seines neuen Denkens, das Ost und West versöhnen, das die Menschheit begreifen will als ein Zusammenspiel vieler Gegensätze und Gegner: Hussiten und Heiden, Antike und Morgenland, Wissen und Glauben, Endliches und Unendliches einen sich, tragen ihre Widersprüche und Gegensätzlichkeiten zusammen zu einer Symphonie. Hegel kennt den Cusaner nicht, er kennt aber sehr wohl dessen großen Lehrmeister, dessen Predigten Nikolaus von Cues sammelte: Meister Eckhart. Hegel kennt Anselm von Havelberg nicht, er kennt aber sehr wohl die Stärke des Denkens im 12. Jahrhundert. Anselm von Canterbury, von Hegel als »ein gründlich gelehrter, philosophischer Theologe des 12. Jahrhunderts« erachtet, wird gegen Kant, gegen den ganzen pietistischen und protestantischen Agnostizismus verteidigt – noch in den letzten Lebensjahren, in denen Hegel seine Vorlesung über die Gottesbeweise liest. »Diese großen Männer Anselm, Abälard haben von der

Philosophie aus die Theologie ausgebildet«: Hegels Lob der Frühscholastik des 12. Jahrhunderts steht hier im Eingang seiner ergreifenden Schilderung des ungeheuerlichen Verkürzungsprozesses, den das Glaubensgut der Christenheit über sich ergehen lassen mußte im Protestantismus; eine Verarmung, Verengung und Verkürzung, ein Verlust vieler Wahrheiten und Wirklichkeiten, der in der Ausschaltung und Verdrängung der für jene mittelalterlichen Denker ebenso wie für Hegel ersten und letzten Wirklichkeit gipfelt: *der Trinität.* – Hegel, als ein europäisches Phänomen, das sich von den mächtigsten Denkbewegungen und Glaubensbewegungen Alteuropas nährt, und diese alle noch einmal zusammenführen will, kommuniziert mit den Denkern des Früh- und Hochmittelalters noch in einem Punkte, an dem ihn die wenigsten erwarten: in seiner Staatslehre. Hier vorerst nur dieser kurze Hinweis: die so oft mißverstandenen Sätze von der »göttlichen Figur des Staates«, vom Staat als Verkörperung der Sittlichkeit, des Geistes, des konkreten menschlichen Lebens beziehen sich originär nicht auf den preußischen Staat – sie sind lange bevor Hegel auch nur daran denken konnte, Professor in Berlin zu werden, konzipiert worden; und sie gelten auch nicht einfach nur für die Polis Athens, die Hegel verehrt. Voll und ganz gelten sie für jene *urbs diis hominibusque communis* Alteuropas, für jene Hausgemeinschaft Gottes, der Götter und der Menschen, für jene große »Ehe« (Ehe kommt von êwa, bedeutet »große, heilige Ordnung«) des ehelichen Mannes mit seiner Zeit, in den politischen, gesellschaftlichen und religiösen »Gemeinden«, die Hegel vorschwebt als Vollbesitz der »Vernunft«, als Erfüllung eines ganzheitlichen Lebens. Diese große, von ihm heißersehnte Kommunion des Individuums mit der »Gemeinde«, mit dem »Staat«, kann, so ist er überzeugt, allein den »Verdruß« überwinden, diese Lebensstimmung des heutigen Menschen. »Verdruß ist die Empfindung der modernen Welt. Die Verdrießlichkeit, Unzufriedenheit der Menschen ist es eben, daß sie an einem bestimmten Zweck festhalten, diesen nicht aufgeben, und wenn es im Laufe der Dinge nun diesem nicht angemessen oder gar zuwider geht, sind sie unzufrieden.« Hegels tiefe Konservativität basiert hier in einer Seinsfrommheit, welche die großen religiös-politischen Gebilde als gottgegeben erfährt – wie ein Alkuin, wie ein Otto von Freising, wie eine Hildegard von Bingen (auf verwandte Bezüge Hegels zur rheinischen Seherin wird noch einzugehen sein). Wie diese Seinsfrommheit, dieses *Glauben-und-Wissen,* daß die großen Gebilde, die mit »Staat«, »Kirche«, »Reich« nur uneigentlich beschrieben und meist schief und einseitig akzentuiert werden, tief sinnvoll sind als Hegung des Menschen, ihn reifend zur Ausfaltung seiner stärksten Kräfte – wie diese echte alteuropäische Konservativität dann hineinscheitert in die fragwürdigen Konservativismen des 19. Jahrhunderts, die partei- und positionstechnisch spielen mit Bezügen, die ehedem als ontische Wirklichkeiten erachtet wurden, das ist eine andere Frage. Sie hat auch für Hegel ihre Berechtigung; beantwortbar wird sie erst, wenn sein tragischer Umschlag erkannt wird: während Hegel bis zum letzten Atemzug seines Lebens überzeugt ist, alle echten Bezüge *Alteuropas* und des *ganzen* Christentums zu erneuern in seiner Philosophie (die Worte seiner Frau beim Anblick des Toten sind sehr ernst zu nehmen: »Eine unaussprechliche Ruhe lag auf seinen lieben Zügen – es war der sanfteste, seligste Schlaf – das Entschlafen eines Heiligen«), verzehrt er gleichzeitig dessen Substanz, formt sich den göttlichen Produktionsprozeß des Kosmos, der Geschichte ein, macht aus der Trinität einen Vorgang in seiner eigenen Brust. Gerade in diesem Vorgang, den Hegel selbst in seiner Hintergründigkeit nicht durchschaut, waren ihm mittelalterliche Fromme und Denker vorangegangen, auf die er sich direkt bezieht und beruft: Meister Eckhart und die Brüder vom Freien Geiste. »Ich bin notwendig für Gott. Das ist der Grund des Hegelschen Gottvertrauens, der Grund, weshalb es sofort und ohne weiteres auch als Selbstvertrauen verstanden werden kann und sich selbst verstanden hat.« (Karl Barth) »Wenn Gott nicht wäre, so wäre ich nicht; wenn ich nicht wäre, so wäre Gott nicht«: Hegel zitiert diese Worte Eckharts nach Franz von Baader, dem von ihm hochgeachteten katholischen Antipoden Schellings, der ihm auch Böhme vermittelt, und der persönlich Leibniz' Versuche, Ost und West zusammenzuführen in einer kirchlichen und politischen Union, wieder aufnimmt. Auf Eckhart hatten sich im Spätmittelalter berufen die »Brüder vom freien Geist« (gegen die der Verfasser der *Theologia teutsch* polemisiert, die wieder Luther stark beeindruckte, der sie ediert). Der junge Hegel exzerpiert eifrig (über Mosheims Kirchengeschichte) aus deren Originalschriften: »Der gute Minsch ist der ingeburne Sune Gates, den der Vatter eweclyken geburen hat«; Gott ist nicht gut und nicht schlecht; der Vater gebiert immer noch seinen Sohn: »Was die heilige Schrift gesprichet von Christo, das wird alles vor wahr geseit von einem jeglichen gottlicken Menschen. Was eigen ist der gottlicken Naturen, das ist alles eigen einem jeglichen gottlicken Menschen.«

Der Schatten der Freunde über Hegel: Schelling und Hölderlin

Der gotterfüllte Mensch als Verwalter der Geheimnisse Gottes, mehr, *als der Täter Gottes, als der Denker Gottes;* Meister Eckhart hatte bereits die Dreifaltigkeit, den Liebes-, Schaffens- und Lebensprozeß in der dreifaltigen Gottheit, in einer Weise hereinbezogen in das innere Leben des Einzelnen, daß er einerseits den erbitterten Widerstand kirchlicher Kreise erregte, anderseits das religiöse Leben und Denken Europas mächtig influenzierte: über die *devotio moderna,* den Cusaner, den »linken« Pietismus, fließen zahlreiche Rinnsale seines Denkens zur »teutonischen« Naturphilosophie des 17. und 18. Jahrhunderts, zu Hegels »schwäbischen Vätern«, zu den Männern um Ötinger, die Hegels Tübinger Stiftsjahren nahe sind. »Die eigentümliche Rasanz der Hegelschen Philosophie des Selbstvertrauens ... Sie ist höchster Titanismus, indem sie zugleich höchste Demut ist« (Karl Barth), hat in dieser Mystik und hat in der eigentümlich erregten chiliastischen Atmosphäre seiner Tübinger Jugendjahre ihre Grundlage. Die drei Tübinger Stiftsschüler Hölderlin, Schelling und Hegel sind drei junge Seminaristen, die im Widerstand zunächst gegen die protestantische Orthodoxie vereint sind. Nicht aus Antireligiosität, sondern wie sie selbst überzeugt sind – sie verabschieden sich beim Hinaustritt in die Welt mit dem Losungswort: »Reich Gottes« – auf Grund einer tieferen, das All, das Eine, Natur, Gott, Welt und Menschheit umfangenden Frömmigkeit. »Das Pathos, das sie im Stift beseelt, ist kein geringeres als der Wille, die Welt von Grund auf neu zu gestalten. Es ist schwer, sich in die eschatologische Hoffnung jener Generation hineinzuversetzen, wo eine solche Entschlossenheit den ersten jugendlichen Rausch überdauert.« (Emil Staiger) Halten wir zumindest in Parenthese fest: hier ist der Ansatzpunkt, an dem die linken Junghegelianer, die Ruge, Bruno Bauer, Köppen, Rutenberg sich im »Doktorklub« in Berlin mit dem jungen Karl Marx treffen: es ist der entschlossene Wille, die Welt zu ändern, zu verbessern; die linken Junghegelianer wollen den Titanismus der jungen Tübinger »reinigen«, »säubern« von seinen »religiösen Zutaten«; der junge Marx verspricht Ruge für seine Zeitschrift einen Aufsatz über Hegels Atheismus. – *Dieser »Atheismus« kann aber nur richtig verstanden werden als ein Überschwang des religiösen Titanismus der drei Tübinger Stiftsschüler:* ganz nah und ganz fern sind sich im geheimen und offenbaren Grunde ihres Wollens die Stürmer und Dränger in Tübingen und fünfzig Jahre später in Berlin: der Wandel der allgemeinen Verhältnisse bedingt einmal die religiös-dichterisch-philosophische, zum anderen die literarisch-politisch-naturphilosophische Ausformung dieses Wollens. Hölderlin, Hegel, Schelling in Tübingen! Es sollte heute nicht mehr geleugnet werden, daß Hegel hier, im Tübinger Klima und von seinen beiden Freunden, die stärksten Impulse und die tiefsten Gefährdungen für sein Schaffen empfängt. Wenn der reife Hegel später den Jugendfreund Hölderlin überschweigt, wenn er mit Schelling seit dem Erscheinen der »Phänomenologie« in gespanntesten Verhältnissen lebt, die sehr bald in offene Feindschaft übergehen, dann will dieser Prozeß der Selbstfindung richtig verstanden werden: nie überwindet er seinen Hölderlin und seinen Schelling in der eigenen Brust – er vermag sie da nicht einmal dialektisch »aufzuheben«, einzuformen in eine höhere Synthese. Das Umkippen Hegels, das seine Freunde und Feinde so sehr befremdende »Ausgleiten« später, bald in platonistisch-manichäische Gedankengänge (mit radikaler Verwerfung der »Natur«, der Individualität, der »schlechten Materie« und des »schlechten« Menschenmaterials in der Geschichte), bald in pantheisierende Ideen – ein gut Teil von dem, was man seinen »Panlogismus« genannt hat, ist nichts anderes als dieses Ringen mit den unüberwindlichen Freunden in seiner eigenen Brust. – Der offensichtlich einfachere »Fall« ist der Fall Schelling für Hegel. »Eine ungeheure Hybris« (E. Staiger) steckt bereits in dem jungen Schelling. In seinem »Epikureisch Glaubensbekenntnis Heinz Widerporstens« bekennt er sich (gegen Novalis und Schleiermacher) zur Allmacht des Menschen. Schelling ist – wie nicht erst das Altersbildnis zeigt – eine der unheimlichsten Erscheinungen im deutschen Raum des 19. Jahrhunderts. Franz von Baader sah ihn als Nachfolger Hegels auf dem Berliner Katheder erscheinen in der Gestalt einer orientalischen Gottheit, die sich von unendlich vielen Köpfen mit unendlich vielen Armen unendlich viele Hüte abnahm. Karl Jaspers hat, aus einem tiefen Wissen um das »deutsche Vakuum«, bei der Schelling-Gedächtnisfeier in Ragaz vor ihm gewarnt. Solche Warnungen helfen wenig, weisen jedoch auf einiges Gefährliche hin. (Es ist sehr fraglich, ob die im letzten Krieg zerbombten Nachlässe Schellings, darunter sein Alterswerk »Die Weltalter«, das Werk des »dritten Schelling«, dem christlichen und europäischen Denken jene Anreicherungen gebracht hätten, die sich manche heute von ihm erwarten.) Schelling, zumal der junge und mittlere Schelling, kann alles. Er kann alles, weil er alles weiß. Gott und Mensch sind eins. Die Einheit alles Lebens läßt sich vom Menschen mit einer Weltformel erfassen. Schelling verflüchtigt Widerstände, Widersprüche, das Böse; das Tragische und die Möglichkeit einer Tragödie läßt er nur für die Kunst, nicht für die Wirklichkeit gelten: in der Wirklichkeit ist die Geschichte ein einziger Beweis des Daseins Gottes, der Enthüllung des Absoluten. Ernsteste Gegner beseitigt er durch billige Handstreiche. »Dieser Mystagoge der Schöpfung«, der fest überzeugt ist, den Schlüssel zum All, zum Leben, zu Gott, in seiner harten Faust gewonnen zu haben, erliegt, beruflich scheiternd, seiner Hybris. Immer stärker bedrängt ihn die Notwendigkeit einer Anerkennung des Bösen, des Negativen; das aber droht sein ganzes System zu zerschlagen. Schelling läßt deshalb die letzten 45 Jahre seines Lebens, ab 1809, kein größeres Werk mehr drucken, außer akademischen Reden und wenigen kleineren Schriften; er erstarrt in Ressentiment und Polemik. Hegels, des Jugendfreundes Lehre nennt er das »öde Produkt einer hektischen in sich selbst verkommenen Abzehrung« – und charakterisiert damit sein eigenes Werk – wirft aber zugleich einen Schatten über Hegel, von dem dieser sich nicht befreien kann. Unschwer läßt sich das Schaffen und sogar ein Teil des Lebenslaufes Hegels (dem Schweigen Schellings entspricht die Tatsache, daß Hegel auf dem Höhepunkte seines Lebens, vom Amtsantritt in Berlin, nur mehr ein größeres Werk publiziert, die »Rechtsphilosophie«) verzerrt, wie in einer großartigen, bisweilen fürchterlichen Karikatur wiedererkennen in der Anmaßung Schellings. »Der totalitäre Charakter« des Hegelschen Systems verdankt dem zu nahen Freunde, Schelling, seine Prägung. Der junge Hegel wurde geblendet – er, der Bedächtige, langsam Wachsende und Reifende, der hausbackene Geselle, wie er seinen Tübinger Genossen erscheint – wurde geblendet von der raschen, eleganten, großartigen Art, mit der Schelling sich im Herzen des Absoluten etablierte und in wenigen Jahren die begeisterte Gefolgschaft einer deutschen Elite von Schwärmern errang, die das neue Zeitalter des heiligen Geistes gekommen sahen, in dem der Mensch Gottes Schöpfermacht und -tat aus der Kraft eigener Freiheit übernommen hat. Hegel wurde durch Schelling zum (unbewußten) Nachfolger der Pansophisten des deutschen 16. bis 18. Jahrhunderts, zum Erben auch der barocken Weltbaumeister. Pansophie, Alchemie, der Stein der Weisen, der Schlüssel zum All: *der barocke Weltbaumeister* (verdichtet noch einmal in Goethes »Faust«, der Hegel erregte – wobei nicht vergessen werden darf, daß »Faust II« erst nach Hegels Tod erschien), der mit einem Zauberwort, einer Zauberformel die Elemente, die Natur, den Park, den Menschen *begreift* und *verwandelt*, steht hinter Schelling, hinter Hegel. »Der von Hegel errichtete *Begriffspalast*«, »die Rücksichtslosigkeit, mit der er über das Material der Welterfahrung verfügte« (Th. Litt), der titanische Charakter »dieser fast mythologischen Spekulation« (Th. Litt), derzufolge sich der Philosoph als Pansophist, als »Mitwisser des Weltgeistes« weiß – das alles weist ebenso nachdrücklich hin auf Schelling wie auf den Barock. Leibniz, dessen unheimliche, rastlose Züge bei näherem Hinsehen immer deutlicher sichtbar werden, war etwas von einem solchen Projektenmacher des Hochbarock gewesen, hatte diesen am universalsten und größten verkörpert. »Die Hegelsche Pansophie« (K. Barth) wird von Hegel selbst als »panepistemisch« verstanden: *Die »Wissenschaft« »ist das wahre Gewebe des göttlichen Lebens«, sie »ist das entfaltete und verwirklichte System des wahren Seins Gottes«. Die »Wissenschaft« ist das System des lebendigen Logos.* Außer der Wissenschaft gibt es gar nichts. – Dieser Glaube an die »Wissenschaft« verdient heute unser aller höchste Beachtung. Hegel versteht unter der »Wissenschaft« seine Weisheit vom Sein, sein Denken aus der Tiefe des göttlichen Produktionsprozesses des Kosmos als eine Selbstausfaltung desselben. Diese seine »Wissenschaft« steht zunächst in der Mitte zwischen der alchymischen, gnostischen und theosophischen, aber auch der mechanisch-naturwissenschaftlichen »Wissenschaft« der Barock-Denker und der All-Wissenschaft jener »Gnostiker der Revolution« und der konservativistischen Reaktion im Frankreich zwischen 1780 und 1830, die mit Fabre d'Olivet, Saint Martin und einer Handvoll anderer (die Hegel zum Teil zitiert in seinen Vorlesungen über die Weltgeschichte) vom Bewußtsein getragen sind, den Schlüssel zu allem Wissen, Sein und Werden des Kosmos zu besitzen. Von diesen Männern führt eine Linie zu den »utopischen Sozialisten«, zu Comte – und weiter zur Gegenwart. Hegels Wissenschafts-Glaube steht jedoch zudem noch in genetischer Beziehung zu zwei anderen Systemen, Welt-Anschauungen, die für unsere Zeit von großer Wirkweite sind. Da ist es einmal »die Wissenschaft des Marxismus«, »die marxistische Wissenschaft« als *die* Wissenschaft. Es war der Glaube bereits der linken Junghegelianer um Marx, daß die Hegelsche Wissenschaft, rektifiziert und adjustiert, befreit von ihren »theologischen Überbauten«, ein geeignetes *Werkzeug* abgebe, um die alte Welt aus den Angeln zu heben, um die Gesetze der Geschichte und Gesellschaft zu erkennen. Die Anhänger des »Marxismus« im hohen 19. und dann im 20. Jahrhundert haben kaum jemals Hegel oder Marx gelesen (diese Lektüre vollzieht sich nur kultisch in den Kleinkirchen marxistischer Intellektueller, hegelianischer Ärzte usw.), sie sind aber überzeugt, daß das Bekenntnis zur »marxistischen Wissenschaft« ihre Anhänger und Gläubigen zu Trägern des »Fortschritts«, der Weltgeschichte mache. Der Glaube Hegels an seine Wissenschaft als ein Verständnis des Ganzen, Wahren, Wirklichen, Vernünftigen, Notwendigen (das alles sind Wechselbegriffe, Ausfaltungen des *Begriffs,* der Platons Idee, des Aristoteles Entelechie, das »ewige Leben« und das Pneuma der Evangelien, des Paulus und Johannes vermählt) wurde hier abgezogen, wie ein reifer Wein, und verdünnt zu dem Glauben großer Massen.

Nicht weniger wirksam erwies sich eine zweite Filiation des Hegelschen pansophischen Wissenschaftsglaubens. Hegel steht in der Mitte zwischen den barocken Weltbaumeistern und den Kosmosingenieuren von heute, zwischen der Spielfreude der ersteren (die nur mehr nachklingt in seiner Naturphilosophie, in diesen merkwürdigen Hantierungen mit Elementen, Tieren, Pflanzen – auch hier Schelling nahe) und dem Todesernst der letzteren, die den Menschen, die Natur, den Kosmos als Experimentierfeld begreifen, in den Griff nehmen wollen. Auf die Spielarten des modernen Szientismus, des Wissenschaftsglaubens der heutigen Welt, kann hier nicht näher eingegangen werden. Hochbeachtlich, von Hegel und von der Gegenwart her gesehen, ist, *wie hier Hegel beim Wort genommen wird:* der im modernen Menschen zum Selbstbewußtsein gekommene Weltgeist schickt sich an, Kontinente umzubauen, Planeten aus ihrer Bahn zu lenken und Zusatzplaneten zu bauen. Hier wird Hegel wörtlich genommen in einer Weise, die er sich selbst verbeten hätte, so hart er persönlich auch umgehen mochte mit dem Menschenmaterial, dem Material der Geschichte, der Materie der Natur und des Geistes. Nichts ist widriger dem Anliegen Hegels als diese denkwürdige und geschichtlich so folgenreiche »Nutzanwendung« seines »Systems«, seiner »Wissenschaft«. Daß Hegel selbst nicht verfiel dem Fallgesetz dieser Bahn seines Denkens, der Schelling offensichtlich erlag in der Zeit seines stärksten Wirkens, das verdankt Hegel seiner persönlichen Anlage und dem zweiten Freunde, Hölderlin, dessen einzigen Hilferuf Schelling unbeantwortet ließ, gerade auf dem Höhepunkt seines eigenen Wirkens. Der verzweifelnde, gescheiterte Dichter hatte sich an den rasch berühmt gewordenen Stiftsgenossen gewandt mit der Bitte, ein von ihm als letzte Hoffnung geplantes Journal zu unterstützen durch einige eigene Beiträge oder zumindest durch seinen berühmten Namen.

Johannes Hoffmeister, der verdienstvolle Herausgeber Hegels, hat durchaus recht mit seiner Behauptung, daß »aus dem persönlichen Umgang mit Hölderlin allein der existentielle Grund des Hegelschen Philosophierens zu begreifen sei«. Man mag darüber debattieren, ob das berühmte »Hen kai Pan« (ἓν καὶ πᾶν) in Hegels Tübinger Heft von der Hand Hölderlins oder Hegels eingetragen ist. Der Freundschaft mit Hölderlin verdankt Hegel nicht nur seine Teilnahme am ekstatischen All-Erleben – alles ist in Gott, Gott ist in allem, er ist vor allem im Menschen – das kannte Schelling auch, sondern mehr: ein ernstes Bedenken der Liebe, und jene *Ergriffenheit*, jenes Sichergreifenlassen von der ganzen Wirklichkeit, das Hegel ermöglicht, den Bannkreis Schellings und seines eigenen Dämons zu durchbrechen (nicht: ihn völlig zu verlassen). Hegels Hymne »Eleusis«, sein einziges bekanntgewordenes Gedicht, ist Hölderlin gewidmet (August 1796); ein Dank an den Freund, der ihn aus Bern befreit und ihm in Frankfurt eine Hauslehrerstelle vermittelt hatte; Zeugnis eines »mystischen Pantheismus« (Dilthey), des Freundschaftskultes, der Sehnsucht nach einer All-Kommunion des Menschen. Hier gelobt Hegel an Hölderlin, »der freien Wahrheit nur zu leben, Frieden mit der Satzung, die Meinung und Empfindung regelt, nie, nie einzugehn«. – Eine Jugendschwärmerei? Der sehr bald ein Verrat an dem Freunde folgt? – Hegel hat später Hölderlin überschwiegen. Zu tief wurde er durch ihn betroffen (erinnern wir uns kurz an das Überschweigen des Todes seiner einzigen Tochter bis kurz vor seinem Tode). Was Hölderlin für Hegel wurde, bekundet ein von Rosenkranz mitgeteiltes Systemfragment. *Hegel schaut hier im Bild der »schönen Seele«, des ganz offenen, liebesoffenen Menschen, der alles frei erduldet, trägt und überwindet, Jesus und Hölderlin zusammen.* – Das ist hochbedeutsam. Hegel verdankt Hölderlin jene Ergriffenheit, jene Seinsfrommheit, jene Wirklichkeitsfrömmigkeit, die alles annimmt: den Abgrund, die Vernichtung, das Negative, zusammen mit den hohen, harten Gnaden, die Gott seinen Lieblingen sendet. – Hegels tiefste Sehnsucht als *Denker* hat Hölderlin umschrieben im Standort des *Dichters:* die Dichter wohnen über dem Fluge des Adlers um den Thron des Gottes der Freude und decken den Abgrund ihm zu; sie müssen sich an den Adler, den Vogel Gottes, halten, damit sie nicht mit eigenem Sinne zornig deuten, sich unfromm empören und hadern über die furchtbare Wildnis; so sind sie die Prophetischen. *Das neiden ihnen die götterlosen Schatten der Hölle, weil sie die Furcht lieben,* die engherzige, ängstliche Beschränkung und sich selbst, statt offene Liebe zu wagen. (Diese Auflösung der Hymne in prosaischen Gedankengang: nach Staiger.) Die riskante, gefährliche und tragische Position seines eigenen Denkens hätte Hegel selbst nicht deutlicher aussagen können: *ergriffen von der Gottheit, und deshalb ergreifend,* was seinen Geistfängen sich fügt.

Es ist also kein Zufall, sondern Sinnfügung: in dem eben erwähnten Fragment, in dem Hegel Hölderlin als den *ganz offenen,* ergriffenen Menschen schaut, findet sich eine lebendige Urzelle seiner berühmten Dialektik – in einer Spekulation über den Karfreitag: das Göttliche muß sterben; der auferstandene Gott umfaßt dann alle Widersprüche des Seins; der Schmerz, die Trennung gehört nicht minder zu seinem Wesen als die erhabenste Harmonie. »In ewiger Katabasis tritt er heraus in die gegensätzlichen Formen des Lebens und kehrt in ewiger Anabasis zurück zur uranfänglichen Einheit« (Staiger). – Dieselbe

Grundgesinnung beseelt den Ausklang von Hölderlins »Hyperion«: »Wie der Zwist der Liebenden, sind die Dissonanzen der Welt. / Versöhnung ist mitten im Streit und alles Getrennte findet sich wieder. / Es scheiden und kehren im Herzen die Adern und einiges, ewiges, glühendes Leben ist alles.«

Gott ist die Dialektik

Seit den Junghegelianern, seitdem Marx und Engels im Frühjahr 1845 in Brüssel die Dialektik der Weltgeschichte als Spiel der »Produktionskräfte« einzusehen meinten, hat sich durch Hegelschüler und Hegelgegner die Meinung weit verbreitet, »die dialektische Methode« sei ein Handschlüssel, mit dem sich rasch, einfach und billig Wesen und Wirklichkeit der Geschichte und Gesellschaft, aller politischen und innermenschlichen Phänomene auflösen und begreifen lasse. Jede Erscheinung entfalte als These ihre Antithese, diese werde dann automatisch zur Synthese, zur Aufhebung von Satz und Gegensatz in einem höheren Dritten.

»Methode« war im Zeitalter des Barock, in der Zeit des Descartes, Pascal, von Port Royal, im heroischen Zeitalter der frühen Cartesianer, Jansenisten, Mathematiker, Oratorianer und Jesuiten ein allumfassendes Zauberwort gewesen. Man verfaßte »Methoden«, um das Denken, Rechnen, Bauen, Malen, Naturbeobachten, *Beten, Leben, Sterben* zu lehren. Dieser Zusammenhang ist wichtig. Die »Methode« ist seit dem Barock (und wieder einmal erweist sich hier Hegel als Abgesang des Barock wie sein großer Weggenosse Goethe, der mit ihm ein Jahrtausend Alteuropa beschließt) weit mehr als ein »Hilfsmittel«, ein Zeigestab eines Lehrers, der seinen schläfrigen Schülern mit diesem Zaubermittel die verwirrendsten Rätsel der Geschichte und des Seins »erklärt«, numeriert, klassifiziert, in ein Schema faßt und dergestalt im schlechten Sinne aufhebt. *»Die Methode«* ist, wie bereits bei den Pythagoräern, weit mehr: sie ist *Lebenslehre,* sie umfaßt alles, was der Mensch denken, tun, leiden soll und kann. Die »Kunst zu sterben«, die *ars moriendi,* bis auf die Höhe des 18. Jahrhunderts in vielen Büchern und Traktaten gelehrt, gehört unabdingbar zu der Kunst des Lebens, des Sichwohlverhaltens in der Gesellschaft der Götter und der Menschen, der Natur, der Künste, der Wissenschaften und Fertigkeiten, die dem »guten Manne«, dem adelig-humanistisch wohlgebildeten Bürger der »Gelehrtenrepublik«, der *societas* der freien Menschen, ziemen. Wer bei der Betrachtung von Hegels Dialektik auch nur einen Augenblick vergißt, daß diese die große tragische Kunst Gottes, in der Welt und in die Welt hinein zu sterben, ist, verharmlost sie nicht nur, sondern verkennt ihren Ursprung, ihren Kern, ihr Wesen.

Wie aber gelangt Hegel zu seiner »Identifizierung Gottes mit der dialektischen Methode« (Karl Barth)? Es ist mehrfach erkannt worden: wenn Hegel (wie der junge Schelling auf dem Höhepunkt seines Ruhmes), wie die meisten Philosophen seiner Zeit, nur mit Ideen, Gedanken und mit der »Natur« experimentiert hätte – in Gedanken, Ideen, versteht sich –, wäre er nie zu seiner dialektischen Methode gelangt. »Der Schmerz des Negativen« prägte sich ihm ein durch die Erfahrung des geschichtlichen Lebens der Menschen. »Geschichte« war zuvor, seit die Hochscholastik das große geschichtsphilosophische Denken des 12. und 13. Jahrhunderts, zwischen Rupert von Deutz und den franziskanischen Joachimiten, abgewürgt hatte, ein Schulfach der Rhetorik gewesen im katholischen Raum, bestimmt, Exempel großer Männer, von Tugenden und Lastern anschaulich zu illustrieren; Geschichte war, seit den Magdeburger Centuriatoren bis zu Gottfried Arnolds Kirchen- und Ketzerhistorie (die Goethe stark beeindruckt, der sich darauf ganz abwendet von der Geschichte, die nur Barbarei, Verbrechen, Unsinn dem Gedächtnis tradiere), im Raum des Protestantismus die Geschichte der *testes veritatis,* der einsamen Zeugen der Wahrheit, die durch die Nacht der Jahrhunderte, durch die Finsternis des Aberglaubens etwas vom Licht des reinen Evangeliums tradieren bis zu Luther und den Reformatoren. – Geschichte erfuhr der Tübinger Stiftsschüler Hegel als *Gegenwart:* als eine schlechte, schlimme Gegenwart zunächst. Als verlotterte politische und kirchliche Zustände in Württemberg, in Deutschland, im verwesenden »Reich«. Hegels Lebensweg und der Weg seines Denkens wird bestimmt durch sein Bemühen, auch diese Miseren, über deren zeithafte Trostlosigkeit er sich offen ausspricht in Briefen an Schelling, dann in seiner »Beurteilung der im Druck erschienenen Verhandlungen in der Versammlung der Landstände des Königreichs Würtemberg im Jahre 1815 und 1816«, positiv zu begreifen. Seine Kritik an Kirche, politischer Verfassung, Gesellschaft seiner Zeit erinnert – das haben Löwith und andere mit Recht hervorgehoben – verblüffend, oft bis in den Wortlaut hinein, an die Zeitkritik seiner Schüler und Antipoden Marx und Kierkegaard. Wie verschieden aber sind die Konsequenzen, die diese drei Männer aus ihrer Kritik ziehen! Kierkegaard und Marx erliegen einem im tiefsten schizophrenen, ressentimentgeladenen manichäischen Komplex. Sie wischen die geschichtliche Wirklichkeit weg, »begreifen« sie nur als einen Verfallsgang (in Marxens »Fortschritt« der bürgerlichen, bourgeoisen Gesellschaft zur eigentumslosen Gesellschaft steckt eine fürchterliche Ironie). Kierkegaard entwertet die ganze Menschheit, die ganze Weltgeschichte zugunsten eines Menschen, des Gottmenschen »Christus« (hinter dem aber er selbst steht, der tragische, gescheiterte Literat). Marx entwertet die ganze Weltgeschichte zugunsten seines »Systems«, seiner Gesetze, denen die Weltgeschichte folgen *muß*. Unschwer ist heute zu ersehen, daß auch hier hinter der ungeheuerlichen Reduktion ein einziger steht, Marx selbst. *Hegel ringt zeit seines Lebens mit derselben Versuchung.* Wir werden sehen, wie er ihr mehrfach erliegen wird. Sein Anliegen aber (und dieses ist größer als er) gibt er nie bewußt preis: der Anblick der ihm verkalkt, innerlich abgestorben erscheinenden Tübinger Orthodoxie und der verrotteten politischen Zustände verstellt ihm auf die Dauer nicht den Blick für die größere Gegebenheit: hinter diesen Zuständen stehen Menschen, leben Menschen. Ehrsame Menschen, die ihr Bestes zu geben und zu leisten suchen, auch in trostloser Zeit. Also kann diese Verderbnis – Geschichte als Gegenwart – nicht das Letzte sein. Also muß dieses Negative einen guten Sinn haben! *Nie wird Hegel die Suche nach dem guten Sinn auch der barbarischsten, blutigsten und korruptesten Erscheinungen der Weltgeschichte aufgeben.* Hegel wird nicht, wie Marx und Kierkegaard, ein Opfer eines geheimen Selbsthasses, der zu einer Denunziation der Welt ansetzt, weil er das eigene Selbst nicht ertragen kann in der Wachheit des Gewissens und einer sensiblen Intellektualität. »Der ungeheure Schmerz des Negativen« muß dann aber, wenn er nicht einfach als böse denunziert und nicht einfach weggewischt werden soll, hereingenommen werden in das Wesen Gottes, der ersten und letzten Wirklichkeit, des Denkens. Mit Aristoteles und Thomas war Hegel zur Überzeugung gelangt, daß das rechte menschliche Denken das Sein richtig wiedergebe; die Gesetze des menschlichen Denkens sind die Gesetze des Seins. Mit der deutschen Mystik des Hochmittelalters war er zur Überzeugung gelangt, daß die von Gott ergriffene Vernunft (sehr im Unterschied zum »schlechten«, »abstrahierenden«, das Ganze zerreißenden »Verstand«) Gottes innere dreifaltige Gesetzlichkeit selbst mitdenken, mitvollziehen kann. Hieraus ergaben sich nun für Hegel die großen, schwerwiegenden Folgerungen: Gott ist Ereignis, ist Bewegung, ist ein Prozeß; Gott ist ein Vernunft- und Liebesprozeß. Die Logik ist die Selbstdarstellung dieses Prozesses; *Trinität und Logik sind identisch;* der Geist ist nichts anderes als die Offenbarung, das Leben, die Erscheinung Gottes. – Versuchen wir, dieses Denken einer gottergriffenen Vernunft und eines geistergriffenen Glaubens näherhin zu besehen. Wer sich von vornherein verwehrt, den ungeheuren Anspruch dieses »Panlogismus« ernstzunehmen, tut gut, zu wissen, daß Hegel die triumphale Überzeugung der Kirchenväter – der Mensch ist *capax dei*, ist fähig, Gott zu erfassen in seinem geringen irdenen Gefäß und in seiner Seelenspitze *(apex mentis)*, die direkt in Gott hinein flammt – ernst nimmt. Die Logik ist die erste »Epoche« des göttlichen Lebens. »Der logische Prozeß hat bei Hegel eine dreifache Bedeutung: eine theologisch-religiöse, eine wissenschaftlich-systematische und eine kosmologische.« »Die Logik ist . . . die erste, die wahre Selbstoffenbarung Gottes im Elemente des reinen Gedankens« (I. Iljin). Hegels Logik entsteht *tektonisch* aus dem Zusammenschluß zweier Gesetze: des logischen Gesetzes des Widerspruchs (»Spaltung«, »Feindschaft«) und des christlichen Gesetzes der Liebe (»Konkreszierung«, »Schluß«). »So kam Hegel zur Überzeugung, Gott sei die Vernunft, die in der ganzen Welt nach dem Gesetz der Liebe, d. h. der spekulativen Konkretheit lebe« (I. Iljin). Halten wir hier bereits fest: Der *Begriff*, als ein Urphänomen für Hegel, der »spekulative Begriff«, »lebt«; er ist »beseelt«, er ist »schöpferischer Geist«, und noch viel mehr – er ist christliche Liebe, die alles zur höheren Synthese zusammenschließt. Der »Begriff« ist, mit Hegels eigenen Worten, »die sich selbst bewegende Seele des erfüllten Inhaltes«. *Der Logos des Seins* tritt im Begriffe, im Denken ans Licht. »Im wirklichen Begreifen bleibt der Gegenstand, das ‚Subjekt', der Satzaussage nicht starr gegenüber, sondern er entfaltet sich selbst in den Prädikaten der Aussage, geht also in der Bewegung dieser Entfaltung ‚zugrunde'« (Metzke). Jeder logische Satz spiegelt, vollzieht mit, so gut er kann, den innertrinitarischen Prozeß, in dem Gott-Vater den Logos auszeugt, und in diesem Prozeß mit dem Sohne den Geist sendet, als Ausstrahlung dieses Prozesses. Das bedeutet aber für Hegels vielumstrittenen *Geist*: der »Geist« läßt sich in keine Definition einfangen. In diesen Geistbegriff gehen unter anderem ein der antike Nous (als Weltschöpfer, Welterhalter-Geist), die christliche Geistauffassung der Kirchenväter, der Mystiker und Scholastiker, und das moderne Subjektprinzip. Vom christlichen Geisterlebnis und Geistbegriff übernimmt Hegel vor allem zwei Momente: die »lebendige Bewegung in sich«, in der Trinität, und die Vermittlung zwischen Mensch und Gott. *Vernunft, die Vernunft ist, das wird Hegel nie müde werden zu verkünden, »Vermittlung«, ist »Versöhnung«.*

Gottergriffene Logik

Es ist nicht uninteressant, einen Blick auf die Genesis dieser gottergriffenen Logik zu werfen. In seinem Jugendaufsatz »Die Religion Jesu« begegnen wir zum erstenmal dem hochbedeutsamen Vorgang: »an die Stelle der Subjekt-Prädikat-Beziehung der Sätze... tritt das Gott-Logos-Verhältnis im Absolut-Seienden«.

(H. Glockner) Verstiegene Spekulation? Lassen wir Hegel selbst das Wesen seiner Dialektik erläutern am »konkretesten« Fall, den es gibt (»konkret« heißt für ihn im Wortsinn »zusammengewachsen«, im Unterschied zum »Abstrakten«, das vom »dürren Verstand« produziert wird, der »abzieht«, teilt, das Ganze, das Leben zerspaltet und so tötet). Das Konkreteste ist für den Menschen, für den in der Polis, in »Staat« und Kirchengemeinde lebenden Menschen die Familie. Hegel ist ein ehelicher Mensch par excellence (drei Wochen nach seiner Hochzeit schreibt er an Niethammer: »Mein irdisches Ziel ist erreicht, denn mit einem Amte und einem lieben Weibe ist man fertig in dieser Welt; es sind die Hauptartikel dessen, was man für sein Individuum zu erstreben hat; das übrige sind keine eigenen Kapitel mehr, sondern etwa nur Paragraphen oder Anmerkungen«).

Kein Denker im deutschsprachigen Raum, außer dem von Hegel hochgeschätzten Franz von Baader, und hundert Jahre später Hugo von Hofmannsthal, hat die Verteidigung des Menschen dermaßen konkret begriffen als eine Verteidigung der Ehe, wie Hegel. Die große, alte, urewige Ehe zwischen Gott und Mensch, Geist und Seele, Mann und Frau, Vernunft und Herz wieder einzustiften, zu erneuern, rückzurufen ins Bewußtsein der Gegenwart, das erachtet Hegel als seine Sendung. In seinen Vorlesungen über Rechtsphilosophie legt er den Kern seiner Dialektik offen dar – in seiner Auffassung der *Familie*. »Die Familie hat als die unmittelbare Substantialität des Geistes, seine sich empfindende Einheit, die Liebe zu ihrer Bestimmung, so daß die Gesinnung ist, das Selbstbewußtsein seiner Individualität in dieser Einheit als an und für sich seienden Wesentlichkeit zu haben, um in ihr nicht als eine Person für sich, sondern als Mitglied zu sein.« Hegel erläutert das: »Liebe heißt überhaupt das Bewußtsein meiner Einheit mit einem anderen . . .« »Das erste Moment in der Liebe ist, daß ich keine selbständige Person für mich sein will, und daß, wenn ich dies wäre, ich mich mangelhaft und unvollständig fühle. Das zweite Moment ist, daß ich mich in einer anderen Person gewinne, daß ich in ihr gelte, was sie wiederum in mir erreicht. Die Liebe ist daher der ungeheuerste Widerspruch, den der Verstand nicht lösen kann, indem es nichts Härteres gibt, als diese Punktualität des Selbstbewußtseins, die negiert wird, und die ich doch als affirmativ haben soll. Die Liebe ist das Hervorbringen und die Auflösung des Widerspruchs zugleich: als die Auflösung ist sie die sittliche Einigkeit.« (In Parenthese: das denkerische und existentielle Verhältnis zur Ehe ist ein Schlüssel zu den deutschen Denkern zwischen Kant – den Hegel gerade auch wegen seiner »barbarischen« Mißachtung der Ehe offen angreift – und heute; deren Verhältnis zur Ratio, zu einem *sensus communis* der Menschheit, zu einem *bon sens* in der politischen Gemeinschaft, zum »Westen«, steht in einer intimen Verbindung mit ihrem Überdenken und Überschweigen der Ehe.)

In seinen Vorlesungen über die Philosophie der Religion erklärt Hegel dieses Geltenlassen des Widerspruchs in der Person als die Voraussetzung des Geltenlassens der Widersprüche in allen anderen Befindlichkeiten und Prozessen der Weltgeschichte und des Kosmos, als das *Kennzeichen der neuzeitlichen Welt und als das Kennzeichen des Geistes.* »Die Größe des Standpunktes der modernen Welt ist diese Vertiefung des Subjekts in sich, daß sich das Endliche selbst als Unendliches weiß und mit dem Gegensatz behaftet ist, den es getrieben ist aufzulösen. Die Frage ist nun, wie er aufzulösen ist. Der Gegensatz ist: ich bin Subjekt, frei, bin Person für mich; *darum entlasse ich auch das andere frei, das drüben ist und so das andere bleibt.* Die Alten sind zu diesem Gegensatz nicht gekommen, nicht zu dieser Entzweiung, die nur der Geist ertragen kann. *Es ist die höchste Kraft, zu diesem Gegensatz zu kommen, und Geist ist nur dies, selbst im Gegensatz unendlich sich zu erfassen.*« »Das Lebendige hat Bedürfnisse und ist so Widerspruch, aber die Befriedigung ist Aufheben dieses Widerspruchs. Im Triebe, Bedürfnisse bin ich mir selbst von mir unterschieden. Aber das Leben ist dies, den Widerspruch aufzulösen, das Bedürfnis zu befriedigen, zum Frieden zu bringen, aber so, daß der Widerspruch auch wieder entsteht; es ist die Abwechslung des Unterscheidens, des Widerspruchs und seines Aufhebens.« Wie geschieht dieses »Aufheben« in der Person? Ist dieses »Aufheben« nur, wie Hegels Gegner und einige seiner Freunde meinten, ein mechanischer Vorgang, in dem These, Antithese und Synthese, Satz, Gegensatz und Schluß sich abspulen, gemäß der fixen, ein für allemal feststehenden sakrosankten Wortformel? – Kostet die Dialektik nichts, oder fast gar nichts, außer einer recht billigen Dreisatzformel? Lassen wir Hegel diese Frage zunächst für die Person des Menschen beantworten: »Was aber die Persönlichkeit betrifft, so ist der Charakter der Person, des Subjekts, seine Isoliertheit aufzugeben.« »In der Freundschaft, in der Liebe gebe ich meine abstrakte Persönlichkeit auf und gewinne sie dadurch als konkrete. *Das Wahre der Persönlichkeit ist eben dies, sie durch das Versenken, Versenktsein in das andere zu gewinnen.*« »... Gott« (ist) »kein Abstraktum, sondern Prozeß, Geist, Subjekt.« »Er ist Leben ... Er ist die Bewegung durch seine drei Momente. Er ist niemals nur an sich, ohne eine Welt, und hat die Welt niemals nur außer sich. Gott ist Widerstreit und Versöhnung, Kampf und Frieden, Prozeß und Ruhe. So setzt er ewig die Welt, so hebt er sie ewig wieder auf, so ruht er ewig in sich selbst. Er ist das Spiel der Liebe mit sich selbst und der Ernst des Kampfes, der Schmerz, die Geduld und die Arbeit des Negativen.« Gott selbst also ein Spiel? Also doch: Alles nur ein Spiel? – Jawohl – aber was für ein Spiel! – Die Mystiker sprechen vom Spiel Gottes mit der minnenden Seele, und meinen damit den *Kreuzweg*, auf dem der liebende Gott den Menschen zu sich führt, mitten hindurch durch alle Schmerzen seiner Persongeschichte. Die Kirchenväter sprechen vom spielenden Gott, vom spielenden Christus, von der spielenden Kirche – und meinen damit den Reigen, den sie durch die unendlichen Schmerzen ihrer irdischen Geschichte Gott entgegentanzt, im Reigentanz der Märtyrer. Hegel selbst ist sich des mystischen Charakters seiner »Spekulation« voll bewußt: *»Das Spekulative ist das Mystische.«* Denn sie ist die Koinzidenz der Gegensätze. »Das Wesen der Spekulation ist ... die Einheit der Gegensätze, die Koinzidenz.« Hegel gebraucht darum die Ausdrücke »mystisch« und »spekulativ« für ein und dieselbe Sache. Das Mystische ist ihm das Vernünftige – »die Vernunft« faßt ja alle Gegensätze zusammen – im Unterschied zum »Verständigen«. (Erik Schmidt.) Gott, Vernunft, Begriff, Geist, Wahrheit, Idee sind nur als *Ereignis* zu begreifen. »Sie sind nicht, was sie sind, sobald das Ereignis, in dem sie sind, was sie sind, als unterbrochen gedacht, sobald an seiner Stelle ein Zustand gedacht wird. Vernunft und alle ihre Synonyme sind wesentlich *Leben*, Bewegung, Prozeß. Gott ist nur Gott in seinem göttlichen Tun, Offenbaren, Schaffen, Versöhnen, Erlösen, als absoluter Akt, als *actus purus*. Er ist ein Götze, sobald er etwa mit einem verabsolutierten einzelnen Moment dieses Aktes identifiziert wird.« (Karl Barth) In Parenthese: was Hegel hier bereits geleistet hat für die so notwendige Desillusionierung, die Selbstenttäuschung der europäischen Orthodoxen über die mangelnde Orthodoxie, die mangelnde All-Fülle ihrer Kirchenlehren, trifft nicht nur mit den Fragen zusammen, mit denen heute ein Rahner, Congar, Bultmann, ein Tillich u. a. ringen, sondern geht in einem richtigen Ansatz bereits über sie hinaus. »Vernunft ist Begriff, d. h. Vernunft begreift, greift in sich, schließt in restloser Durchdringung in sich die Wirklichkeit, so sehr in sich, daß diese nur in ihr, nur als begriffene Wirklichkeit Wirklichkeit ist. Aber das ist nicht so, sondern das geschieht. Der Begriff, gerade der absolute Begriff ist Ereignis.« Dieses Ereignis, es ist das Leben Gottes in der Welt, vollzieht sich im berühmten Dreitakt, im *Dreiklang:* der »Begriff« entläßt seinen Gegensatz und Widerspruch aus sich selbst, hebt ihn sodann wieder in sich auf (Aufheben im Sinne von Überwinden *und* Erhalten): bereichert, gesättigt mit Leben kehrt der »Widerspruch« in die Einheit zurück; das »Spiel« beginnt, setzt sich weiter fort, in einem unendlichen Kreisen der Liebe zwischen Vater, Sohn, Heiligem Geist. »Gott ist nicht *ein* Begriff, sondern *der* Begriff.« Gott ist

Gott nur als der dreieinige Gott, »als der ewige Prozeß des Sich-Unterscheidens, Dirimierens und Insichzurücknehmens. Das Leben selbst ist keine in sich ruhende Einheit, sondern der ganzen abendländischen Logik zum Trotz ein fortwährendes A = non A. Die Logik hat sich eben – und mit ihr die Wissenschaft – nach dem Leben zu richten und nicht umgekehrt. Die Einheit der Wahrheit – und keiner hat energischer um sie gekämpft als Hegel – ist die Einheit, nein, die sich vollziehende Versöhnung der Widersprüche. Ihre Versöhnung, aber auch ihre Begründung, ihre Notwendigkeit und ihre Vermittlung und Aufhebung. Nicht in der Beseitigung, sondern in der Relativierung, d. h. aber in der gegenseitigen Beziehung zwischen den Widersprüchen von Sein und Denken, von Gegenstand und Vorstellung, von Natur und Geist, von Objekt und Subjekt usw. untereinander und mit ihrer höheren Einheit, die sie doch alsbald wieder aus sich entlassen, ja selber aufrichten muß, in dieser Relativierung gerade besteht die Absolutheit des Geistes.« (K. Barth)

Gott ist Sein, Nichts, Werden. »Weil Gott Sein und Nichts ist, darum ist alle Negation nicht außer, sondern in Gott, darum wird sich auch der Tod als ein Moment in Gott erweisen.« »Das Sein geht in das Nichts über, das Nichts geht in das Sein über.« (E. Schmidt) Die Wahrheit des Seins und des Nichts ist also die Bewegung des Verschwindens der einen Kategorie in der anderen. Diese *Bewegung* ist das *Werden*. (In der Berner Stadtbibliothek wird hundert Jahre nach Hegel Lenin fasziniert durch diese Formulierung des Werdens, und er geht daran, diese Last des Werdens Gott abzunehmen und sie seiner Heilsgemeinde erprobter, geprüfter, purifizierter Bolschewiki zu übertragen.) In ihm ist Gott unendlich und endlich zugleich. Wie vollzieht sich nun dieses »Werden«, dieses »Aufheben«, dieser Übergang von Gott zur Welt, von der Welt zu Gott? Wie geht ein geschichtlicher Zustand in einen anderen über, wie lösen sich die vier Weltreiche ab? Wie spielt sich die Wirklichkeit konkret ab? Gott als Ereignis? Der Mensch als Ereignis? Die Natur als Ereignis? – Man hat Hegel immer wieder vorgeworfen, daß er, obwohl er ständig spreche und schreibe von diesem dialektischen Prozeß der Übergänge, des Setzens und Aufhebens aller Gegensätze und Widersprüche, sich gründlich ausschweige darüber, wie denn nun faktisch diese Wandlung vor sich gehe, in der der Weltgeist, Gott, zum Selbstbewußtsein reife. – Fließt Gott-Welt, ein brausendes Meer, einmal in diese, dann wieder in jene Mensch-Kanäle der Geschichte? Produziert die Kosmos-Maschine reibungslos ihre Produkte und Produktionen in Natur, Tierwelt, Gesellschaft, Person des Menschen? Hegel antwortet mit dem Hinweis auf die Weltgeschichte als »Schädelstätte«, als »Karfreitag«, als »Tod Christi«.

»Seine *Grenze* wissen, heißt *sich aufzuopfern wissen.* Diese Aufopferung ist die Entäußerung, in welcher der Geist sein Werden zum Geiste, in der Form des freien zufälligen Geschehens, darstellt, sein reines Selbst als die Zeit außer ihm, und ebenso sein Sein als Raum anschauend. Dieses sein letzteres Werden, die *Natur,* ist sein lebendiges, unmittelbares Werden; sie, der entäußerte Geist, ist in ihrem Dasein nichts als diese ewige Entäußerung ihres Bestehens und die Bewegung, die das Subjekt herstellt. – Die andere Seite aber seines Werdens, die *Geschichte,* ist das wissende, sich vermittelnde Werden – der an die Zeit entäußerte Geist; aber diese Entäußerung ist ebenso die Entäußerung ihrer selbst; das Negative ist das Negative seiner selbst.« Diese Sätze im Schlußteil seines genialen großen Erstlings, der »Phänomenologie des Geistes«, bezeugen bereits, daß Hegel sehr genau weiß, was das Werden, die Wandlung, das Aufheben kostet: ein wirkliches Sterben, ein Opfer, einen Tod. Dieses Sterben leistet die Natur unbewußt und unfreiwillig, der Mensch kann und soll es freiwillig und bewußt auf sich nehmen. In großer Nüchternheit – es ist die Nüchternheit eines seiner selbst sicheren Glaubens – bekennt sich Hegel zum Opfer, zum Selbstopfer. »Er begriff die Notwendigkeit des Selbstopfers, welches von jedem Individuum in Freiheit gebracht werden muß.« (Glockner) Hegel ist, was oft nicht gesehen wird, darum so meilenweit fern von den tragizistischen, weltschmerzlichen, pessimistischen Untergangsphilosophien späterer Zeitläufe, weil für ihn das freiwillige Sichhineingeben des Menschen in das Sterben, in den großen Opfergang der Geschichte, ganz selbstverständlich ist. So selbstverständlich, wie für die Christen Alteuropas, für die das Sterben ganz zum Leben gehörte, so eng, natürlich und nah, daß nicht nur Mönche, sondern selbst Bauern ihren Sarg und ihr Sterbegewand im Hause und in der Truhe bei sich hatten. Die *ars moriendi,* die Kunst, gut, richtig, d. h. richtig vorbereitet zu sterben, gehörte wie die Kunst, gut zu essen und gut zu trinken, zu den Künsten und Fertigkeiten des Lebens, die ein rechter Mann können mußte, wollte er bestehen in der Kommunion und Kommunikation der Lebenden und der Toten. Für Hegel ist dieses Sterbenkönnen so selbstverständlich, daß er nicht allzuoft davon spricht. Wenn er aber davon spricht, dann behandelt er dieses große, erste und letzte Thema des Denkens – die Philosophie ist von Anfang an ein Bedenken des Todes – in der einzigen angemessenen Form, die es dem Menschen ermöglicht, vom Sterben und vom Tode zu denken, ohne der Sentimentalität, dem Tragizismus, der falschen Anmaßung und Überhebung zu verfallen, ohne sich mit den Tränen der

leeres Wort sein, so muß er als dreieiniger Gott gefaßt werden«. »Wenn aber die moderne Kirche sagt, man könne Gott nicht erkennen, so wird Gott zu einem hohlen Abstraktum heruntergesetzt.« In seiner Vorrede zur zweiten Ausgabe der Encyclopädie (1827) verteidigt sich Hegel gegen den Vorwurf der protestantischen Theologen, die ihm, mit Tholuck, Pantheismus vorwerfen und erklären, seine Philosophie hebe den Unterschied von Gut und Böse auf, mit einem Gegenangriff, der das Herz der Sache, *the heart of the matter*, trifft: Diese neueren pietistischen und aufgeklärten Theologen wollen nichts mehr von der Trinität wissen. Zustimmend zitiert Hegel in diesem Zusammenhang die Stimme einer englischen Zeitung: »Auf dem europäischen Kontinent ist Protestantismus und Unitarismus gegenwärtig meist synonym.« *Hegel arbeitet sehr genau heraus: wer nicht an die Trinität glaubt, an den Lebens-, Liebes- und Leidensprozeß der Dreifaltigen Gottheit, für den muß seine Dialektik, sein ganzes Denken ein verschlossenes Buch mit sieben Siegeln bleiben oder eine ungeheure Anmaßung.* Wie soll die Vernunft als Versöhnung, als Vermittlung begriffen werden, wenn die Versöhnungsarbeit Gottes in der Welt, im Prozeß der Welt-Geschichte, nicht geglaubt und deshalb nicht gesehen wird? Wenn Gott aufgelöst wird in ein »Gespenst«, in einen »psychologischen Christus«, in einen Komplex von sehr individuellen Gefühlen? – Hegel mußte Schleiermacher, Tholuck, die zeitgenössische protestantische Theologie so scharf angreifen, es ging hier um den Ernst, um die Wirklichkeit seiner größten und stärksten Leistung, um die Anerkennung der Dialektik – und es ging zugleich um die Verteidigung seiner Achillesferse, um die Überdachung eines eng damit verbundenen Problems, das er wie alle anderen Denker nie meistern konnte: um die letzte Einsicht in die Bedeutung des Sündenfalls, um Wesen und Stellung des Bösen.

Die Geschichte vom Sündenfall ist »die ewige Geschichte des Menschen, Bewußtsein zu sein«. »Es ist die ewige Geschichte der Freiheit des Menschen, daß er aus dieser Dumpfheit, in der er in seinen ersten Jahren ist, herausgeht, zum Lichte des Bewußtseins kommt, näher überhaupt, daß für ihn das Gute ist und das Böse.« Der Sündenfall entsteht durch die Erkenntnis. Das Böse liegt im Bewußtsein. Das Böse liegt in der Entzweiung, und die Entzweiung kommt durch das Erkennen. Hegels Lehre läuft darauf hinaus, Gott als den Urheber des Sündenfalls hinzustellen. Mit dem deutschen Idealismus betont er das Positive des Sündenfalls: ohne ihn keine Weltgeschichte. »Das Böse ist für Hegel ein Problem wie andere Probleme, mit dem er gedanklich, spekulativ fertig werden will.« So urteilen, mit Erik Schmidt, sehr viele Theologen über Hegel. Hegel selbst macht es sich, auf dem Höhepunkt seiner Spannkraft, nicht so einfach. »Böse sein heißt abstrakt: mich vereinzeln; es ist die Vereinzelung, die sich abtrennt von dem Allgemeinen.« Der Mensch ist böse und gut; böse von Natur und Geschichte her, und immer, wenn er sich in seiner »Einzelnheit« behaupten will. Wir werden in Hegels Auffassung des »Staates« sehen, wie sehr er hier, wie auch sonst oft, sich der Welt-Anschauung der deutschen Romanik nähert, zwischen Rupert von Deutz und Hildegard von Bingen: der einzelne hat sich und seinen immer wieder abwegigen Einzelwillen einzuordnen in das große Ganze, in Staat-Kirche-Weltgeschichte-Gott. Das schwierige Zusammenspiel des Guten und Bösen *im* Menschen löst Hegel nicht einfach, wie ihm vorgeworfen wird, in ein logistisches Wortspiel auf, wie Schmidt meint: »Weiter kann man sich vom Evangelium nicht entfernen, als indem man an die Stelle des Geheimnisses des Kreuzes eine dialektisch-spekulative Formel setzt.« Treffender sagt Karl Barth die Eigentümlichkeit der Hegelschen Auffassung der Sünde und des Bösen an: »Irrtum, Lüge, Sünde kann bei Hegel nur heißen: obstinate Einseitigkeit, dumpfes, aus dem Gehorsam gegen die Selbstbewegung des Begriffs herausfallendes Verharren und Station machen.« Wir geben in unserer Textauswahl eine charakteristische Stelle, die zeigt, daß es sich Hegel hier nicht leicht macht. Dennoch muß festgehalten werden – wir werden in den nächsten Abschnitten noch näher darauf einzugehen haben –: hier überspannt, überfordert Hegel seine Dialektik. Hier ist die unheilbare Wunde seines »Systems«. Der sich überanstrengende Denker vergißt, daß er davon ausging, sich von der Dialektik Gottes ergreifen zu lassen, und ihr Wesen, ihr Leben zu beschreiben, zu umschreiben in oft ambivalenten, mehrdeutigen Begriffen. Seine Intention war (und bleibt es in seinem Bewußtsein bis zu seinem letzten Lebenstag): sich so weit zu öffnen, daß Gott in ihm sich denken kann. Im Laufe der Arbeit gelangt er aber dazu, aus Gottes Dialektik seine eigene Dialektik zu machen: der Philosoph übernimmt das Geschäft Gottes in der Welt. Der Philosoph schreibt der Welt, der Menschheit die Bahnen und Fahrzeiten ihrer Selbstbewegung vor. Genau hier, an dieser wundesten Stelle, setzen die Linkshegelianer und Marx dann ein: übernehmen wir das Geschäft, übernehmen wir die Last der Verantwortung dieses Gottes, sich zu entwickeln zur Fülle der Zeiten, zu vollem Bewußtsein. Hegel hat diese Machtübernahme ermöglicht durch sein totales Begreifen der Sünde, des Bösen; dieses wird nunmehr ebenfalls übernommen – von den Managern des Terrors und der Angst, als ein Mittel, um die Menschen zu »erziehen«, um sie einzuformen in ihre Polis. Die Technik des Schreckens – zu Lebzeiten Hegels zum ersten Male von den Jakobinern praktiziert – kann sich berufen nicht auf Hegel persönlich, wohl aber auf seine Handhabung des Bösen, als eines notwendigen Mittels der Weltgeschichte, um den »Fortschritt« zu wirken.

Die verlorene Geduld

Der junge Hegel legt den größten Nachdruck auf die »Geduld des Negativen«; nur wenn der Geist »dem Negativen ins Angesicht schaut, bei ihm verweilt«, vermag er es in das Sein zu verwandeln. Die große Grundkonzeption Hegels bestand ja eben darin: sich ergreifen zu lassen, von dem »Ganzen«, vom Leben, vom Menschen, von der Geschichte, von allen Widersprüchen, Gegensätzen und Feindschaften – und sie geduldig auszutragen, zu ertragen, ja sich in sie hinein, in ihre Anerkennung preiszugeben, zu opfern – bis sie sich begreifen lassen als notwendige und deshalb heilvolle Momente des weltgeschichtlichen Prozesses. Der junge Hegel ist offen: ist offen wie kaum ein europäischer Denker vor ihm für die Annahme von Wirklichkeiten, die vor ihm nur überdacht, überherrscht und überschwiegen worden waren. Heinrich Weinstock hat, nach Löwith, mit Recht darauf verwiesen, wie da der junge Hegel die Maschine, die Arbeit und den Arbeiter, die Technik, das Kapital ernst nimmt, wie kaum ein idealistischer Denker zuvor. »Die Geduld des Negativen«, das betraf ja immer wieder die Anerkennung jener Bereiche und Bezüge, welche die platonistische Philosophie, das geängstete und hochmütige Denken herrischer Männer als »schlecht« und »böse«, als »unwürdig« zu bedenken abgelehnt hatte: die Mater und die Materie, die Frau, das Kind, den »Anderen« und Ganz-Anderen, das Individuelle und gar erst das Personale, die Natur, Kreatur, das Tier und das »Kleine« überhaupt. – Die Tragödie Hegels besteht nun darin, daß er im Laufe seines Lebens den Anstrengungen und Einforderungen seiner Denkarbeit erliegt, und alle diese Bezüge, die er in einem großen Ja-Sagen gewinnen wollte für das Ganze – die Wirklichkeit – die lebendige Gottheit, wieder verneint, denunziert. Sein Rückfall in die alte gigantische Denunziation der Welt-Wirklichkeit, zumindest vieler ihrer Bezüge, hatte deshalb so katastrophale Folgen, weil er selbst bereits das Verhängnis dieser Denunziation durchschaut hatte – Marx und die Linkshegelianer mußten nur konsequent beim jungen Hegel ansetzen, um von diesem aus den harmonisierenden, sein System schmiedenden alten Hegel aus den Angeln zu heben: nicht mehr als einen lebendigen Menschen (der sich in keine Angel festmachen läßt), sondern als ein »System«, eine klappernde hölzerne Apparatur.

Hegel erliegt hier einer Tendenz, die bei Aristoteles und mehr noch bei Plato ansetzt. Für Aristoteles ist das Individuelle das »Unwesentliche«. Zwei Individuen des gleichen Eidos »Mensch«, Kallias und Sokrates, unterscheiden sich nur durch die Materie. »Ist doch das Individuum das Vergängliche, Nichtige, die Art aber das in aller Vergänglichkeit der Individuen Perennierende, Immerseiende, Überzeitliche, Platonisch-Ideenhafte.« »Die Individuation bleibt bei Hegel unausgeschöpft, sie ist auch ihm im letzten Grunde unwesentlich – ganz wie für Aristoteles.« (Nicolai Hartmann.) Hegel aber vollzieht hier sogar noch einen entscheidenden Rückschritt gegenüber Aristoteles. Für Aristoteles durchbricht die Materie immer wieder das Schema der Identitätsthesen, sie ist das Alogische, Agnostische, der chaotische Untergrund, die »Mutter«, das, was sich dem Geist, dem Denken des Mannes durch heftigen Widerstand entzieht, aber doch immer präsent und existent ist. Hegel kennt die Materie überhaupt nicht, er löst sie völlig auf in den Prozeß der Formen, zerschlägt sie. »Der Widerstand des Starren wird restlos überwunden, gebrochen, vernichtet, er ist nur Durchgangsstation.« Hegel erliegt hier dem tausendjährigen Platonismus und eben jenem Manichäismus, den er bewußt bekämpft, wenn er seiner gewahr wird. – »Die Natur ist der sich entfremdete Geist.« »Mit Recht ist die Natur überhaupt als *der Abfall der Idee* von sich selbst bestimmt worden, weil sie in dem Element der Äußerlichkeit die Bestimmung der Unangemessenheit ihrer selbst mit sich hat.« Die ganze äußere räumlich-zeitliche Welt ist »gemein« (beachten wir, welche konstitutive Bedeutung dieses Wort für Goethe hat: es umfängt die ganze niederständische, plebejische »hündische« Welt, die sich dem Manne der Bildung nicht fügen will), ist schlecht, vergänglich. »Das Auch der Materien« ist »jene *Masse gemeiner* empirischer Realität«, ist jene »sinnliche Welt«, in der alles »dumpf«, »verworren«, »trübe« ist. Das Ding in ihr, dessen Schilderung versucht würde, *»vermodert«*, ehe die Beschreibung beendet ist. Diese Dinge tragen »den Keim des Vergehens« in sich selber, und »die Stunde ihrer Geburt ist die Stunde ihres Todes«. – Ein Rausch des Todes, des *Desengaño,* der spanischen Selbstenttäuschung des Barocks über die Hinfälligkeit der irdischen Welt überkommt hier Hegel. »Die unbegreifliche Sphäre gemeiner Wirklichkeit« kann nicht gedacht werden, sie entzieht sich dem »Begriff« (der hier wieder herabsinkt zum Griff der alten Herren über das Niedervolk!). Die »sinnliche« Welt erzeugt nur »Irrtum«, »Täuschung« und »Verzweiflung«. Das Empirisch-Konkrete ist metaphysisch nichtig, geistlos, schlecht, wesenlos; es ist eine Truggestalt; das Wesen dieses »farbigen Scheins« ist das »Nichts«.

Mit der Natur, der Materie, dem Natürlich-Individuellen fällt aber nun das »Andere«, das beseitigt wird, fällt das Individuum, das entmündigt und entwertet wird. Hegel mißbilligt ja nicht nur die »zufällige Existenz« und jede »bloße Einzelnheit« in der Natur, lehnt die unzähligen Spielarten von Pflanzen und Tieren in der Natur ab, sondern verwirft auch das menschliche »Individuum«. Die Individuen stehen zu den das geschichtliche Leben regierenden Mächten im Verhältnis der »Akzidenzen«. »Gegen die ewige Gerechtigkeit bleibt das eitle Treiben der Individuen nur ein anwogendes Spiel.« »Ob das Individuum sei, gilt der objektiven Sittlichkeit gleich, welche allein das Bleibende und die Macht ist, durch welche das Leben der Individuen regiert wird.« Hegel gelangt hier zu einer »schweren Degradierung des Menschen«, der als ein Individuum erscheint, das von Leidenschaften vorwärtsgepeitscht wird, die sich an illusionären Zielen entzünden – der Mensch als ein Instrument, ein Werkzeug der Weltgeschichte, dienend dem Großen-Einen-Ganzen-Totalen, dem Weg des »Weltgeistes« zu sich selbst. – Etwas von dem mörderischen Einheitswahn, der an mehreren Stellen in Platons »Staat« durchschimmert und der die Vielfalt der Individualitäten dem Einen Staat – Einen Gott – der Einen Gesellschaft opfert und der das Personale überhaupt nicht zu Gesicht bekommt, wirft hier schwere Schatten über Hegel. Um ihn aber in dieser großen, verhängnisvollen Schwäche würdigen zu können, darf man zwei Tatsachen nicht vergessen: Hegel ist Erbe und Opfer eines tausendjährigen manichäisch durchsetzten Platonismus, den er überwinden will; wie so oft müssen aber die Überwinder noch einen Preis für ihre Tat bezahlen, der ihr Werk der Lösung und Befreiung selbst gefährdet und neu fragwürdig werden läßt. Hegel erliegt hier der Sprache, dem Zwang, den ein in tausendjährigen Traditionen geformtes Denken auf jeden ausübt, der sich seiner »bedienen« will und muß. Vergeblich bemüht er sich, diesen Zwang des Linearen, Herrischen, Denunziatorischen der platonisch geprägten Sprache Alteuropas zu durchbrechen, versucht, bewußt mehrdeutig zu sein (so in seinem Wort »aufheben«), ambivalent, versucht, den Worten ihre alte archaische Fülle zurückzugewinnen: jene Fülle, die in einem Wort alle seine heilvollen und unheilvollen Bezüge umfing (*sacer* bedeutet heilig *und* heillos, die alten Götter-Namen ebenso wie alte Ding-Namen bezeugen teuflische, dämonische und göttliche Bezüge; so wie die Symbolfiguren der Romanik: wo etwa der Teufels-Löwe und der Christus-Löwe einander »entsprechen«). Hegel hatte Gott und »allgemeines Leben« identifiziert; dieses »Allgemeine« sollte alles umfassen, umfangen und ausgebären, was »wirklich« und »vernünftig« war. Uralte Denkgewohnheiten des zur Herrschaft berufenen Ein-Mannes verführen aber Hegel dann, das »Allgemeine« zu identifizieren mit dem »Einen«, der Einen Idee Platons, die dann wieder sich aussagt in einer »Wirklichkeit« und einem »Geist«

und einer »Vernunft«, die nichts anderes ist als die Systemzange, die alles verwirft, was sich nicht ihrem linearen Ein-Denken fügt. – Hegels Ringen mit dem herrischen Denken Alteuropas spitzt sich zu – und hier ist die zweite Tatsache zu sehen, die es zu beachten gilt – in seinem Versuch, die Weltgeschichte zu begreifen als *die* Theodizee.

Die Weltgeschichte als Weltgericht

»Nur die Einsicht kann den Geist mit der Weltgeschichte und der Wirklichkeit versöhnen, daß das, was geschehen ist und alle Tage geschieht, nicht nur von Gott kommt und nicht ohne Gott, sondern wesentlich das Werk Gottes selbst ist.« Mit diesem Satz schließt Hegel seine Vorlesungen über die Philosophie der Weltgeschichte. Im Eingang und hier im Ausklang seiner Vorlesungen spricht Hegel offen die Absicht seiner Betrachtungen über die Weltgeschichte aus: was Leibniz mit unzulänglichen Mitteln versucht hat, will er beweisen: die Weltgeschichte ist die Theodizee, ist die große Rechtfertigung Gottes; »Gott regiert die Welt; der Inhalt seiner Regierung, die Vollführung seines Plans ist die Weltgeschichte«. »Die Weltgeschichte ist die Darstellung des göttlichen, absoluten Prozesses des Geistes in seinen höchsten Gestalten, dieses Stufenganges, wodurch er seine Wahrheit, das Selbstbewußtsein über sich erlangt. Die Gestaltungen dieser Stufen sind die welthistorischen Volksgeister, die Bestimmtheiten ihres sittlichen Lebens, ihrer Verfassung, ihrer Kunst, Religion und Wissenschaft.« Jetzt, in Hegels Gegenwart, ist die Zeit gekommen, den Plan der Vorsehung Gottes in der Weltgeschichte einzusehen. Der Christ kennt Gott und ist deshalb berufen, seine Wege und Werke, die Weltgeschichte zu erkennen. Der gesamte Inhalt der Weltgeschichte ist, als Werk Gottes, vernünftig und kann von dem mit Vernunft begabten Menschen, dem Christen, deshalb begriffen werden. Nur der Christ kann den Durchgang durch den Schmerz, den Tod, und die Auferstehung verstehen, die mit jedem weltgeschichtlichen Geschehen verbunden sind. (Vgl. dazu unsere Textauswahl.)

Die Weltgeschichte ist der Fortschritt im Bewußtsein der Freiheit. Substanz des Geistes ist die Freiheit. In der Weltgeschichte erwacht der Geist zu seinem Bewußtsein, zu sich selbst in verschiedenen Stufen und Stadien, in den weltgeschichtlichen Völkern und den weltgeschichtlichen Individuen. Völker und Individuen sind welthistorisch, wenn in ihrem Grundzweck ein allgemeines Prinzip gelegen ist. In letzteren, diesen »Heroen«, pocht »der verborgene Geist« an die Gegenwart, »der noch unterirdisch, der noch nicht zu einem gegenwärtigen Dasein gediehen ist und heraus will, dem die gegenwärtige Welt nur eine Schale ist, die einen anderen Kern in sich schließt, als der zur Schale gehörte«. Diese und verwandte Stellen enthalten in nuce Dostojewskijs Lehre vom Untergrund, und Marxens Auffassung vom Wachsen des Neuen in den noch verhüllenden Formen des Alten; diese Gedanken gehen zurück auf die joachimitischen Spiritualen, die Männer um Joachim von Fiore, die Lessing, der stark auf Hegel einwirkt, für seine Zeit neu entdeckt hatte. Der Sinn der Weltgeschichte ist die Ehre Gottes, die Verherrlichung Gottes. Der Mensch gibt Gott die Ehre, indem er ihn erkennt in der Geschichte. »In der Ehre Gottes hat auch der individuelle Geist seine Ehre, aber nicht seine besondere, sondern durch das Wissen, daß sein Tun zur Ehre Gottes das Absolute ist. Hier ist er in der Wahrheit, hat mit dem Absoluten zu tun; er ist daher bei sich.« Das ist, in der Gesinnung und im Inhalt, strengste deutsche Romanik des 12. Jahrhunderts. So hatte Rupert von Deutz die Epochen der Weltgeschichte als »den Sieg des Gotteswortes«, des fleischgewordenen Gottes, gesehen. Hegel begegnet hier in vielen Einzelzügen, so in seiner Vierweltalterlehre, seiner Auffassung vom Gang der Weltgeschichte vom Osten nach Westen, in der ihm selbstverständlichen Überzeugung, daß Europa, die abendländische Christenheit der Gipfel und die Vollendung der Weltgeschichte ist (»Europa ist schlechthin das Ende der Weltgeschichte ...«), neben der karolingisch-staufischen Reichstheologie und Weltgeschichtsauffassung wieder Leibniz, der nicht nur in seinen »Annalen« sich mit Vorliebe auf die Geschichtsdenker des deutschen Hochmittelalters stützt. Etwas von der ehernen, unerbittlichen Wucht einer Hildegard von Bingen und ihren Weltgeschichte- und Weltgerichtvisionen lebt in Hegel wieder auf. Hildegard begreift mit Vorliebe Gott als Stahl; stählern hart sind seine Gerichte über die Weltgeschichte, die gleichzeitig und ihrem Wesen nach Kosmosgeschichte ist. Sehr nahe steht ihr auch hierin Hegel, auch er begreift die Weltgeschichte als kosmischen Prozeß; weit hinaus geht er aber über Hildegard von Bingen, wenn er diesen Prozeß weitet zum theogonischen Prozeß. Zu einem Prozeß, der unendlich viel Schutt entläßt; verbrauchte Völker, verbrauchte Zeiten, verbrauchte Einzelne, die sich als schwach, als unbrauchbar, als nicht welthistorisch relevant erwiesen haben. »Es kann auch sein, daß dem Individuum Unrecht geschieht; aber das geht die Weltgeschichte nichts an, der die Individuen als Mittel in ihrem Fortschreiten dienen.«

Droht aber nun dergestalt nicht die Theodizee sich in ihr Gegenteil zu verkehren? Statt Gott zu entlasten und ihn zu rechtfertigen – belädt sie ihn hier nicht mit allen Grausamkeiten, Sinnlosigkeiten der Geschichte? – Genau diese Konsequenz muß der Mensch aus Hegels Weltgeschichte ziehen, der nicht seinen starken Glauben hat. Hier verrät sich wieder einmal eine versteckte untergründige Tendenz, die in allen Gottesbeweisen seit dem Buche Hiob steckt: sie sind auch Versuche, den Menschen zu rechtfertigen bei Gott und gegen Gott; dieser Dialektik folgend wird aus der Theodizee in der Geschichte leicht eine Laodizee, der Versuch, ein Volk zu rechtfertigen als ein auserwähltes Volk. Hegel wird, so scheint es zunächst, von den Galgen und Schädelstätten der Weltgeschichte ebensowenig angefochten in seinem Glauben, wie mittelalterliche Theologen von den Scheiterhaufen der Ketzer, wie spanische Großinquisitoren vom Autodafe und vom Brand rebellischer Länder. *Die Ehre Gottes* (hier ist er einmal ganz nahe seinem großen Antipoden Calvin) leidet nicht unter den zahlreichen Versehrungen des Menschen in den Greueltaten der Geschichte. Warum nicht? Hier geht nun Hegel über alle Romanik und Romantik weit hinaus: die Ehre Gottes leidet nicht, sie wird vielmehr durch die Weltgeschichte erwiesen, weil Gott selbst dieses Leid auf sich nimmt. Die Weltgeschichte ist ein unendliches Leiden Gottes. Das Unglück der Welt ist zugleich das Unglück Gottes.

Von der letzten Tiefe im Wesen Gottes spricht Hegel selten. »Diese Tiefe ist der Schmerz oder das Leiden Gottes.« (I. Iljin) Durch das Leiden Gottes in der Welt wird das böse Prinzip gefesselt und einer in der Ewigkeit zu erringenden Verklärung entgegengeführt. »Das empirische Element, diese ewige Potenz des Bösen, ist also in der Welt und in Gott immanent; und dadurch ist sie die lebendige und ewige Quelle des göttlichen Leidens.« (Iljin) »Der Gang Gottes durch die Welt ist die Geschichte seines ringenden und hin und wieder siegenden Leidens; denn nur hin und wieder gelingt es dem Geist, vollendete Welt-Gestalten hervorzubringen, wogegen die übrige unermeßliche Menge der Welt-Erscheinungen unvollendet oder ganz mißraten in der Vergangenheit verschwindet!« Das ist Hegels »Pantragismus«, den Hermann Glockner mit Recht herausgearbeitet hat. Dieser Pantragismus ist aber nicht Hegels letztes Wort über die Weltgeschichte; er entwickelte sich in Hegel aus drei Bezügen: aus dem alten anerzogenen Platonismus, aus seinem anerzogenen Luthertum (die allein weltgeschichtlich wichtigen »Welt-Gestalten« gleichen überraschend den *testes veritatis,* den alleinigen und einsamen Zeugen des »reinen Glaubens« in der »Nacht« der Jahrhunderte und der Verderbnis), und nicht zuletzt aus seinem faktischen Unvermögen, den reichen Realbestand der Weltgeschichte voll und ganz zu »begreifen« als die große Symphonie der Feinde und Gegensätze. Was aber Hegel wirklich will, zeigt sein berühmtes Wort von der Weltgeschichte als »Schädelstätte des absoluten Geistes« im Schlußsatz der Phänomenologie (zu vergleichen mit Schillers »Die Weltgeschichte ist das Weltgericht« und Hamanns »Golgatha und Scheblimini«; Hegel widmete Hamann 1828 eine der letzten größeren Arbeiten seines Lebens). Hegel denkt an den Durchgang durch Golgatha hindurch: der sterbende Gott ist der Auferstehende; jeder Untergang in der Geschichte ist tief sinnvoll, ist ein Prozeß der Geburt. Wesentlich ist für Hegel, und er wird nicht müde, das herauszuarbeiten, »daß auch vom Göttlichen gewußt wird, daß es am Lose des Endlichen teilhat, an der abstrakten Notwendigkeit des Endlichen«. In seinen Vorlesungen über die Philosophie der Weltgeschichte bemüht sich nun Hegel tatsächlich, das Göttliche, den Geist auf seinen zahlreichen und überraschenden Umwegen zu verfolgen, die er in den Völkern, Staaten, Religionen und Gesellschaften Asiens, Afrikas, Amerikas, der alten und neuen Zeitläufe macht, um »zu sich selbst zu kommen«.

Hegels weltgeschichtliche Betrachtungen sind keineswegs, wie man vielleicht vermuten möchte, eng, beschränkt auf jene griechische, römische und germanische Welt, in der er allerdings, mit den Romantikern und dem 19. Jahrhundert, den Höhepunkt *der* Weltgeschichte sieht. Hegel zeigt vielmehr gerade hier – man lese nur seine ausgedehnten Überlegungen über die Religionen und Verfassungen Asiens und zumal Afrikas (letztere besitzen heute aus vielen Gründen neue Aktualität), wie ernst es ihm darum war, sich von der ganzen Wirklichkeit ergreifen zu lassen und ergriffen sie darzustellen. – Zusammen mit seinen Vorlesungen über die Philosophie der Religion, die wieder in engstem Zusammenhang mit den Vorlesungen über die Weltgeschichte zu lesen sind, geben diese Überlegungen und Betrachtungen den großartigsten Einblick in sein Wollen.

Hier gelingt es ihm nämlich, aufzuzeigen, worum es ihm wirklich geht: der Mensch in der Wirklichkeit, im Strahlfeld vielfältiger geschichtlicher Kräfte, die durch ihn hindurchgehen, die sich in ihm manifestieren, die sich seiner bedienen und in denen allein der Mensch sich behaupten kann: gerade durch den Untergang hindurch. Wir bringen deshalb in unserer Textauswahl einige dieser bedeutendsten Darstellungen Hegels, in denen sich sein Werk erweist als eine Lehre vom Menschen, als Ansatz einer neuen Anthropologie: Antigone, Sokrates, Prometheus, der schöpfungsträchtige Untergang der griechischen, der römischen Welt. – Antigone *und* Kreon, beide sind »im Recht«, weil sie echte geschichtliche und innermenschliche Bezüge verkörpern; Kreon steht und lebt für das Recht der Polis, der großen politisch-gesellschaftlichen Gemeinschaft, Antigone steht, lebt und stirbt für die »Familie«, für das Prinzip der Subjektivität. – Sokrates zerbricht durch seine Innerlichkeit die griechische Welt, sein Tod erscheint als höchste Gerechtigkeit und

Ungerechtigkeit zugleich. Als Gründer des Gewissens, als erster Märtyrer für ein neues, revolutionäres geistiges Prinzip muß er untergehen – »die früheren Griechen hatten kein Gewissen«. Hegel erfaßt instinktiv die apersonale Einheit der archaischen Welt, in der es kein »Ich« und kein »Ich bin« gibt (die erst als Götterrechte, Götternamen, später als Befugnisse der Könige, langsam in die Geschichte einziehen). Den Aufstieg der Menschen zu »Göttern« sieht er mit Recht dargestellt im Lebensweg des Prometheus und des Herakles. Prometheus, diese Chiffrefigur für Karl Marx, für das deutsche 19. Jahrhundert, der Mann, der das Feuer den Menschen bringt, leitet jene Neuzeit ein, in der die Menschheit ihr Mitschöpfertum offen erkennt. Hegels Auffassung der römischen Welt, ihres harten Dualismus, gehört zum Allerbesten, was deutsche Geschichtsdenker gedacht haben. Hegel sucht hier offensichtlich Berner Erinnerungen zu überwinden, den Alptraum einer kalvinistischen Aristokratie, in der der einzelne dem Bund und seiner Macht geopfert wird, und, als Entgelt, die Familie, Frau und Kind, seinem männischen Egoismus aufopfert. Der Römer als Knecht des Staates, als Despot seiner Familie – von dieser Vision steigt Hegel auf zur Vision Roms als jener cäsarischen Übermacht, »die der Welt das Herz bricht«. Aus dem »unendlichen Schmerz« der versehrten, geschändeten Leiber und Gewissen wird das Christentum geboren. Nie ist es Hegel großartiger gelungen, die positive Erschütterungsmacht des »Negativen« plastisch und überzeugend darzustellen, als hier. Rom hat die Welt in Trauer versenkt, es hat zugleich den Dualismus des Westens in härtester Form ausgeprägt: nun ist die Zeit für das Christentum gekommen, das eine, Maßlose, Allgemeine des Ostens zu vermählen mit dem Wesen des Westens. Die Geschichte der germanischen Welt und des Christentums versteht Hegel als einen einzigen, in großen tragischen Rhythmen ablaufenden Prozeß der Versöhnung, der Versöhnungen. Charakteristisch überträgt er die uralte joachimitisch-franziskanische Dreizeitalteridee vom Reich des Vaters, des Sohnes und des Heiligen Geistes auf den periodischen Dreiklang der neueren Weltgeschichte. Das Reich des Vaters reicht von der Spätantike bis zu Karl dem Großen, das Reich des Sohnes bis zur Epoche um Karl V., das Reich des Heiligen Geistes ist das Reich der protestantischen neuzeitlichen Welt, in der es zur Versöhnung kommt zwischen Staat und Kirche, Innen und Außen, Individuum und Gemeinschaft, Himmel und Erde. Das »germanische Reich«, gipfelnd in der Gegenwart, ist das letzte der vier Weltreiche – damit schließt sich Hegel der uralten, gnostischen, dann orosianischen Weltreichslehre an – und vollendet die Weltgeschichte als eine innerweltliche und zugleich überweltliche Apokalypse. »Die konkreten Ideen, die Völkergeister, haben ihre

Wahrheit und Bestimmung in der konkreten Idee, wie sie die absolute Allgemeinheit ist – dem Weltgeist, um dessen Thron sie als die Vollbringer seiner Verwirklichung und als Zeugen und Ziehrrathen« (sic!) »seiner Herrlichkeit stehen.«

Hegel hat nie seine Jugendüberzeugung aufgegeben: »Das Leben kann seine Wunden wieder heilen.« Die Wunden des Geistes heilen, ohne daß Narben bleiben. Die Weltgeschichte ist ein riesiger, vielstufiger Heilungsprozeß. Die Gegenwart begreift alle früher erscheinenden Stufen der Geschichte in sich. Der Geist der gegenwärtigen Welt ist das Resultat der Bemühungen von 6000 Jahren. »Der Geist hat alle Stufen der Vergangenheit noch an ihm . . .« (Vgl. unsere Textauswahl.) Hier begegnet sich Hegel nicht nur mit Goethe, der sich, 1830 von schwerer Krankheit gesundend, erhebt und bedeutungsvoll vermerkt, er habe 3000 Jahre Krankheiten in sich erlebt, sondern mit den wichtigsten Geschichtserkenntnissen des Atomzeitalters: im heutigen Samen und Atomkern der Menschheit sind eingefaltet alle Erfahrungen der Menschen, der Völker seit ihrer Entstehung. Das Kleinkind rekapituliert Taten und Erlebnisse der frühgeschichtlichen Menschheit, in den Reaktionen der heutigen »Massen«, Völker und der sensibelsten künstlerischen Persönlichkeiten werden Verhaltungen präsent, die vorgeformt wurden in den konkreten geschichtlichen Erlebnissen in der Umwelt vergangener Zeiten. *Die Weltgeschichte ist die Gegenwart!* Alles, was je »wirklich« war, ist präsent, ist »vernünftig«, trägt an sich die Male der Rose des Kreuzes: ist durch den Tod hindurchgegangen und dergestalt eingegangen in das Erbe, das Gegenwart ist. *Aus der Betrachtung der Weltgeschichte gewinnt der Philosoph, der Denker, unendliche Trauer;* er erfährt da, was das geschichtliche Leben, was die Wirklichkeit kostet; um den Preis dieser Einsicht und dieses Opfers gewinnt er aber – und darauf legt Hegel den allergrößten Wert – zugleich *die Erkenntnis, daß dieser schreckliche Prozeß der Weltgeschichte, der Wirklichkeit, ein Rechtsprozeß ist, in dem kein Unrecht geschieht. Schmerz, Leid, Opfer, Untergang, Tod und Tode? Ja, jawohl! Aber kein Unrecht. Keine Sinnlosigkeit.* »Die Philosophie ist also nicht ein Trost [sie ist, dürfen wir erläutern, keine *billige* Tröstung]; sie ist mehr, sie versöhnt, sie verklärt das Wirkliche, das unrecht scheint, zu dem Vernünftigen, zeigt es als solches auf, das in der Idee (Gott) selbst begründet ist und womit die Vernunft befriedigt werden soll.« Hegel krönt seine Logik, seine Philosophie der Natur des Geistes, seine weltgeschichtlichen Betrachtungen, seine Religionsphilosophie, sein gesamtes Denkwerk mit seiner *Rechtsphilosophie:* mit dem Versuch des Nachweises, daß die Grundüberzeugung der archaischen Welt, *tutte le cose sono buone,* whatever is, is right, »alles ist gut« (Therese von Lisieux sagt dieses archaische Urvertrauen aus ihrem Erleben unendlicher Schmerzen aus: *tout* est grâce, *alles* ist Gnade), auch gilt für das Leben des heutigen Menschen in Staat, Kirche, Gesellschaft. Der Opfergang der Völker und Individuen in den vergangenen Jahrtausenden vollendet sich im Opfer des Individuums in der Gegenwart: sich hingeben, sich einformen ist alles. Der kritischeste, der wundeste Punkt des Hegelschen Denkens erweist sich damit zugleich als logischer und höchster Gipfel seines Wollens und Schaffens.

Kommunion und Kommunikation – oder Konformismus?

»Hegel hält es mit den Ideen, die offiziell sind.« »Hegel begnügt sich, die Welt zu begreifen, die Vernunft des Bestehenden nachzuweisen. So strahlt seine Metaphysik keine sittliche Energie aus. Die einzige praktische Frage muß verständnisvolle Fügsamkeit gegen das jeweils Geltende sein.« »Kein Wunder, daß die Realität den Denker nun leicht am Gängelband führt. Von 1800–1820, in den bewegtesten Jahren Deutschlands, hat Hegel seine politische Meinung öfters gewechselt.« Einmal hält er es mehr mit dem Volk, dann mit dem König. Bedenklich ist nicht sein Wechsel der politischen Überzeugung, wohl aber, daß dieser Wechsel gekoppelt scheint mit dem wechselnden Erfolg der politischen Mächte. Hegel entsprach, als er seine Berliner Professur antrat, ganz den Erwartungen der Reaktion: der idealistische Anlauf der Nation war gescheitert, man kehrte in die alten Geleise zurück, tat, als wäre nichts geschehen, und will nun durch Hegel die Jugend vor »dem willkürlichen Aufstellen inhaltsleerer Ideale« warnen, wie der Minister Altenstein sagt. Hegels Rechtsphilosophie, das einzige größere Werk der langen Berliner Zeit, »enthält eine Weihe der Gegenwart, wie sie nicht besser gewünscht werden konnte«. Wir geben diesen Vorwurf Emil Staigers in einiger Ausführlichkeit wieder; verschärft kehrt er hundertfach wieder, bei Hegelfeinden, bei Hegelfreunden. Er ist material nicht zu entkräften. Hegel glitt politisch in einen bedenklichen Konformismus hinein, ja, er darf als ein Vater des neueren deutschen politischen und weltanschaulichen Konformismus bezeichnet werden. Sein Hohn auf Opposition und Oppositionelle, auf alles »Sollen« (gegen Fichte gewandt! – der Mensch soll den Staat als »objektiven Geist« annehmen und anerkennen) erweist ihn material als ein Sammelbecken von Bemerkungen, die als Blütenlese geplündert werden von allen jenen, die in den darauffolgenden 150 Jahren eine Legitimation suchen, um ihre nicht selten illegitime Legalität zu verteidigen gegen diese und jene legitime Opposition. Die anhaltende Denunziation jeder politischen und weltanschaulichen Opposition im deutschen Raum konnte und kann sich aus Hegel Phrasen und Sätze erlesen. Nicht mehr. Wer es wagt, Hegels tragischen Konformismus auf seinen Grund, auf seine Entstehung, auf seine Anliegen hin einzusehen, erkennt, wie hier, noch einmal, die größte Schwäche seines Denkens gebunden ist an seine tiefste Stärke. Hegel war nicht ausgezogen, um die Göttlichkeit dieses oder jenes Staates zu predigen, sondern um den konkreten, in der Zeit lebenden Menschen zu versöhnen mit der ganzen Wirklichkeit: in Gott und Welt, Fleisch und Geist, Mann und Frau, West und Ost, Kirche und Staat, Kunst und Kultur, Philosophie und Religion. Seine geschichtliche Position ist zu vergleichen jener der deutschen Reichstheologen und Denker der Romanik zwischen Rupert von Deutz, Otto von Freising und Hildegard von Bingen, die mitten in einem großen westeuropäischen Aufbruch großer Dualitäten, im damals notwendigen Auseinandertreten von »Staat« und »Kirche«, Papst und Kaiser, Kleriker und Laie, »Fleisch« und »Geist«, Gott und Welt, versuchen, den Menschen zu begreifen als dienendes Glied in der archaischen religiös-politischen Gesellschaft (Ecclesia = »diu kirche« = die Christenheit ist für diese Denker eine Unio und Union, die genau dem entspricht, was für Hegel die Versöhnung von »Staat«, »Kirche«, Freiheit, Fortschritt, Gott bedeutet). Diesen Denkern erschienen die damaligen Jungscholastiker als Rebellen, die den Einen Kosmos zertrennen und die nicht mehr dienen wollen der gottgefügten hierarchischen und hieratischen großen Ordnung im Himmel und auf Erden. Als Rebellen gegen die Wirklichkeit, als schizophrene Männer des »Verdrusses«, die ihr eigenwilliges, maßlos gehrendes Herz und ihren verstörten Sinn zum Richter über die Wirklichkeit, über Gott, erheben, erscheinen Hegel die zeitgenössischen protestantischen Theologen und Denker (andere kennt er nicht: außer Franz von Baader, den er hochschätzt). Ihnen will er lehren eine neue Seinsfrömmigkeit, eine religiöse, politische und kirchliche Haltung, die dem Menschen als einem Diener *der* Wirklichkeit, Gottes, ziemt; mehr ziemt als ein *billiges* Nein, das sich der Verantwortung entschlägt, das nicht mittragen und mitbezeugen will die große Kommunion des Menschen mit Gott in der Zeit: in der Polis.

Hegel geht von einem Anliegen der Hochaufklärung aus, das er lebenslänglich festhält: der Mensch soll denken, soll richtig denken lernen, um gemeinschaftsfähig zu werden. Aufklärung bedeutet da: Erziehung des Menschen zum Diener seiner Mitmenschen. Erziehe dich selbst! Erziehe deine Mitbürger! Begreife dich mit ihnen als ein sittliches Ganzes. – Wenn Hegel später die »Sittlichkeit« des Staates so überaus betonen wird, dann wird er vereinigen das Ecclesia-Erlebnis der alten deutschen romanischen Denker mit eben diesem aufgeklärten Willen zur Individualpädagogie und zur Staatspädagogie. Rousseau – den der junge Hegel begeistert liest –, Voltaire, die aufgeklärten Gehilfen Katharinas II., sie alle wollen erziehen zur innigen Teilnahme des einzelnen am Geschick des politischen und religiösen »Ganzen«. *Denken ist, für die Hochaufklärung, Verantwortung übernehmen* für Staat, Gesellschaft, für die *république des lettres.* Denken ist, für Hegel – und hier tritt die charakteristische Abwandlung des großen Motivs der Aufklärung ein –, Verantwortung *tragen* für Staat, Gesellschaft usw. – Eine charakteristische Verschiebung vom Aktiven zum Leidenden – vom westeuropäischen politischen Humanismus zum deutsch-lutherischen leidenden Gehorsam! Entscheidend ist für Hegels Entwicklung das Jugenderlebnis der Décadence der »Gemeinde«, des pietistischen und aufgeklärten Christentums, und der politischen Unbildung der Deutschen. Noch in seinen späten Vorlesungen über die Philosophie der Religion steigt dieses Tübinger Jugenderlebnis in ihm auf: das »Vergehen der Gemeinde«, der Verfallsgang der christlichen Kirchen in der Neuzeit: das Volk ist verlassen von seinen geistlichen Lehrern, die es nicht gelehrt haben, fromm zu sein in der Öffentlichkeit, in der mitmenschlichen Gemeinschaft des täglichen, des geschichtlichen Lebens. Die weltflüchtigen Theologen haben da einen unheiligen Bund geschlossen mit den weltsüchtigen Herrschern, einer verrotteten Kaste von Fürsten und ihren Beamten. So schreibt Hegel aus Bern an Schelling, mit dem er einig ist über die Tübinger Orthodoxie: »Religion und Politik haben unter einer Decke gespielt; jene hat gelehrt, was der Despotismus wollte: Verachtung des Menschengeschlechts, Unfähigkeit desselben zu irgendeinem Guten, durch sich selbst etwas zu sein.«

Die deutsche Misere

Der herrischen Impotenz der Theologen entspricht die herrische Unfähigkeit der politisch regierenden Kaste. Zur religiösen Unbildung tritt die politische Unbildung der Deutschen! Hegel ist sich darüber klargeworden in seiner »Beurteilung der im Druck erschienenen Verhandlungen in der Versammlung der Landstände des Königreichs Würtemberg im Jahre 1815 und 1816«. »Nachdem der Unsinn der Einrichtung, welcher deutsches Reich genannt, und wohl am richtigsten von einem wenigstens geistreichen Geschichtsschreiber als die Konstituierung der Anarchie bezeichnet worden ist, endlich sein verdientes, und ihm auch in der äußeren Art und Weise gemäßes, schimpfliches Ende erreicht hatte ...« (Hegel läßt es an Spott über das

»Monstrum« dieses Reiches auch sonst nicht fehlen), da konstituierte sich nun Württemberg als »eines von den wirklichen deutschen Reichen, die den Platz des Undings einnehmen, das nur noch den leeren Namen eines Reichs geführt hatte«. »Es kann wohl kein größeres weltliches Schauspiel auf Erden geben, als daß ein Monarch zu der Staatsgewalt, die zunächst ganz in seinen Händen ist, eine weitere und zwar die Grundlage hinzufügt, daß er sein Volk zu einem wesentlich einwirkenden Bestandteil in sie aufnimmt ...« Wie aber verhält sich dieses deutsche Volk, hier präsentiert durch die württembergischen Stände, bei dieser seiner Berufung zur Übernahme politischer Verantwortung? »... die Veranlassungen, in denen wir die fürstliche Repräsentation zu sehen gewohnt worden, die Leerheit und Tatlosigkeit der vormaligen Staatsversammlung, des deutschen Reichstags, *überhaupt die Nullität und Unwirklichkeit des öffentlichen Lebens,* haben eine solche *Verdrießlichkeit* gegen dergleichen Aktus, *einen moralischen und hypochondrischen Privat-Dünkel gegen das Öffentliche* und gegen die Erscheinung der Majestät, zur durchgreifenden Stimmung gemacht . .« *»Unsere politische Erstorbenheit«* ging nun so weit, daß diese Chance jämmerlich vertan wurde. »Man konnte von den würtembergischen Landständen sagen, was von den französischen Remigranten gesagt worden ist, sie haben nichts vergessen und nichts gelernt; sie scheinen diese letzten 25 Jahre, die reichsten wohl, welche die Weltgeschichte gehabt hat, und die für uns lehrreichsten, weil ihnen unsere Welt und unsere Vorstellungen angehören, verschlafen zu haben.« Hegel schildert dann das erbärmliche, unwürdige Auftreten dieser »deutschen Männer« in der ersten konstituierenden Versammlung: stumm, einmütig, wie Schafe, lassen sie die Reden und Beschlüsse über sich ergehen. »Die Einmütigkeit des Beschlusses« darf nicht für einen Vorzug gelten, sondern muß der Versammlung »zum größten Vorwurf und Tadel gereichen«. Als endlich, einige Monate später, ein Mann etwas offener zu sprechen wagt, wird er sofort beschuldigt, »fremdem unlauterem Einfluß« erlegen zu sein. Man will keine Opposition. Wozu Hegel bemerkt, »daß ohne Opposition eine solche Versammlung ohne äußere und innere Lebendigkeit ist, daß gerade ein solcher Gegensatz in ihr zu ihrem Wesen, zu ihrer Rechtfertigung gehört, und daß sie nur erst, wenn eine Opposition sich in ihr hervortut, eigentlich konstituiert ist; ohne eine solche hat sie die Gestalt nur einer Partei, oder gar eines Klumpens«. – Es gibt keine echte Diskussion, sondern nur ein endloses Verlesen von Memoranden. Hegel kritisiert dann scharf das württembergische Bürgertum, das eine korrupte, selbstsüchtige Aristokratie von Bürokraten bildet, sich auf Privilegien und Monopole versteift. *Dieser Mittelstand »ver-*

mag . . ., wenn er . . . eigene Privilegien gegen das Volk verteidigt, dasselbe so zu täuschen, daß es sich auf die Seite dieses seines Feindes stellt. Dann entsteht das ebenso ekelhafte als traurige Schauspiel, daß Unrecht, welches hundert Jahre Recht geheißen, als solches gegolten und das Volk zur Verzweiflung gebracht hat, von dem durch diesen Namen betrogenen Volk selbst unterstützt wird«. – Noch einmal betont dann Hegel abschließend die Wichtigkeit eines *»Beisammensitzens«* gegnerischer Gruppen für *»die politische Erziehung, deren, gleich seinen Häuptern, ein Volk bedarf, das bisher in politischer Nullität gelebt hatte . . .«*

Halten wir dieses Erlebnis Hegels fest: das deutsche Volk ist politisch ungebildet, unerzogen; es vermag deshalb auch echte Chancen, politisch tätig zu werden, nicht zu nützen; es gelingt immer wieder dem *»Privategoismus«* alter ständischer privilegierter Gruppen, ihren egoistischen Standpunkt, ihr Parteiinteresse dem Volk aufzuschwatzen als Recht des Ganzen! – Dieses Recht des Ganzen sieht nun Hegel aufs äußerste bedroht durch den »Privategoismus« in seiner fast unüberwindlichen religiösen Verkleidung im zeitgenössischen protestantischen Frömmigkeits- und Lebensstil. »Gefühl ist alles«: Hegel erkennt im deutschen »Gefühl«, in dem »Herzen«, das sich zum Richter aufwirft über Gott, Welt, Gesellschaft, das Zentrum des deutschen Anarchismus, der in vielfältigen Erscheinungsformen sein hartes Nein zur Kommunikation mit andersdenkenden, andersglaubenden Menschen offenbart und verbirgt. In der Vorrede zur »Phänomenologie« rechnet Hegel mit der »Barbarei« der deutschen Schwärmer ab; er wendet sich gegen jeden, der »sich auf das Gefühl, sein inwendiges Orakel beruft« (die innere Stimme der Pietisten); »mit anderen Worten, er tritt die *Wurzel der Humanität mit Füßen. Denn die Natur dieser ist, auf die Übereinkunft mit andern zu dringen, und ihre Existenz nur in der zustande gebrachten Gemeinsamkeit des Bewußtseins. Das Widermenschliche, das Tierische besteht darin, im Gefühl stehenzubleiben, und nur durch dieses sich mitteilen zu können.«* Das ist Europa, ist der Westen, ist die Hochaufklärung! Ihr bleibt Hegel lebenslänglich verbunden in seinem Kampf gegen die »Schwärmer«, die »Romantiker«, gegen die Gefühlsreligion Tholucks, des ganzen neueren deutschen Protestantismus. *»Diese Männer besitzen«,* wie er in seiner Berliner Antrittsrede am 22. Oktober 1818 herausarbeitet, *»keinen Glauben an die Vernunft, kein Vertrauen zu der Wissenschaft, kein Vertrauen und keinen Glauben zu sich selbst«; sie besitzen keinen »Glauben an die Macht des Geistes« – im »Brei des Herzens« haben sie die tausendjährige Architektonik des Staates, der menschlichen Gesellschaft, der Vernunft zerstört.* Diesen weitausholenden Vorwurf erhebt Hegel in der Vorrede zu den Grundlinien der Philosophie des Rechts gegen Professor Fries, seinen Vorgänger in Heidelberg, der in seiner Rede beim Wartburgfest die religiöse pietistische Schwärmerei übergeführt hatte in die politische »völkische« Schwärmerei. Was nicht wenigen Professoren hundert Jahre später noch nicht klargeworden ist, erkennt Hegel hier sehr genau: die Einheit des Aufbruchs des deutschen Irrationalismus, als einer anarchischen Erhebung, gegen die »Vernunft«, gegen die Kommunikation der Mitmenschen in einer von allen redlich zu verantwortenden Gemeinschaft vieler Gegner und Gegensätze. Diese von ihrem eigenen »Herzen« begeisterte Menschenart, die da beim Wartburgfest sich politisch manifestiert hatte, spricht, wie Hegel festhält, da, wo sie am geistlosesten ist, am meisten vom Geist, wo sie am totesten ist, vom »Leben«; sie, die, »wo sie die größte Selbstsucht des leeren Hochmuts kundtut, am meisten das Wort Volk im Munde führt«. Diese Theologen und Ideologen leben vom »Haß gegen das Gesetz«. In einer »ungeheuren Anmaßung« erheben sie ihr sehr individuelles, niedrig-eigensüchtiges »Wissen« und »Gemüt« zum Richter über das Sein, über die Wirklichkeit. In schärfstem Gegensatz zu allen »neuzeitlichen« Denk- und Frömmigkeitsstilen seit Luther verkündet Hegel: das Sein, die Wirklichkeit sagt sich autoritativ aus in den Ordnungen, in den politischen und religiösen Ordnungen des Menschen, in der Gesellschaft Gottes mit den Menschen auf Erden. *»Aller Anfang des Wissens ist Autorität. Selbst beim sinnlichen Wissen ist dies, die Autorität des Seins: es ist, wie es ist, unmittelbar.«* (Nicht zufällig folgt wenige Seiten später die Kritik an der kalvinistischen und der lutherischen Abendmahlslehre, der gegenüber Hegel die *unio mystica* des Menschen mit Gott im Genuß der Hostie betont!)

Diese Schwärmer, diese Männer des sich selbst befriedigenden Gefühls und des in seiner »Innerlichkeit« verwesenden Geistes, igeln sich ein – gegen Staat und Kirche; sie leben in permanenter Rebellion, zumindest in steter Überhebung und Verneinung der »schmutzigen« politischen Geschäfte – oder, und auch das erkennt Hegel bereits – sie streben zur totalen Machtübernahme über das »Volk«, das sie ihren Schwärmercliquen unterwerfen wollen. – Das Nichtbedenken des Staates, die politische Unbildung und Inferiorität der Deutschen sieht Hegel fest verankert in dieser deutsch-irrationalen Verzweiflung an der Vernunft, am guten Sinn der politischen Gesellschaft, an der Möglichkeit auch nur einer echten Ordnung auf Erden. – Wie kann dieser anarchische Einzelne, der nur an *die Stimme »Gottes« als Stimme seines Ichs* glauben will, hineingeführt werden in die Kommunion und Kommunikation mit seinen Mitmenschen, *mit Gott in der Geschichte?* Hegels Antwort, in seinen Grundlinien der Philosophie des Rechts, die er dreimal las, 1821/22, 1822/23, 1823/24, ist der Versuch einer fast gigantischen Wiedererweckung der archaischen Gesellschaft, in der Neufassung durch die deutschen Denker der Romanik. Man versteht diesen seinen »Staat« erst, wenn man ihn begreift als die *societas diis hominibusque communis*, als die Ecclesia = diu christenheit des Frühmittelalters, als die allfassende, die Gesetze des Kosmos aussagende religiös-politische Gemeinschaft, die noch im Sachsen- und Schwabenspiegel, noch bei Nikolaus von Cues in seiner *Concordantia Catholica* und noch einmal bei Leibniz hinter den Dingen, den Einzelmenschen, steht. Hegel meint weder den Volksstaat der Romantiker, der neueuropäischen Schwärmer des 19. Jahrhunderts, noch das atomistische Aggregat, die Terrormaschine fragwürdiger Mehrheitsparteien; er meint, was besonders wichtig ist, nicht den Machtstaat der Moderne (schärfstens kritisiert er Hallers Staatslehre, wendet sich gegen ein angebliches »Recht des Stärkeren«!). Was er von dessen »Macht« hält, spricht er rücksichtslos aus in seiner Kritik des römischen Staates: brutal überherrscht dieser, besessen einzig und allein von seinem Machtwillen, die Menschen, fügt ihnen einen »ungeheuren Schmerz« zu. Hegel, der seinen Rousseau sehr genau verarbeitet hat, durchschaut hier auch das Wesen der neueren politischen Religionen, die von Staatsherren, von Despoten gemacht werden, um besser die Massen in Angst und Terror zusammenschweißen zu können zu einer willfährigen Schar von Schlachtschafen. In seiner Kritik der römischen Staatsreligion – »Gott ist hier die Macht, um die Herrschaft über die Welt zu realisieren« – distanziert sich Hegel nachdrücklich von allen älteren und neueren Staatsmachern und Religionsmachern. – Sein »Staat« ist die tausendjährige religiös-politische Gemeinschaft der Menschen, wie sie gewachsen ist in Alteuropas Freiheitsräumen und Freiheitszeiten, als ein Niederschlag der göttlichen Weltordnung, der göttlichen Rechtsordnung. Hegels Sätze über den »Staat« und das »Recht« ließen sich oft direkt »übertragen« in Sätze Alkuins, Hildegards, Ottos von Freising. Halten wir diese hochinteressante Tatsache an einigen Beispielen fest.

»Die Einheit des Daseins und des Begriffs, des Körpers und der Seele ist die Idee. Sie ist nicht nur Harmonie, sondern vollkommene Durchdringung. Nichts lebt, was nicht auf irgendeine Weise Idee ist.« (Man vergleiche dazu die deutschen Symbolisten Rupert von Deutz, Hugo von St. Viktor!) »Die absolute Idee ist im Himmel das, was auf Erden der spekulative Staat ist. Die absolute Idee ist somit das ewige Vorbild des irdischen Staates, und der spekulative Staat ist die Verwirklichung der himmlischen Idee auf Erden.« (Otto von Freising und die deutsche Reichstheologie nennen die »absolute Idee« das regnum dei,

Hegel in seinen Betrachtungen über Rom herausgearbeitet), deshalb setzt sich hier Hegel deutlich ab vom Staatsdenker der Restauration, von Hallers »Restauration der Staatswissenschaft«, in der es heißt, »daß dies also die ewige, unabänderliche Ordnung Gottes sei, daß der Mächtigere herrsche, herrschen müsse und immer herrschen werde«, wobei sich Haller auf das Tierreich beruft. Hegel will seinen »Staat« nicht zusammensehen mit dem Hunger der Wölfe, mit den Termitenbauten moderner Totalitärer, und bemerkt deshalb zu dieser Insinuation Hallers: »Man sieht schon hieraus und ebenso aus dem Folgenden, in welchem Sinne hier die Macht gemeint ist« (bei Haller nämlich), »nicht die Macht des Gerechten und Sittlichen, sondern die zufällige Naturgewalt.« »Der Staat an und für sich ist das sittliche Ganze«; »es ist der Gang Gottes in der Welt, daß der Staat ist: sein Grund ist die *Gewalt der sich als Wille verwirklichenden Vernunft.«* »Auf die Einheit der Allgemeinheit und Besonderheit im Staate kommt alles an.« – »Der Staat ist der Geist, der in der Welt steht.« »Der Staat muß als ein großes architektonisches Gebäude, als eine Hieroglyphe der Vernunft, die sich in der Wirklichkeit darstellt, betrachtet werden.«

Als »ein großes architektonisches Gebäude« hatte das päpstliche Rom der Gegenreform seit 1550 Rom als Kosmosstaat zu erbauen gesucht, gegen den Individualismus und Spiritualismus der Reformatoren; als »eine Hieroglyphe der Vernunft«, die für Hegel immer Selbstaussage und Selbstdarstellung, Leben Gottes ist, hatten seit den Pyramidenbauern und schon zuvor in China Könige und Priester den »Staat« begriffen als mathematisch, politisch, rechtlich und religiös geordnetes, durchdachtes Reich Gottes auf Erden. – Hegels Staatsdenken ist tief sinnvoll, wenn man es begreift als eine Wiedergeburt archaischer und alteuropäischer geschichtlicher Konzeptionen, als richtige »Empfängnisse« (nicht »leere«, »abstrakte« Begriffe des »Verstandes«) der religiös-politischen Gemeinschaft Gottes mit den Menschen auf Erden; in diesem Sinne nimmt Hegels Denken einen Vorgang vorweg, der in der Kunst und Dichtung erst im 20. Jahrhundert deutlich sichtbar wird – das Wiedererwachen archaischer Untergründe in hellwachen, sensibelsten Intellekten und Herzen; und Hegel deutet zum andern voraus auf die Wiedererweckungen der archaischen Gesellschaft, ihrer Kommunionen und Kommunikationen in den Staats- und Gesellschaftsbauten der heutigen Ostwelt, in China, Rußland, in den nationalkommunistischen gewagten und gewaltsamen Versuchen, den Menschen einzuschweißen in eine *unio mystica* und *terrena,* in seine Arbeits-, Berufs- und Kampfwelt, mit Acker, Maschine, Fabrik, Kolchos, Partei, »Staat« . . . – Die Sätze Hegels erhalten einen fürchterlichen Klang, wenn sie praktiziert werden durch

Staats- und Menschheitsbauer der Gegenwart. Sie erhielten, im 19. Jahrhundert, einen lächerlichen Klang, als sie »verwendet« wurden von den Beamten des Biedermeier, um den spätpreußischen Staat von 1825, dessen Oberhaupt weder König (altpreußischer König!) noch Kaiser (von Bismarcks Gnaden) war. Der einzige Vorwurf, den man hier aber Hegel machen kann, ist der: er ließ es über sich ergehen, daß diese seine Konzeption von den Geistern seiner Zeit auf ihre Weise verstanden und »verwendet« wurde. Wozu protestieren? Er war überzeugt, daß der »Weltgeist« sein Werk weitertreiben werde; weitertreibende Faktoren gab es genug. Einer derselben war die neue Armut der neuen Massen. »Die wichtige Frage, wie der Armut abzuhelfen sei, ist eine vorzüglich die modernen Gesellschaften bewegende und quälende.« Ein Übermaß an Reichtum und ein Übermaß an Armut hängen zusammen – Hegel blickt hier nach England, wie sehr bald sein Schüler Friedrich Engels. »*Durch diese ihre Dialektik wird die bürgerliche Gesellschaft über sich hinausgetrieben,* zunächst diese bestimmte Gesellschaft, um außer ihr in anderen Völkern, die ihr an den Mitteln, woran sie Überfluß hat, oder überhaupt an Kunstfleiß usf. nachstehen, Konsumenten und damit die nötigen Subsistenzmittel zu suchen.« Das ist einer jener Kernsätze, deren atomaren Gehalt Karl Marx und Engels erschließen werden ... Hegel selbst beunruhigt dieses innere Schwergewicht, die immanente Sprengkraft der bürgerlichen Gesellschaft nicht. Der »Staat« ist mehr, und ist ein anderes; er wird sich auch dieser und aller anderen Gesellschaften bedienen als Werk Gottes auf Erden. – »Der Staat ist göttlicher Wille, als gegenwärtiger, sich zur wirklichen Gestalt und Organisation einer Welt entfaltender Geist.« Hier aber greift nun Hegel das alte Anliegen Dantes, der deutschen Reichstheoretiker, vorab noch des Nikolaus von Cues und Leibniz, auf – er selbst nennt es »das protestantische Prinzip«, es ist aber etwas ganz anderes: es ist das Anliegen des »Kaisers«, der nach Auffassung der kaiserlichen Theoretiker die Welt, die Kirche zu behüten hat vor dem »Übermut der Ämter«, nämlich der kurialen, der römischen und der anderen Bedränger der Freiheit der Wissenschaft und des Denkens. Hegel erklärt sich gerade hier noch einmal dezidiert sowohl gegen die »protestantische« Trennung von Frömmigkeit, Glaube, Erkennen und politischer Ordnung, wie gegen die »katholische«, besser kurialistische Übermachtung des Geistes, der Freiheit durch Terrororganisationen (er erläutert das am Falle Galileis und Giordano Brunos), wie auch gegen die »orientalische Einheit von Staat und Kirche«. Der Staat ist (wie es die antikurialen Franziskaner um Ludwig den Bayern herausgearbeitet haben) der berufene Schirmherr des Menschen gegen den religiösen Fanatismus, gegen den der Religion einwohnenden Hang zum Totalitären. »Das Feld der Religion ... ist die Innerlichkeit, und so wie der Staat, wenn er auf religiöse Weise forderte, das Recht der Innerlichkeit gefährden würde, so artet die Kirche, die wie ein Staat handelt und Strafen auferlegt, in eine tyrannische Religion« aus; »... im Staate haben die Unterschiede eine Breite des Außereinander: in der Religion dagegen ist immer alles auf die Totalität bezogen. Wollte nun diese Totalität alle Beziehungen des Staates ergreifen, so wäre sie Fanatismus; sie wollte in jedem Besonderen das Ganze haben, und könnte es nicht anders als durch Zerstörung des Besonderen, denn der Fanatismus ist nur das, die besonderen Unterschiede nicht gewähren zu lassen.« Der »Staat« ist der Schirmherr der Freiheit! Das aber ist zuallererst die Freiheit Gottes, sich in der Welt zu inkarnieren; die Menschen haben ihm Ehre zu erweisen, indem sie seinem Gebilde, dem »Staat«, dienen. »Man muß daher den Staat wie ein Irdisch-Göttliches verehren, und einsehen, daß, wenn es schwer ist, die Natur zu begreifen, es *noch unendlich herber ist*, den Staat zu fassen.« Hegel hätte gerade hier Goethes tiefe Erkenntnis unterschrieben: »Gott und die Natur lieben nicht zärtlich.«

»Herbe«, »hart«, »das härteste«: diese Worte stehen hochbedeutsam immer dort, wo Hegel das Opfer ansagt: das Opfer Gottes, der sich in die Geschichte hineingibt, um in ihr Tod und Auferstehung zu begehen; das Opfer dann des Menschen, der ebenfalls nur durch Tod und Hingabe seiner Gliedschaft im »Ganzen« gerecht wird. »Die Erhaltung der Gemeinde verhält sich wie Schöpfung der Welt und Erhaltung und ist ewige Wiederholung des Lebens, Leidens und der Auferstehung Christi in den Gliedern der Kirche.« Das ist, so vermerkt er daselbst, »göttliche Geschichte«. »So ist die Gemeinde selbst der existierende Geist, der Geist in seiner Existenz, Gott als Gemeinde existierend.« Hegel spricht hier, in den Vorlesungen über die Philosophie der Religion, über die frühe Kirche, die Kirche des Mittelalters, und kennzeichnet sie genau mit denselben Attributen und Seinsaufgaben, wie in der Rechtsphilosophie den »Staat«. Beide Male sagt er dieselbe Polis an, die große gottgewollte Rechtsordnung, welche die *Versöhnung wirkt*, die Vereinigung und Überwindung aller menschlichen Gegensätze und Widersprüche. Hegel hatte bedeutungsvoll, in Anspielung an Luthers Wappen, das von der Freude des Christen unter dem Kreuz spricht, von der Rose der Freude, die am Kreuzesstamm wächst, in seiner Vorrede zur Rechtsphilosophie als Maxime seines Denkens bekannt: »Die Vernunft als die Rose im Kreuze der Gegenwart zu erkennen und damit dieser sich zu erfreuen ...« Man hat in dieser Aussage ein überhebliches, frevlerisches Bekenntnis zu einem harten Rationalismus gesehen, der sich anmaßt, mit seinen dürren Formeln alles begreifen, alles verstehen, alles überwinden, alles lösen und erlösen zu können. Hegel gibt zu dieser charakteristischen Fehldeutung selbst nicht allzuselten Anlaß: der müde, überanstrengte Denker ist den Anforderungen seiner »Vernunft«, die die härtesten Gegensätze in Gott begreifen will, nicht gewachsen: aus dem Opfergang wird dann tatsächlich ein billiges Rätsellösen und scheinbares Allesverstehen. Gerade in seiner Lehre vom »Staat« bekennt sich aber Hegel in der striktesten Weise zum harten, auch von Hildegard von Bingen als »hart« erkannten und hart angesprochenen Grundgesetz der »Ehe«, Ewa, der Ehe zwischen Gott und Welt, der ewigen Rechtsordnung, die vom Menschen bedingungslose Hingabe fordert. Wie Hildegard gegen das *tempus muliebre*, ihr eigenes »weibisches Zeitalter«, das, wie sie meint, diese Hingabe nicht mehr leisten will, kämpft, kämpft Hegel gegen seine »glaubensschwache« Zeit, die an die Stelle der Hingabe die Rebellion setzt – die Rebellion eines störrischen, zänkerischen, zerteilenden »Verstandes« und eines ebenso zerstörerisch gesinnten Herzens (man vergleiche in der Rechtsphilosophie, in den Paragraphen über die innere Verfassung des Staates, Hegels Frontstellung gegen den dekadenten Rationalismus der Niederaufklärung mit ihrem »Räsonnement«, und gegen die Romantik, mit ihrer Schwärmerei, mit ihrem »Gemüt« und ihrer »Begeisterung«: beide Bewegungen zerstören die Tektonik, den strengen Bau der göttlichen Rechtsordnung, wie er sich in den Gebilden »Staat«, »Kirche«, »Gemeinde« manifestiert).

Versuchungen der Hegel-Nachfolge

Hegel löst hier in seinem Bedenken der ewigen, sich in der Geschichte verwirklichenden Rechtsordnung ein, was er sich in seinem genialen Erstling, in der Phänomenologie des Geistes, vorgenommen hatte: »Seine Grenze wissen, heißt sich aufzuopfern wissen.« Der tragische, wenn man will pantragische Zug des Hegelschen Weltbegreifens wird hier noch einmal deutlich sichtbar. Die Härte des dialektischen Prozesses, die Versöhnung der Gegensätze und Widersprüche, wird gewirkt nur durch Hingabe, Opfer, Begnadung. Das spricht Hegel gerade dort noch einmal aus, wo es oberflächliche Beurteiler seiner Lehre am wenigsten erwarten würden, in seiner Lehre vom Monarchen. Hegel ist auch in Berlin kein Schwärmer geworden; er schwärmt also auch nicht für das damals von der Romantik und Restauration herausgestellte Gottesgnadentum des irdischen Monarchen. Hegels Bekenntnis zum Gottesgnadentum in der Geschichte, zum guten Sinn auch des schlechtesten und grausamsten Geschehens, ist etwas sehr anderes. Deshalb vermerkt er in der Vorlesung nüchtern: »Wenn man die Idee des Monarchen erfassen will, so kann man sich nicht damit begnügen, zu sagen, daß Gott die Könige eingesetzt habe, denn Gott hat alles, auch das Schlechteste, gemacht.« »Die Monarchen zeichnen sich nicht gerade durch körperliche Kräfte oder durch Geist aus, und doch lassen sich Millionen von ihnen beherrschen.« Wie sagt sich nun, rein und unverfälscht, der Geist, Gott, die Vernunft aus – mitten hindurch durch diese gebrechlichen Wesen, die Monarchen? »Aus der Souveränität des Monarchen fließt *das Begnadigungsrecht der Verbrecher, denn ihr nur kommt die Verwirklichung der Macht des Geistes zu, das Geschehene ungeschehen zu machen und im Vergeben und Vergessen das Verbrechen zu vernichten. Das Begnadigungsrecht ist eine der höchsten Anerkennungen der Majestät des Geistes.*« Hier wird noch einmal die tiefste Wurzel der Hegelschen Dialektik sichtbar: der Wille zur Versöhnung. Die Sühne des Unsühnbaren. Das ist die Weltgeschichte. Sie ist die Aufhebung aller Gegensätze, aller Feindschaften, aller Widersprüche: immer durch den Tod hindurch, durch die Vernichtung.

Es hängt von der Glaubenskraft des Lesers (wörtlich: des aus Hegel Lesenden, Auswählenden) ab, ob sich ihm Hegels Philosophie als eine Philosophie des Todes und der Zerstörung oder als eine Philosophie des Lebens und der Auferstehung darstellt. Es hängt von der Artung dieses Glaubens ab, ob ihm Hegels Denken zu einer Aufforderung wird, alles zu erleiden, zu akzeptieren, oder alles zu tun, zu »machen«. Die *billigste* Weise wählte ein gewisser neueuropäischer Konformismus des 19. und frühen 20. Jahrhunderts: aus dem Sichergreifenlassen von Gottes Prozeß in der Weltgeschichte, aus dem »harten« Eingeformtsein durch die gerade in den Miseren zeitlicher Verhältnisse sich bekundende göttliche Rechtsordnung wird in diesem Konformismus ein weiches, feiges Sichkonformieren an die jeweiligen politischen und gesellschaftlichen Unordnungen. Die *gefährlichste* Weise wählt jener Nonkonformismus, der Hegels Aufforderung an den Menschen, die Weltgeschichte als Weg und Verwirklichung Gottes mitzudenken und im »Bewußtsein« zu realisieren, dahin versteht, daß der Mensch berufen sei, die Welt und sich selbst neu zu »machen«. Dieser Glaube an den Menschen erliegt der alten Versuchung, der bereits Meister Eckharts Schüler im Mittelalter und Hegel in den Phasen und Phrasen seiner schwachen Stunden erlagen: die Trinität, den Produktionsprozeß in der dreifaltigen Gottheit, an sich zu reißen in die Brust des Menschen. Der Mensch spielt nun den Produktionsprozeß Gottes, er ist sich selbst der alleserschaffende Vater, der allesfordernde Sohn und der allesverwandelnde Heilige Geist. Dergestalt entsteht eine maßlose Überforderung und Überreizung des Menschen; der in dieser Überbeanspruchung zerschlissen wird zum »Menschenmaterial«, das von jenen schrecklichen Einzelnen (Hegel nennt sie die welthistorischen Individuen) an sich gerissen wird, die sich anmaßen, neue Weltbaumeister zu sein. So auch entsteht das andere: der erste Atombombenversuch fand unter dem Deckwort »Trinity« statt. Das hierbei im Schmelzprozeß im Wüstenkrater erscheinende Gestein wurde »Trinitit« genannt, Dreifaltigkeitselement. Hegel selbst weilt in äußerster Ferne von dieser Hegel-Nachfolge. Gelassen, aber mit »unendlichem Schmerz«, mit der sanften und hintergründigen Trauer des Biedermeier, die diesen Mann, als Kind und Greis, verbindet mit einem Adalbert Stifter, blickt er auf (hinauf *und* herab!) zu den Geschehnissen um und in den Menschen: alle Dinge sind gut.

AUSWAHL AUS DEN WERKEN HEGELS

HEGELS ANREDE AN SEINE ZUHÖRER BEI ERÖFFNUNG SEINER VORLESUNGEN IN BERLIN, AM 22. OKTOBER 1818

Meine Herren!

Indem ich heute zum erstenmal auf hiesiger Universität in dem Amte eines Lehrers der Philosophie auftrete, zu dem mich die Gnade Seiner Majestät des Königs berufen hat, erlauben Sie mir, dies Vorwort darüber vorauszuschicken, daß ich es mir für besonders wünschenswert und erfreulich hielt, sowohl gerade in diesem Zeitpunkt, als auf hiesigem Standpunkt in ausgebreitetere akademische Wirksamkeit zu treten. Was den Zeitpunkt anbetrifft, so scheinen diejenigen Umstände eingetreten zu sein, unter denen sich die Philosophie wieder Aufmerksamkeit und Liebe versprechen darf, wo diese beinahe verstummte Wissenschaft ihre Stimme wieder erheben mag. Denn vor kurzem war es einesteils die Not der Zeit, welche den kleinen Interessen des täglichen Lebens eine so große Wichtigkeit gegeben, andererseits waren es die hohen Interessen der Wirklichkeit, das Interesse und die Kämpfe, nur zunächst das politische Ganze des Volkslebens und des Staates wiederherzustellen und zu retten, welche alle Vermögen des Geistes, die Kräfte aller Stände sowie die äußerlichen Mittel so sehr in Anspruch genommen haben, daß das innere Leben des Geistes nicht Ruhe gewinnen konnte. Der Weltgeist, in der Wirklichkeit so sehr beschäftigt und nach außen gerissen, war abgehalten, sich nach innen und auf sich selbst zu kehren und in seiner eigentümlichen Heimat sich zu genießen. Nun nachdem dieser Sturm der Wirklichkeit gebrochen und die deutsche Nation überhaupt ihre Nationalität, den Grund alles lebendigen Lebens, gerettet hat, so ist dann die Zeit eingetreten, daß in dem Staate, neben dem Regiment der wirklichen Welt, auch das freie Reich des Gedankens selbständig emporblühe. Und überhaupt hat sich die Macht des Geistes so weit geltend gemacht, daß es nur die Ideen sind und was ideengemäß ist, was sich jetzt erhalten kann, daß, was gelten soll, vor der Einsicht und dem Gedanken sich rechtfertigen muß. Und es ist insbesondere dieser Staat, der mich nun in sich aufgenommen hat, welcher durch das geistige Übergewicht sich zu seinem Gewicht in der Wirklichkeit und im Politischen emporgehoben, sich an Macht und Selbständigkeit solchen Staaten gleichgestellt hat, welche ihm an äußeren Mitteln überlegen gewesen wären. Hier ist die Bildung und die Blüte der Wissenschaften eines der wesentlichen Momente im Staatsleben selbst. Auf hiesiger Universität, der Universität des Mittelpunktes, muß auch der Mittelpunkt aller Geistesbildung und aller Wissenschaft und nichts ist der Seichtigkeit des Wissens sowohl als des Charakters willkommener gewesen, nichts so bereitwillig von ihr ergriffen worden als diese Lehre der Unwissenheit, wodurch eben diese Seichtigkeit und Schalheit für das Vortreffliche, für das Ziel und Resultat alles intellektuellen Strebens ausgegeben worden ist.

Das Wahre nicht zu wissen und nur Erscheinungen des Zeitlichen und Zufälligen – nur das Eitle zu erkennen, diese Eitelkeit ist es, welche sich in der Philosophie breit gemacht hat und in unseren Zeiten noch breit macht und das große Wort führt. Man kann wohl sagen, daß, seitdem sich die Philosophie in Deutschland hervorzutun angefangen hat, es nie so schlecht um diese Wissenschaft ausgesehen hat, daß eine solche Ansicht, ein solches Verzichttun auf vernünftiges Erkennen, solche Anmaßung und solche Ausbreitung erlangt hätte – eine Ansicht, welche noch von der vorhergehenden Periode sich herübergeschleppt hat, und welche mit dem gediegeneren Gefühle, dem neuen substantiellen Geiste, so sehr in Widerspruch steht. Diese Morgenröte eines gediegeneren Geistes begrüße ich, rufe ich an; mit ihm nur habe ich es zu tun, indem ich behaupte, daß die Philosophie Gehalt haben müsse, und indem ich diesen Gehalt vor Ihnen entwickeln werde.

Überhaupt aber rufe ich den Geist der Jugend dabei an; denn sie ist die schöne Zeit des Lebens, das noch nicht in dem System der beschränkten Zwecke der Not befangen und für sich der Freiheit einer interesselosen wissenschaftlichen Beschäftigung fähig ist; ebenso ist sie noch unbefangen von dem negativen Geiste der Eitelkeit, von dem Gehaltlosen eines bloß kritischen Bemühens. Ein noch gesundes Herz hat noch den Mut, Wahrheit zu verlangen, und das Reich der Wahrheit ist es, in welchem die Philosophie zu Hause ist, welches sie erbaut und dessen wir durch ihr Studium teilhaftig werden. Was im Leben wahr, groß und göttlich ist, ist es durch die Idee; das Ziel der Philosophie ist, sie in ihrer wahrhaften Gestalt und Allgemeinheit zu erfassen. Die Natur ist darunter gebunden, die Vernunft nur mit Notwendigkeit zu vollbringen; aber das Reich des Geistes ist das Reich der Freiheit. Alles, was das menschliche Leben zusammenhält, was Wert hat und gilt, ist geistiger Natur, und dies Reich des Geistes existiert allein durch das Bewußtsein von Wahrheit und Recht, durch das Erfassen der Ideen.

Ich darf wünschen und hoffen, daß es mir gelingen werde, auf dem Wege, den wir betreten, Ihr Vertrauen zu gewinnen und zu verdienen. Zunächst aber darf ich nichts in Anspruch nehmen als dies, daß Sie Vertrauen zu der Wissenschaft, Glauben an die Vernunft, Vertrauen und Glauben zu sich selbst mitbringen. Der Mut der Wahrheit, Glauben an die Macht des Geistes, ist die erste Bedingung des philosophischen Studiums; der Mensch soll sich selbst ehren und sich des Höchsten würdig achten. Von der Größe und Macht des Geistes kann er nicht groß genug denken. Das verschlossene Wesen des Universums hat keine Kraft in sich, welche dem Mute des Erkennens Widerstand leisten könnte: es muß sich vor ihm auftun und seinen Reichtum und seine Tiefen ihm vor Augen legen und zum Genusse bringen.

Ich will über den vorläufigen Begriff der Philosophie der Weltgeschichte zunächst dies bemerken, daß, wie ich gesagt habe, man in erster Linie der Philosophie den Vorwurf macht, daß sie mit Gedanken an die Geschichte gehe und diese nach Gedanken betrachte. Der einzige Gedanke, den sie mitbringt, ist aber der einfache Gedanke der Vernunft, daß die Vernunft die Welt beherrscht, daß es also auch in der Weltgeschichte vernünftig zugegangen ist. Diese Überzeugung und Einsicht ist eine Voraussetzung in Ansehung der Geschichte als solcher überhaupt. In der Philosophie selbst ist dies keine Voraussetzung; in ihr wird es durch die spekulative Erkenntnis erwiesen, daß die Vernunft – bei diesem Ausdrucke können wir hier stehenbleiben, ohne die Beziehung und das Verhältnis zu Gott näher zu erörtern –, die Substanz, wie die unendliche Macht, sich selbst der unendliche Stoff alles natürlichen und geistigen Lebens, wie die unendliche Form, die Betätigung dieses ihres Inhaltes ist: – die Substanz, das, wodurch und worin alle Wirklichkeit ihr Sein und Bestehen hat – die unendliche Macht, daß die Vernunft nicht so unmächtig ist, um es nur bis zum Ideal, bis zum Sollen zu bringen und nur außerhalb der Wirklichkeit, wer weiß wo, wohl nur als etwas Besonderes in den Köpfen einiger Menschen vorhanden zu sein – der unendliche Inhalt, alle Wesenheit und Wahrheit, und ihr selbst ihr Stoff, den sie ihrer Tätigkeit zu verarbeiten gibt. Sie bedarf nicht wie endliches Tun der Bedingungen äußerlichen Materials, gegebener Mittel, aus denen sie Nahrung und Gegenstände ihrer Tätigkeit empfinge; sie zehrt aus sich und ist sich selbst das Material, das sie verarbeitet. Wie sie sich nur ihre eigene Voraussetzung, ihr Zweck der absolute Endzweck ist, so ist sie selbst dessen Betätigung und Hervorbringung aus dem Innern in die Erscheinung nicht nur des natürlichen Universums, sondern auch des geistigen – in der Weltgeschichte. Daß nun solche Idee das Wahre, das Ewige, das schlechthin Mächtige ist, daß sie sich in der Welt offenbart und nichts in ihr sich offenbart als sie, ihre Herrlichkeit und Ehre, dies ist es, was, wie gesagt, in der Philosophie bewiesen und hier so als bewiesen vorausgesetzt wird.

Die philosophische Betrachtung hat keine andere Absicht, als das Zufällige zu entfernen. Zufälligkeit ist dasselbe wie äußerliche Notwendigkeit, d. h. eine Notwendigkeit, die auf Ursachen zurückgeht, die selbst nur äußerliche Umstände sind. Wir müssen in der Geschichte einen allgemeinen Zweck aufsuchen, den Endzweck der Welt, nicht einen besondern des subjektiven Geistes oder des Gemüts, ihn müssen wir durch die Vernunft erfassen, die keinen besondern endlichen Zweck zu ihrem Interesse machen kann, sondern nur den absoluten. Dieser ist ein Inhalt, der Zeugnis von sich selber gibt und in sich selbst trägt und in dem alles, was der Mensch zu seinem Interesse machen kann, seinen Halt hat. Das Vernünftige ist das an und für sich Seiende, wodurch alles seinen Wert hat. Es gibt sich verschiedene Gestalten; in keiner ist es deutlicher Zweck als in der, wie der Geist sich in den vielförmigen Gestalten, die wir Völker nennen, selbst expliziert und manifestiert. Den Glauben und Gedanken muß man zur Geschichte bringen, daß die Welt des Wollens nicht dem Zufall anheimgegeben ist. Daß in den Begebenheiten der Völker ein letzter Zweck das Herrschende, daß Vernunft in der Weltgeschichte ist – nicht die Vernunft eines besondern Subjekts, sondern die göttliche, absolute Vernunft –, ist eine Wahrheit, die wir voraussetzen; ihr Beweis ist die Abhandlung der Weltgeschichte selbst: sie ist das Bild und die Tat der Vernunft. Vielmehr aber liegt der eigentliche Beweis in der Erkenntnis der Vernunft selber; in der Weltgeschichte erweist sie sich nur. Die Weltgeschichte ist nur die Erscheinung dieser einen Vernunft, eine der besondern Gestalten, in denen sie sich offenbart, ein Abbild des Urbildes, das sich in einem besondern Elemente, in den Völkern, darstellt.

Die Vernunft ist in sich ruhend und hat ihren Zweck in sich selbst; sie bringt sich selbst zum Dasein hervor und führt sich aus. Das Denken muß sich dieses Zweckes der Vernunft bewußt werden. Die philosophische Weise kann anfangs etwas Auffallendes haben; sie kann aus der schlechten Gewohnheit der Vorstellung auch selbst für zufällig, für einen Einfall gehalten werden. Wem nicht der Gedanke als einzig Wahres, als das Höchste gilt, der kann die philosophische Weise gar nicht beurteilen.

Diejenigen unter Ihnen, meine Herren, welche mit der Philosophie noch nicht bekannt sind, könnte ich nun etwa darum ansprechen, mit dem Glauben an die Vernunft, mit dem Durste nach ihrer Erkenntnis zu diesem Vortrage der Weltgeschichte hinzutreten; – und es ist allerdings das Verlangen nach vernünftiger Einsicht, nach Erkenntnis, nicht bloß nach einer Sammlung von Kenntnissen, was als subjektives Bedürfnis bei dem Studium der Wissenschaften vorauszusetzen ist. In der Tat aber habe ich solchen Glauben nicht zum voraus in Anspruch zu nehmen. Was ich vorläufig gesagt habe und noch sagen werde, ist nicht bloß – auch in Rücksicht unserer Wissenschaft – nicht als Voraussetzung, sondern als Übersicht des Ganzen zu nehmen, als das Resultat der von uns anzustellenden Betrachtung – ein Resultat, das mir bekannt ist, weil mir bereits das Ganze bekannt ist. Es hat sich also erst und es wird sich aus der Betrachtung der Weltgeschichte selbst ergeben, daß es vernünftig in ihr zugegangen, daß sie der vernünftige, notwendige Gang des Weltgeistes gewesen sei, der die Substanz der Geschichte ist, der eine Geist, dessen Natur eine und immer dieselbe ist, und der in dem Weltdasein diese seine eine Natur expliziert. (Der Weltgeist ist der Geist überhaupt.) Dies muß, wie gesagt, das Ergebnis der Geschichte selbst sein. Die Geschichte aber haben wir zu nehmen, wie sie ist; wir haben historisch, empirisch zu verfahren. Unter anderem auch müssen wir uns nicht durch Historiker vom Fache verführen lassen; denn wenigstens unter den deutschen Historikern, sogar solchen, die eine große Autorität besitzen, auf das sogenannte Quellenstudium sich alles zugute tun, gibt es solche, die das tun, was sie den Philosophen vorwerfen, nämlich apriorische Erdichtungen in der Geschichte zu machen. Um ein Beispiel anzuführen, so ist es eine weitverbreitete Erdichtung, daß ein erstes und ältestes Volk gewesen sei, das, unmittelbar von Gott belehrt, in vollkommener Einsicht und Weisheit gelebt habe, in durchdringender Kenntnis aller Naturgesetze und geistiger Wahrheit gewesen sei – oder daß es diese und jene Priestervölker gegeben habe, oder – um etwas Spezielleres anzuführen – daß es ein römisches Epos gegeben, aus welchem die römischen Geschichtschreiber die ältere Geschichte geschöpft haben, usf. – Dergleichen Aprioritäten wollen wir den geistreichen Historikern von Fach überlassen, unter denen sie bei uns nicht ungewöhnlich sind.

Als die erste Bedingung konnten wir somit aussprechen, daß wir das Historische getreu auffassen; allein in solchen allgemeinen Ausdrücken wie treu und auffassen liegt die Zweideutigkeit. Auch der gewöhnliche und mittelmäßige Geschichtsschreiber, der etwa meint und vorgibt, er verhalte sich nur aufnehmend, nur dem Gegebenen sich hingebend, ist nicht passiv mit seinem Denken; er bringt seine Kategorien mit und sieht durch sie das Vorhandene. Das Wahrhafte liegt nicht auf der sinnlichen Oberfläche; bei allem, insbesondere, was wissenschaftlich sein soll, darf die Vernunft nicht schlafen und muß Nachdenken angewendet werden. Wer die Welt vernünftig ansieht, den sieht sie auch vernünftig an; beides ist in Wechselbestimmung.

Wenn man sagt, der Zweck der Welt soll aus der Wahrnehmung hervorgehen, so hat das seine Richtigkeit. Um aber das Allgemeine, das Vernünftige zu erkennen, muß man die Vernunft mitbringen. Die Gegenstände sind Reizmittel für das Nachdenken; sonst findet man es in der Welt so, wie man sie betrachtet. Geht man nur mit Subjektivität an die Welt, dann wird man es so finden, wie man selbst beschaffen ist, man wird überall alles besser wissen, sehen, wie es habe gemacht werden müssen, wie es hätte gehen sollen. Der große Inhalt der Weltgeschichte ist aber vernünftig und muß vernünftig sein; ein göttlicher Wille herrscht mächtig in der Welt und ist nicht so ohnmächtig, um nicht den großen Inhalt zu bestimmen. Dieses Substantielle zu erkennen, muß unser Zweck sein; und das zu erkennen muß man das Bewußtsein der Vernunft mitbringen, keine physischen Augen, keinen endlichen Verstand, sondern das Auge des Begriffs, der Vernunft, das die Oberfläche durchdringt und sich durch die Mannigfaltigkeit des bunten Gewühls der Begebenheiten hindurchringt. Nun sagt man, wenn man so mit der Geschichte verfahre, so sei dies ein apriorisches Verfahren und schon an und für sich unrecht. Ob man so spricht, ist der Philosophie gleichgültig. Um das Substantielle zu erkennen, muß man selber mit der Vernunft daran gehen. Allerdings darf man nicht mit einseitigen Reflexionen kommen; denn die verunstalten die Geschichte und entstehen aus falschen subjektiven Ansichten. Mit solchen aber hat es die Philosophie nicht zu tun; sie wird in der Gewißheit, daß die Vernunft das Regierende ist, überzeugt sein, daß das Geschehene sich dem Begriffe einfügen wird, und wird nicht die Wahrheit so verkehren, wie es heute besonders bei den Philologen Mode ist, die in die Geschichte mit sogenanntem Scharfsinn lauter Apriorisches eintragen. Die Philosophie geht zwar auch a priori zu Werke, insofern sie die Idee voraussetzt. Diese ist aber gewiß da; das ist die Überzeugung der Vernunft.

Der Gesichtspunkt der philosophischen Weltgeschichte ist also nicht einer von vielen allgemeinen Gesichtspunkten, abstrakt herausgehoben, so daß von den andern abgesehen würde. Ihr geistiges Prinzip ist die Totalität aller Gesichtspunkte. Sie betrachtet das konkrete, geistige Prinzip der Völker und seine Geschichte und beschäftigt sich nicht mit einzelnen Situationen, sondern mit einem allgemeinen Gedanken, der sich durch das Ganze hindurchzieht. Dies Allgemeine gehört nicht der zufälligen Erscheinung an; die Menge der Besonderheiten ist hier in eins zu fassen. Die Geschichte hat vor sich den konkretesten Gegenstand, der alle verschiedenen Seiten der Existenz in sich zusammenfaßt; ihr Individuum ist der Weltgeist. Indem also die Philosophie sich mit der Geschichte beschäftigt, macht sie sich das zum Gegenstande, was der konkrete Gegenstand in seiner konkreten Gestalt ist, und betrachtet seine notwendige Entwicklung. Darum ist für sie das erste nicht die Schicksale, Leidenschaften, die Energie der Völker, neben denen sich dann die Begebenheiten hervordrängen. Sondern der Geist der Begebenheiten, der sie hervortreibt, ist das erste; er ist der Merkur, der Führer der Völker. Das Allgemeine, das die philosophische Weltgeschichte zum Gegenstande hat, ist demnach nicht als eine Seite, sie sei noch so wichtig, zu fassen, neben der auf der andern Seite andere Bestimmungen vorhanden wären. Sondern dies Allgemeine ist das unendlich Konkrete, das alles in sich faßt, das überall gegenwärtig ist, weil der Geist ewig bei sich ist, für das keine Vergangenheit ist, das immer dasselbe, in seiner Kraft und Gewalt bleibt.

Die Geschichte muß überhaupt mit dem Verstande betrachtet, Ursache und Wirkung müssen uns begreiflich gemacht werden. Das Wesentliche an der Weltgeschichte wollen wir auf diese Weise betrachten mit Übergehung des Unwesentlichen. Der Verstand hebt das Wichtige und an sich Bedeutende hervor. Das Wesentliche und Unwesentliche bestimmt er sich nach dem Zwecke, den er bei Behandlung der Geschichte verfolgt. Diese Zwecke können von der größten Mannigfaltigkeit sein. Sogleich beim Aufstellen eines Zwecks tun sich mehr Berücksichtigungen kund; es gibt da Haupt- und Nebenzwecke. Wenn wir dann das in der Geschichte Gegebene mit den Zwecken des Geistes vergleichen, so werden wir auf das alles verzichten, was sonst interessant ist, und an das Wesentliche uns halten. So bietet sich der Vernunft ein Inhalt dar, der nicht einfach auf derselben Linie steht mit dem, was sich überhaupt zugetragen hat – Zwecke, die den Geist, das Gemüt wesentlich interessieren und schon bei der Lektüre uns zur Trauer, Bewunderung oder Freude hinziehen. Aber die unterschiedenen Weisen des Nachdenkens, der Gesichtspunkte, der Beurteilung auszuführen schon über bloße Wichtigkeit und Unwichtigkeit, welches die am nächsten liegenden Kategorien sind, über das, worauf wir unter dem unermeßlichen Material, das vor uns liegt, das Hauptgewicht legen, gehört nicht hierher. Dagegen sind die Kategorien kurz anzugeben, in denen sich die Ansicht der Geschichte allgemein dem Gedanken darstellt.

Die erste Kategorie ergibt sich aus dem Anblick des Wechsels von Individuen, Völkern und Staaten, die eine Weile sind und unser Interesse auf sich ziehen und dann verschwinden. Es ist die Kategorie der Veränderung.

Wir sehen ein ungeheures Gemälde von Begebenheiten und Taten, von unendlich mannigfaltigen Gestaltungen der Völker, Staaten, Individuen, in rastloser Aufeinanderfolge. Alles, was in das Gemüt des Menschen eintreten und ihn interessieren kann, alle Empfindung des Guten, Schönen, Großen wird in Anspruch genommen, allenthalben werden Zwecke gefaßt, betrieben, die wir anerkennen, deren Ausführung wir wünschen; wir hoffen und fürchten für sie. In allen diesen Begebenheiten und Zufällen sehen wir menschliches Tun und Leiden obenauf, überall Unsriges und darum überall Neigung unsres Interesses dafür und dawider. Bald zieht uns Schönheit, Freiheit und Reichtum an, bald reizt Energie, wodurch selbst das Laster sich bedeutend zu machen weiß. Bald sehen wir die umfassendere Masse eines allgemeinen Interesses sich schwerer fortbewegen und, indem sie einer unendlichen Komplexion kleiner Verhältnisse preisgegeben wird, zerstäuben, dann aus ungeheurem Aufgebot von Kräften Kleines hervorgebracht werden, aus unbedeutend Scheinendem Ungeheures hervorgehen – überall das bunteste Gedränge, das uns in sein Interesse hineinzieht, und wenn das eine entflieht, tritt das andre sogleich an seine Stelle.

Die negative Seite an diesem Gedanken der Veränderung weckt unsere Trauer. Was uns niederdrücken kann, ist dies, daß die reichste Gestaltung, das schönste Leben in der Geschichte den Untergang finden, daß wir da unter Trümmern des Vortrefflichen wandeln. Von dem Edelsten, Schönsten, für das wir uns interessieren, reißt uns die Geschichte los: die Leidenschaften haben es zugrunde gerichtet; es ist vergänglich. Alles scheint zu vergehen, nichts zu bleiben. Jeder Reisende hat diese Melancholie empfunden. Wer hätte unter den Ruinen von Karthago, Palmyra, Persepolis, Rom gestanden, ohne zu Betrachtungen über die Vergänglichkeit der Reiche und Menschen, zur Trauer über ein ehemaliges, kraftvolles und reiches Leben veranlaßt zu werden? — Zu einer Trauer, die nicht wie am Grabe lieber Menschen bei persönlichen Verlusten und der Vergänglichkeit der eigenen Zwecke verweilt, sondern uninteressierte Trauer ist über den Untergang glänzenden und gebildeten Menschenlebens.

An diese Kategorie der Veränderung knüpft sich aber sogleich die andere Seite, daß aus dem Tode neues Leben aufersteht. Es ist dies ein Gedanke, den die Orientalen erfaßt haben, vielleicht ihr größter Gedanke und wohl der höchste ihrer Metaphysik. In der Vorstellung von der Seelenwanderung ist er in Beziehung auf das Individuelle enthalten; allgemeiner bekannt ist aber auch das Bild des Phönix, des Naturlebens, das ewig sich selbst seinen Scheiterhaufen bereitet und sich darauf verzehrt, so daß aus seiner Asche ewig das neue, verjüngte, frische Leben hervorgeht. Dies ist aber nur ein morgenländisches Bild; es paßt auf den Leib, nicht auf den Geist. Abendländisch ist, daß der Geist nicht bloß verjüngt hervortrete, sondern erhöht, verklärt. Er tritt freilich gegen sich selbst auf, verzehrt die Form seiner Gestaltung und erhebt sich so zu neuer Bildung. Aber indem er die Hülle seiner Existenz abtut, wandert er nicht bloß in eine andere Hülle über, sondern geht als ein reinerer Geist aus der Asche seiner früheren Gestalt hervor. Dies ist die zweite Kategorie des Geistes. Die Verjüngung des Geistes ist nicht ein bloßer Rückgang zu derselben Gestalt; sie ist Läuterung, Verarbeitung seiner selbst. Durch die Lösung seiner Aufgabe schafft er sich neue Aufgaben, wobei er den Stoff seiner Arbeit vervielfältigt. So sehen wir den Geist in der Geschichte sich nach einer unerschöpflichen Menge von Seiten ergehen, sich darin genießen und befriedigen. Aber seine Arbeit hat doch nur das eine Resultat, seine Tätigkeit aufs neue zu vermehren und sich aufs neue aufzuzehren. Stets tritt ihm jede seiner Schöpfungen, in der er sich befriedigt hat, als neuer Stoff entgegen, der ihm Aufforderung ist, ihn zu verarbeiten. Was seine Bildung ist, wird zum Material, an dem seine Arbeit ihn zu neuer Bildung erhebt. So gibt er alle seine Kräfte nach allen Seiten kund. Welche Kräfte er besitze, lernen wir aus der Mannigfaltigkeit seiner Bildungen und Produktionen. In dieser Lust seiner Tätigkeit hat er es nur mit sich selbst zu tun. Er ist zwar mit Naturbedingungen, innern und äußern, verstrickt, die nicht nur Widerstand und Hindernisse in den Weg legen, sondern auch gänzliches Mißlingen seiner Versuche herbeiführen können. Dann aber geht er in seinem Berufe als geistiges Wesen unter, dem nicht das Werk, sondern seine eigene Tätigkeit Zweck ist, und gewährt auch so noch das Schauspiel, als solche Tätigkeit sich bewiesen zu haben.

Der nächste Erfolg dieser anziehenden Betrachtung ist nun aber der, daß wir wieder am einzelnen ermüden und fragen: was ist das Ende aller dieser Einzelheiten? In ihrem besonderen Zwecke können wir sie nicht erschöpft finden; einem Werke muß alles zugute kommen. Dieser ungeheuren Aufopferung geistigen Inhaltes muß ein Endzweck zugrunde liegen. Die Frage drängt sich uns auf, ob hinter dem Lärmen dieser lauten Oberfläche nicht ein inneres, stilles, geheimes Werk sei, worin die Kraft aller Erscheinungen aufbewahrt werde. Was nun dabei in Verlegenheit bringen kann, ist die große Mannigfaltigkeit, selbst Entgegensetzung dieses Inhalts. Das Entgegengesetzte sehen wir als heilig verehrt und als das, was das Interesse der Zeiten, der Völker in Anspruch genommen hat. Das Verlangen regt sich, in der Idee die Rechtfertigung für solchen Untergang zu finden. Diese Betrachtung führt zu der dritten Kategorie, der Frage nach einem Endzweck an und für sich. Es ist die Kategorie der Vernunft selber; sie ist im Bewußtsein als der Glaube an die in der Welt herrschende Vernunft vorhanden. Ihr Beweis ist die Abhandlung der Weltgeschichte selbst; diese ist das Bild und die Tat der Vernunft.

Nur an zwei Formen in Rücksicht auf die allgemeine Überzeugung, daß Vernunft in der Welt und damit ebenso in der Weltgeschichte geherrscht habe und herrsche, will ich erinnern, weil sie uns zugleich Veranlassung geben, den Hauptpunkt, der die Schwierigkeit ausmacht, näher zu berühren, und auf das hindeuten, was wir weiter zu erwähnen haben.

Das eine ist das Geschichtliche, daß der Grieche Anaxagoras zuerst gesagt habe, daß der Nus, der Verstand überhaupt oder die Vernunft, die Welt regiere – nicht eine Intelligenz als selbstbewußte Vernunft, nicht ein Geist als solcher; beides müssen wir sehr wohl voneinander unterscheiden. Die Bewegung des Sonnensystems erfolgt nach unveränderlichen Gesetzen; diese Gesetze sind die Vernunft desselben. Aber weder die Sonne noch die Planeten, die in diesen Gesetzen um sie kreisen, haben Bewußtsein darüber. Der Mensch hebt diese Gesetze aus der Existenz heraus und weiß sie. – So ein Gedanke, daß Vernunft in der Natur ist, daß sie von allgemeinen Gesetzen unabänderlich regiert wird, frappiert uns etwa nicht, ohnehin daß er sich bei Anaxagoras auch zunächst auf die Natur beschränkt. Wir sind dergleichen gewohnt und machen nicht viel daraus. Ich habe auch darum jenes geschichtlichen Umstands erwähnt, um bemerklich zu machen, daß die Geschichte lehrt, daß dergleichen, was uns trivial scheinen kann, nicht immer in der Welt gewesen sei, daß solcher Gedanke vielmehr Epoche in der Geschichte des menschlichen Geistes machte. Aristoteles sagt von Anaxagoras, als Urheber jenes Gedankens, er sei wie ein Nüchterner unter Trunkenen erschienen.

Von Anaxagoras hat Sokrates diesen Gedanken aufgenommen, und er ist zunächst in der Philosophie mit Ausnahme des Epikur, der dem Zufall alle Ereignisse zugeschrieben, der herrschende geworden – in welchen Religionen und Völkern ferner, werden wir seinerzeit sehen. Den Sokrates nun läßt Plato (Phaedon, Steph. p. 97, 98) über jenen Fund, daß der Gedanke – d. h. nicht der bewußte, sondern zunächst unbestimmt weder die bewußte noch die bewußtlose Vernunft – die Welt regiere, sagen: »Ich freute mich desselben und hoffte einen Lehrer gefunden zu haben, der mir die Natur nach der Vernunft auslegen, in dem Besondern seinen besondern Zweck, in dem Ganzen den allgemeinen Zweck, den Endzweck, das Gute aufzeigen würde. Ich hätte diese Hoffnung um vieles nicht aufgegeben. Aber wie sehr«, fährt Sokrates fort, »wurde ich getäuscht, als ich nun die Schriften des Anaxagoras selbst eifrig vornahm! Ich fand, daß er nur äußerliche Ursachen, Luft, Äther, Wasser u. dgl., statt der Vernunft aufführte.« – Man sieht, das Ungenügende, was Sokrates an dem Prinzip des Anaxagoras fand, betrifft nicht das Prinzip selbst, sondern den Mangel an Anwendung desselben auf die konkrete Natur, daß diese nicht aus jenem Prinzip verstanden, begriffen ist – daß überhaupt jenes Prinzip abstrakt gehalten blieb, bestimmter, daß die Natur nicht als eine Entwicklung desselben Prinzips, nicht als eine aus demselben, aus der Vernunft als Ursache hervorgebrachte Organisation gefaßt ist. – Ich mache auf diesen Unterschied hier gleich von Anfang aufmerksam, ob eine Bestimmung, Grundsatz, Wahrheit nur abstrakt festgehalten oder aber ob zur nähern Determination und zur konkreten Entwicklung fortgegangen wird. Dieser Unterschied ist durchgreifend, und unter anderem werden wir vornehmlich diesem

Umstand am Schlusse unserer Weltgeschichte, in dem Erfassen des neusten politischen Zustands begegnen.

Zunächst aber habe ich diese erste Erscheinung des Gedankens, daß die Vernunft die Welt regiere, und das Mangelhafte an ihm auch darum angeführt, weil dies seine vollständige Anwendung auf eine andere Gestalt desselben hat, die uns wohl bekannt ist und in welcher wir die Überzeugung davon haben – die Form der religiösen Wahrheit nämlich, daß die Welt nicht dem Zufall und äußerlichen, zufälligen Ursachen preisgegeben sei, sondern eine Vorsehung die Welt regiere. Ich erklärte vorhin, daß ich nicht auf Ihren Glauben an das angegebene Prinzip Anspruch machen wolle; jedoch an den Glauben daran in dieser religiösen Form dürfte ich appellieren, wenn nicht überhaupt die Eigentümlichkeit der Wissenschaft der Philosophie es nicht zuließe, daß Voraussetzungen gelten, oder, von einer andern Seite gesprochen, weil die Wissenschaft, welche wir abhandeln wollen, selbst erst den Beweis, obzwar nicht der Wahrheit, aber der Richtigkeit jenes Grundsatzes, daß es so ist, geben, erst das Konkrete aufzeigen soll. Die Wahrheit nun, daß eine, und zwar die göttliche Vorsehung den Begebenheiten der Welt vorstehe, entspricht dem angegebenen Prinzip. Denn die göttliche Vorsehung ist die Weisheit nach unendlicher Macht, welche ihre Zwecke, d. i. den absoluten, vernünftigen Endzweck der Welt verwirklicht; die Vernunft ist das ganz frei sich selbst bestimmende Denken, Nus.

Aber weiterhin tut sich nun auch die Verschiedenheit, ja der Gegensatz dieses Glaubens und unseres Prinzips gerade auf dieselbe Weise hervor wie bei dem Grundsatze des Anaxagoras zwischen diesem und der Forderung, die Sokrates an ihn macht. Jener Glaube ist nämlich gleichfalls unbestimmt, Glaube an die Vorsehung überhaupt, und geht nicht zum Bestimmten, zur Anwendung auf das Ganze, den umfassenden Verlauf der Weltbegebenheiten fort. Statt dieser Anwendung gefällt man sich darin, die Geschichte natürlich zu erklären. Man hält sich an die Leidenschaften der Menschen, die stärkere Armee, das Talent, Genie dieses Individuums, oder daß in einem Staate gerade kein solches dagewesen – sogenannte natürliche, zufällige Ursachen, wie Sokrates sie beim Anaxagoras tadelte. Man bleibt bei der Abstraktion und will den Gedanken der Vorsehung bloß so beim Allgemeinen bewenden lassen, ohne ihn ins Bestimmte einzuführen. Dies Bestimmte in der Vorsehung nun, daß die Vorsehung so oder so handle, heißt der Plan der Vorsehung (Zweck und die Mittel für dies Schicksal, diese Pläne). Dieser Plan aber ist es, der vor unsern Augen verborgen sein, ja welchen es Vermessenheit sein soll erkennen zu wollen. Die Unwissenheit des Anaxagoras darüber, wie der Verstand sich in der Wirklichkeit offenbare, war unbefangen; das Denken, das Bewußtsein des

Gedankens war in ihm und überhaupt in Griechenland noch nicht weitergekommen. Er vermochte noch nicht sein allgemeines Prinzip auf das Konkrete anzuwenden, dieses aus jenem zu erkennen. Einen Schritt darin, eine Gestalt der Vereinigung des Konkreten mit dem Allgemeinen, freilich nur in der subjektiven Einseitigkeit, zu erfassen, hat Sokrates getan; somit war er nicht polemisch gegen solche Anwendung. Jener Glaube aber ist es wenigstens gegen die Anwendung im großen, eben gegen die Erkenntnis des Plans der Vorsehung. Denn im besondern läßt man es hie und da wohl gelten, und fromme Gemüter sehen in vielen einzelnen Vorfallenheiten, wo andere nur Zufälligkeiten sehen, nicht nur Schickungen Gottes überhaupt, sondern auch seiner Vorsehung, nämlich Zwecke, welche dieselbe mit solchen Schickungen habe. Doch pflegt dies nur im einzelnen zu geschehen; indem z. B. einem Individuum in einer großen Verlegenheit und Not unerwartet eine Hilfe gekommen ist, so dürfen wir demselben nicht unrecht geben, wenn es bei seiner Dankbarkeit dafür zugleich zu Gott aufschaut. Aber der Zweck selbst ist beschränkter Art; sein Inhalt ist nur der besondere Zweck dieses Individuums. Wir haben es aber in der Weltgeschichte mit Individuen zu tun, welche Völker, mit Ganzen, welche Staaten sind; wir können also nicht bei jener, sozusagen, Kleinkrämerei des Glaubens an die Vorsehung haltmachen und ebenso nicht bei dem bloß abstrakten, unbestimmten Glauben, der bloß bei dem Allgemeinen, daß es eine Vorsehung gebe, welche die Welt regiere, stehenbleibt, aber nicht zum Bestimmten vorgehen will, sondern wir haben vielmehr Ernst damit zu machen. Das Konkrete, die Wege der Vorsehung sind die Mittel, die Erscheinungen in der Geschichte, welche offen vor uns liegen; und wir haben sie nur auf jenes allgemeine Prinzip zu beziehen.

Aber ich habe mit der Erwähnung der Erkenntnis des Planes der göttlichen Vorsehung überhaupt an eine in unsern Zeiten an Wichtigkeit obenanstehende Frage erinnert, an die nämlich über die Möglichkeit, Gott zu erkennen – oder vielmehr, indem es aufgehört hat, eine Frage zu sein, an die zum Vorurteil gewordene Lehre, daß es unmöglich sei, Gott zu erkennen, dem entgegen, was in der heiligen Schrift als die höchste Pflicht geboten wird, Gott nicht nur zu lieben, sondern zu erkennen. Es wird geleugnet, was ebendaselbst gesagt wird, daß der Geist es sei, der in die Wahrheit einführe, daß er alle Dinge erkenne, selbst die Tiefen der Gottheit durchdringe.

Der unbefangene Glaube kann sich der nähern Einsicht begeben und bei der allgemeinen Vorstellung einer göttlichen Weltregierung stehenbleiben. Die dies tun, sind nicht zu tadeln, solange ihr Glaube nicht polemisch wird. Aber man kann auch befangen an dieser Vorstellung halten, und der allgemeine Satz kann eben wegen seiner Allgemeinheit auch einen besondern negativen Sinn haben, so daß das göttliche Wesen in der Ferne gehalten, jenseits der menschlichen Dinge und der menschlichen Erkenntnis gebracht wird. So behält man sich von der andern Seite die Freiheit, die Anforderung des Wahren und Vernünftigen zu entfernen, und gewinnt die Bequemlichkeit, sich in seinen eigenen Vorstellungen zu ergehen. In diesem Sinne wird jene Vorstellung von Gott zum leeren Gerede. Wird Gott jenseits unseres vernünftigen Bewußtseins gestellt, so sind wir davon befreit, sowohl uns um seine Natur zu bekümmern, als Vernunft in der Weltgeschichte zu finden; freie Hypothesen haben dann ihren Spielraum. Die fromme Demut weiß wohl, was sie durch ihr Verzichten gewinnt.

Ich hätte die Erwähnung, unser Satz, daß die Vernunft die Welt regiert und regiert hat, werde in religiöser Form so ausgesprochen, daß die Vorsehung die Welt beherrsche, unterlassen können, um nicht an jene Frage von der Möglichkeit der Erkenntnis Gottes zu erinnern. Ich habe jedoch nicht unterlassen wollen, teils bemerklich zu machen, womit solche Materien weiter zusammenhängen, teils aber auch darum nicht davon geschwiegen, um den Verdacht zu vermeiden, als ob die Philosophie sich scheue oder zu scheuen habe, an die religiösen Wahrheiten zu erinnern, und denselben aus dem Wege ginge, und zwar weil sie gegen dieselben sozusagen kein gutes Gewissen habe. Vielmehr ist es in neuern Zeiten so weit gekommen, daß die Philosophie sich des religiösen Inhalts gegen manche Art von Theologie anzunehmen hat.

Man kann, wie gesagt, häufig hören, daß es eine Vermessenheit sei, den Plan der Vorsehung einsehen zu wollen. Darin ist ein Resultat der Vorstellung zu sehen, die jetzt fast allgemein zum Axiom geworden ist, daß man Gott nicht erkennen könne. Und wenn die Theologie selbst es ist, die zu dieser Verzweiflung gekommen ist, dann muß man sich eben in die Philosophie flüchten, wenn man Gott erkennen will. Der Vernunft wird es zwar zum Hochmut angerechnet, darüber etwas wissen zu wollen. Vielmehr aber muß man sagen, daß die wahrhafte Demut gerade darin besteht, Gott in allem zu erkennen, ihm in allem die Ehre zu geben und vornehmlich auf dem Theater der Weltgeschichte. Man schleppt es als eine Tradition mit sich, daß Gottes Weisheit in der Natur zu erkennen sei. So war es eine Zeitlang Mode, die Weisheit Gottes in Tieren und Pflanzen zu bewundern. Man zeigt, daß man Gott kenne, indem man über menschliche Schicksale oder über Produktionen der Natur erstaunt. Wenn zugegeben wird, daß sich die Vorsehung in solchen Gegenständen und Stoffen offenbare, warum nicht in der Weltgeschichte? Sollte dieser Stoff etwa zu groß erscheinen? Man stellt sich in der Tat gewöhnlich die Vorsehung nur im Kleinen wirkend vor, denkt sie sich als einen reichen Mann, der den Menschen seine Almosen austeilt und ihnen steuert. Meint man aber, daß der Stoff der Weltgeschichte zu groß für die Vorsehung sei, so irrt man; denn die göttliche Weisheit ist im Großen wie im Kleinen eine und dieselbe. In der Pflanze und im Insekt ist sie die gleiche wie in den Schicksalen ganzer Völker und Reiche, und wir müssen Gott nicht für zu schwach halten, seine Weisheit aufs Große anzuwenden. Wenn man die Weisheit Gottes nicht überall für wirksam hält, so müßte dies vielmehr eine Demut sein, die sich auf den Stoff, nicht aber auf jene Weisheit bezöge. Ohnehin ist die Natur ein untergeordneterer Schauplatz als die Weltgeschichte. Die Natur ist das Feld, wo die göttliche Idee im Elemente der Begriffslosigkeit ist; im Geistigen ist sie auf ihrem eigentümlichen Boden, und da gerade muß sie erkennbar sein. Bewaffnet mit dem Begriffe der Vernunft, dürfen wir uns nicht vor irgendwelchem Stoffe scheuen.

Die Behauptung, man solle Gott nicht erkennen wollen, ist zwar einer weiteren Ausführung bedürftig, als hier gemacht werden kann. Weil aber diese Materie mit unserm Zwecke so nahe verwandt ist, so ist es nötig, die allgemeinen Gesichtspunkte anzugeben, auf die es zunächst ankommt. Soll nämlich Gott nicht erkannt werden, so bleibt dem Geiste als etwas, das ihn interessieren könnte, nur das Ungöttliche, Beschränkte, Endliche übrig. Freilich muß sich der Mensch notwendig mit dem Endlichen abgeben; aber es ist eine höhere Notwendigkeit, daß der Mensch einen Sonntag des Lebens habe, wo er sich über die Werktagsgeschäfte erhebt, wo er sich mit dem Wahrhaftigen abgibt und dieses sich zum Bewußtsein bringt.

Wenn der Name Gottes nicht etwas Leeres sein soll, so müssen wir Gott anerkennen als gütig oder sich mitteilend. In den älteren Vorstellungen der Griechen ist Gott als neidisch gedacht und vom Neide der Götter die Rede gewesen, daß das Göttliche dem Großen feind, die Schickung der Götter sei, das Große herabzusetzen. Aristoteles sagt, daß die Dichter viel lügen; Gott könne Neid nicht zugeschrieben werden. Wenn wir nun behaupteten, Gott teile sich nicht mit, so würde das darauf hinauslaufen, Gott Neid nachzusagen; durch die Mitteilung kann Gott nicht verlieren, so wenig wie ein Licht dadurch verliert, wenn an ihm ein anderes angezündet wird.

Nun sagt man, Gott teile sich ja auch mit, aber nur in der Natur einerseits und im Herzen, im Gefühle der Menschen andererseits. Dabei vornehmlich ist es, daß in unserer Zeit behauptet wird, müsse man stehen bleiben; Gott sei für uns in dem unmittelbaren Bewußtsein, in der Anschauung. Anschauung und Gefühl ist darin eins, daß es unreflektiertes Bewußtsein ist. Dagegen muß hervorgehoben werden, daß der Mensch denkend ist, sich durch das Denken vom Tier unterscheidet. Er verhält sich denkend, auch wenn er sich dessen nicht bewußt ist. Wenn Gott sich dem Menschen offenbart, so offenbart er sich ihm wesentlich als dem denkenden; würde er sich ihm wesentlich im Gefühl offenbaren, so würde er ihn dem Tiere gleich achten, dem die Fähigkeit der Reflexion nicht gegeben ist – den Tieren aber schreiben wir keine Religion zu. In der Tat hat der Mensch Religion nur, weil er nicht ein Tier, sondern denkend ist. Es ist das Trivialste, daß der Mensch sich durch das Denken vom Tier unterscheidet, und doch ist es vergessen.

Gott ist das an und für sich ewige Wesen; und das an und für sich Allgemeine ist Gegenstand des Denkens, nicht des Gefühls. Wohl muß alles Geistige, jeder Inhalt des Bewußtseins, das, was Produkt und Gegenstand des Denkens ist, vor allem Religion und Sittlichkeit, auch in der Weise des Gefühls in dem Menschen sein und ist es zunächst. Aber das Gefühl ist nicht die Quelle, aus der dem Menschen dieser Inhalt zuströmt, sondern nur die Art und Weise, wie er sich in ihm findet, und ist die schlechteste Form, eine Form, die er mit dem Tiere gemein hat. Was substantiell ist, muß auch in Form des Gefühls sein, aber es ist auch in anderer, höherer, würdigerer Form. Wenn man aber das Sittliche, Wahre, den geistigsten Inhalt, notwendig ins Gefühl versetzen und ihn allgemein darin zurückhalten wollte, so würde man ihn wesentlich der tierischen Form zuschreiben; diese ist aber des geistigen Inhalts gar nicht fähig. Das Gefühl ist die niedrigste Form, in der irgendein Inhalt sein kann; so gering als möglich ist er darin vorhanden. Er ist, solange er bloß im Gefühle bleibt, noch eingehüllt und ganz unbestimmt. Etwas, das man im Gefühle hat, ist noch ganz subjektiv und in subjektiver Weise vorhanden. Sagt man: ich fühle so, dann hat man sich in sich abgeschlossen. Jeder andere hat dasselbe Recht, zu sagen: ich aber fühle es nicht so; und man hat sich aus dem gemeinsamen Boden zurückgezogen. In ganz partikulären Sachen ist das Gefühl ganz im Rechte. Aber für irgendeinen Inhalt versichern zu wollen, alle Menschen hätten das in ihrem Gefühl, widerspricht dem Standpunkte des Gefühls, auf den man sich doch gestellt hat, dem Standpunkte der besondern Subjektivität eines jeden. Sowie ein Inhalt ins Gefühl kommt, ist jedermann auf seinen subjektiven Standpunkt reduziert. Wollte jemand einen, der nur nach seinem Gefühl handelt, mit diesem oder jenem Beinamen belegen, so hätte dieser das Recht, das zurückzugeben; und beide wären von ihrem Standpunkte aus berechtigt, sich zu injuriieren. Sagt jemand, er habe Religion im Gefühl, und ein anderer, er finde im Gefühl keinen Gott, so hat jeder recht. Wenn man auf diese Weise den göttlichen Inhalt – die Offenbarung Gottes, das

Verhältnis des Menschen zu Gott, das Sein Gottes für den Menschen – auf das bloße Gefühl reduziert, so beschränkt man es auf den Standpunkt der besondern Subjektivität, der Willkür, des Beliebens. In der Tat hat man sich damit die an und für sich seiende Wahrheit vom Halse geschafft. Wenn nur die unbestimmte Weise des Gefühls da ist und kein Wissen von Gott und von seinem Inhalt, so ist nichts übrig als mein Belieben; das Endliche ist das Geltende und Herrschende. Ich weiß nichts von Gott; also kann es auch mit nichts Ernst sein, was in der Beziehung beschränkend sein soll.

Das Wahre ist ein in sich Allgemeines, Wesenhaftes, Substantielles; und solches ist allein im und für den Gedanken. Das Geistige aber, das, was wir Gott nennen, ist eben die wahrhaft substantielle und in sich wesentlich individuelle subjektive Wahrheit. Es ist das Denkende, und das Denkende ist in sich schaffend; als solches finden wir es in der Weltgeschichte. Alles andere, was wir noch Wahres nennen, ist nur eine besondere Form dieser ewigen Wahrheit, hat einen Halt nur in ihr, ist nur ein Strahl derselben. Weiß man von dieser nichts, so weiß man von nichts Wahrem, von nichts Rechtem, nichts Sittlichem. –

Was ist nun der Plan der Vorsehung in der Weltgeschichte? Ist die Zeit gekommen, ihn einzusehen? Nur dies Allgemeine will ich hier bemerken.

In der christlichen Religion hat Gott sich geoffenbart, d. h. er hat den Menschen zu erkennen gegeben, was er ist, so daß er nicht mehr ein Verschlossenes, Geheimes sei. Es ist mit dieser Möglichkeit, Gott zu erkennen, uns die Pflicht dazu auferlegt, und die Entwickelung des denkenden Geistes, welche aus dieser Grundlage, aus der Offenbarung des göttlichen Wesens, ausgegangen ist, muß dazu endlich gedeihen, das, was dem fühlenden und vorstellenden Geiste zunächst vorgelegt worden, auch mit dem Gedanken zu erfassen. Ob es an der Zeit ist, zu erkennen, muß davon abhängen, ob das, was Endzweck der Welt ist, endlich auf allgemeingültige, bewußte Weise in die Wirklichkeit getreten ist. Nun ist das Ausgezeichnete der christlichen Religion, daß mit ihr diese Zeit gekommen ist; dies macht die absolute Epoche in der Weltgeschichte aus. Es ist offenbar geworden, was die Natur Gottes sei. Sagt man: wir wissen von Gott nichts, so ist die christliche Religion etwas Überflüssiges, zu spät Gekommenes, Verkommenes. In der christlichen Religion weiß man, was Gott ist. Allerdings ist der Inhalt auch für unser Gefühl; aber weil es geistiges Gefühl ist, so ist er auch wenigstens für die Vorstellung, nicht bloß für die sinnliche, sondern auch für die denkende, für das eigentliche Organ, in dem Gott für den Menschen ist. Die christliche Religion ist diejenige, die den Menschen die Natur und das Wesen Gottes manifestiert hat. So wissen wir als Christen, was Gott ist; jetzt ist Gott nicht mehr ein Unbekanntes: behaupten wir dies noch, so sind wir nicht Christen. Die christliche Religion verlangt die Demut, von der wir schon gesprochen haben, nicht aus sich, sondern aus dem göttlichen Wissen und Erkennen Gott zu erkennen. Die Christen sind also in die Mysterien Gottes eingeweiht, und so ist uns auch der Schlüssel zur Weltgeschichte gegeben. Hier gibt es eine bestimmte Erkenntnis der Vorsehung und ihres Plans. Im Christentum ist es Hauptlehre, daß die Vorsehung die Welt beherrscht hat und beherrscht, daß, was in der Welt geschieht, in der göttlichen Regierung bestimmt, dieser gemäß ist. Diese Lehre richtet sich gegen die Vorstellung des Zufalls wie der beschränkten Zwecke, z. B. der Erhaltung des jüdischen Volkes. Es ist der an und für sich seiende, ganz allgemeine Endzweck. In der Religion wird über diese allgemeine Vorstellung nicht hinausgegangen; sie bleibt bei der Allgemeinheit stehen. Aber dieser allgemeine Glaube ist es, aus dem man zunächst zur Philosophie und auch zur Philosophie der Weltgeschichte treten muß, der Glaube, daß die Weltgeschichte ein Produkt der ewigen Vernunft ist und Vernunft ihre großen Revolutionen bestimmt hat.

Es ist deshalb zu sagen, daß auch absolut die Zeit gekommen sei, wo diese Überzeugung, Gewißheit, nicht nur in der Weise der Vorstellung bleiben kann, sondern wo sie auch gedacht, entwickelt, erkannt wird – ein bestimmtes Wissen. Der Glaube läßt sich nicht ein auf Entwickelung des Inhalts, Einsicht in die Notwendigkeit – das gibt erst die Erkenntnis. Darin, daß der Geist nicht stillsteht, liegt es, daß solche Zeit kommen muß; die höchste Spitze des Geistes, der Gedanke, Begriff verlangt sein Recht, seine allgemeinste, wesentliche Wesenheit ist die eigentliche Natur des Geistes.

Die Unterscheidung von Glauben und Wissen ist ein geläufiger Gegensatz geworden. Es gilt als ausgemacht, daß sie verschieden seien, und daß man deshalb von Gott nichts wisse. Man kann die Menschen damit verscheuchen, wenn man ihnen sagt, man wolle Gott erkennen, wissen, und diese Erkenntnis darstellen. In seiner wesentlichen Bestimmung ist aber dieser Unterschied tatsächlich etwas Leeres. Denn was ich glaube, das weiß ich auch, dessen bin ich gewiß. In der Religion glaubt man an Gott und an die Lehren, die seine Natur näher explizieren; aber man weiß es auch, ist dessen gewiß. Wissen heißt, etwas als Gegenstand vor seinem Bewußtsein haben und dessen gewiß sein; und genau dasselbe ist Glauben auch. Das Erkennen dagegen sieht sowohl die Gründe, die Notwendigkeit des gewußten Inhaltes, auch des Glaubensinhaltes ein, abgesehen von der Autorität der Kirche und des Gefühls, die ein Unmittelbares ist, und entwickelt andererseits auch den Inhalt in seinen nähern Bestimmungen. Diese nähern Bestimmungen müssen zunächst gedacht werden, damit man sie richtig erkennen, sie in ihrer konkreten Einheit innerhalb des Begriffs erhalten könne. Wenn dann von Vermessenheit des Erkennens gesprochen wird, so ließe sich die Wendung nehmen, daß vom Erkennen keinerlei Aufhebens zu machen sei, indem es ja nur der Notwendigkeit zusehe und die Entwickelung des Inhalts in sich selbst vor ihm sich entfalte. Auch könnte man sagen, dieses Erkennen sei darum nicht für Vermessenheit auszugeben, weil es sich von dem, was wir Glauben nennen, nur durch das Wissen des Besondern unterscheide. Aber diese Wendung wäre doch schief und falsch in sich selbst. Denn die Natur des Geistigen ist nicht, ein Abstraktum zu sein, sondern ein Lebendiges, ein allgemeines Individuum, subjektiv, sich in sich selbst bestimmend, beschließend zu sein. Deshalb wird die Natur Gottes nur dann wahrhaft gewußt, wenn man ihre Bestimmungen kennt. So spricht auch das Christentum von Gott, es erkennt ihn als Geist, und das ist nicht das Abstrakte, sondern der Prozeß in sich selbst, der absolute Unterschiede setzt, mit denen die christliche Religion eben die Menschen bekannt gemacht hat.

Gott will nicht engherzige Gemüter und leere Köpfe zu seinen Kindern, sondern er verlangt, daß man ihn erkenne, er will Kinder haben, deren Geist an sich arm, aber reich an Erkenntnis seiner ist, und die in die Erkenntnis Gottes allen Wert setzen. Die Geschichte ist die Entfaltung der Natur Gottes in einem besondern bestimmten Element, so kann hier keine andere als eine bestimmte Erkenntnis genügen und stattfinden. Es muß endlich an der Zeit sein, auch diese reiche Produktion der schöpferischen Vernunft zu begreifen, welche die Weltgeschichte ist. – Unsere Erkenntnis geht darauf, die Einsicht zu gewinnen, daß das von der ewigen Weisheit Bezweckte, wie auf dem Boden der Natur, so auf dem Boden des in der Welt wirklichen und tätigen Geistes herausgekommen ist. Unsere Betrachtung ist insofern eine Theodizee, eine Rechtfertigung Gottes, welche Leibniz metaphysisch auf seine Weise in noch abstrakten, unbestimmten Kategorien versucht hat: das Übel in der Welt überhaupt, das Böse mit inbegriffen, sollte begriffen, der denkende Geist mit dem Negativen versöhnt werden; und es ist in der Weltgeschichte, daß die ganze Masse des konkreten Übels uns vor die Augen gelegt wird. (In der Tat liegt nirgend eine größere Aufforderung zu solcher versöhnenden Erkenntnis als in der Weltgeschichte, und es ist hierbei, daß wir einen Augenblick verweilen wollen.)

Diese Aussöhnung kann nur durch die Erkenntnis des Affirmativen erreicht werden, in welchem jenes Negative zu einem Untergeordneten und Überwundenen verschwindet – durch das Bewußtsein, teils was in Wahrheit der Endzweck der Welt sei, teils daß derselbe in ihr verwirklicht worden sei und nicht das

Böse neben ihm ebensosehr und gleich mit ihm sich geltend gemacht habe. Die Rechtfertigung geht darauf hinaus, das Übel gegenüber der absoluten Macht der Vernunft begreiflich zu machen. Es handelt sich um die Kategorie des Negativen, von der vorher die Rede war, und die uns sehen läßt, wie in der Weltgeschichte das Edelste und Schönste auf ihrem Altar geopfert wird. Dies Negative wird von der denkenden Vernunft verworfen, die dafür vielmehr einen affirmativen Zweck will. Dabei, daß einzelne Individuen gekränkt worden sind, kann die Vernunft nicht stehenbleiben; besondere Zwecke verlieren sich in dem Allgemeinen. Sie sieht in dem Entstehen und Vergehen das Werk, das aus der allgemeinen Arbeit des Menschengeschlechtes hervorgegangen ist, ein Werk, das wirklich in der Welt ist, der wir angehören. Das Erscheinende hat sich ohne unser Zutun zu einem Wirklichen gestaltet; es ist nur das Bewußtsein, und zwar das denkende Bewußtsein nötig, es aufzufassen. Denn jenes Affirmative ist eben nicht bloß im Genusse des Gefühls, der Phantasie, sondern es ist etwas, das der Wirklichkeit angehört und uns angehört oder dem wir angehören. Die Vernunft, von der gesagt worden, daß sie die Welt regiere, ist ein ebenso unbestimmtes Wort als die Vorsehung – man spricht immer von der Vernunft, ohne eben angeben zu können, was denn ihre Bestimmung, ihr Inhalt ist, was das Kriterium sei, wonach wir beurteilen können, ob etwas vernünftig ist oder unvernünftig.

DER INHALT DER WELTGESCHICHTE

Von der Weltgeschichte kann nach dieser abstrakten Bestimmung gesagt werden, daß sie die Darstellung des Geistes sei, wie er zum Wissen dessen zu kommen sich erarbeitet, was er an sich ist. Die Orientalen wissen es nicht, daß der Geist oder der Mensch als solcher an sich frei ist. Weil sie es nicht wissen, sind sie es nicht. Sie wissen nur, daß Einer frei ist; aber ebendarum ist solche Freiheit nur Willkür, Wildheit, Dumpfheit der Leidenschaft oder auch eine Milde, Zahmheit derselben, die selbst nur ein Naturzufall oder eine Willkür ist. Dieser Eine ist darum nur ein Despot, nicht ein freier Mann, ein Mensch. – In den Griechen ist erst das Bewußtsein der Freiheit aufgegangen, und darum sind sie frei gewesen; aber sie, wie auch die Römer, wußten nur, daß einige frei sind, nicht der Mensch als solcher. Dies wußten Plato und Aristoteles nicht; darum haben die Griechen nicht nur Sklaven gehabt und ist ihr Leben und der Bestand ihrer schönen Freiheit daran gebunden gewesen, sondern auch ihre Freiheit war selbst teils nur eine zufällige, unausgearbeitete, vergängliche und beschränkte Blume, teils zugleich eine harte Knechtschaft des Menschlichen, des Humanen. – Erst die germanischen Nationen sind im Christentum zum Bewußtsein gekommen, daß der Mensch als Mensch frei ist, die Freiheit des Geistes seine eigenste Natur ausmacht. Dies Bewußtsein ist zuerst in der Religion, in der innersten Region des Geistes aufgegangen; aber dies Prinzip auch in das weltliche Wesen einzubilden, dies war eine weitere Aufgabe, welche zu lösen und auszuführen eine schwere, lange Arbeit der Bildung erfordert. Mit der Annahme der christlichen Religion hat z. B. nicht unmittelbar die Sklaverei aufgehört, noch weniger ist damit sogleich in den Staaten die Freiheit herrschend, sind die Regierungen und Verfassungen auf eine vernünftige Weise organisiert, auf das Prinzip der Freiheit gegründet worden. Diese Anwendung des Prinzips auf die Weltlichkeit, die Durchdringung, Durchbildung des weltlichen Zustandes durch dasselbe ist der lange Verlauf, welcher die Geschichte selbst ausmacht. Auf diesen Unterschied des Prinzips als eines solchen und seiner Anwendung, d. i. Einführung und Durchführung in der Wirklichkeit des Geistes und Lebens, habe ich schon aufmerksam gemacht; wir werden sogleich weiter darauf zurückkommen: es ist eine Grundbestimmung in unserer Wissenschaft, und sie ist wesentlich im Gedanken festzuhalten. Wie nun dieser Unterschied in Ansehung des christlichen Prinzips, des Selbstbewußtseins der Freiheit, hier vorläufig herausgehoben worden, so findet er auch wesentlich statt in Ansehung des Prinzips der Freiheit überhaupt. Die Weltgeschichte ist der Fortschritt im Bewußtsein der Freiheit – ein Fortschritt, den wir in seiner Notwendigkeit zu erkennen haben.

Mit dem, was ich im allgemeinen über den Unterschied des Wissens von der Freiheit gesagt habe, und zwar zunächst in der Form, daß die Orientalen nur gewußt haben, daß Einer frei sei, die griechische und römische Welt aber, daß einige frei sind, daß wir aber wissen, daß alle Menschen an sich frei, der Mensch als Mensch frei ist, damit liegt die Einteilung, die wir in der Weltgeschichte machen und nach der wir sie abhandeln werden, vor. Dies ist jedoch nur im Vorbeigehn vorläufig bemerkt; wir haben vorher noch einige Begriffe zu explizieren.

Es ist also als das, was die Vernunft des Geistes in ihrer Bestimmtheit, was hiemit die Bestimmung der geistigen Welt ist, und – indem diese die substantielle und die physische Welt ihr untergeordnet ist oder, im spekulativen Ausdruck, keine Wahrheit gegen die erste hat – als der Endzweck der Welt das Bewußtsein des Geistes von seiner Freiheit und ebendamit erst die Wirklichkeit seiner Freiheit überhaupt angegeben worden. Daß aber diese Freiheit, wie sie angegeben worden, selbst noch unbestimmt oder daß sie ein unendlich vieldeutiges Wort ist, daß sie, indem sie das Höchste ist, unendlich viele Mißverständnisse, Verwirrungen, Irrtümer mit sich führt und alle möglichen Ausschweifungen in sich begreift, dies ist etwas, was man nie besser gewußt und erfahren hat als in jetziger Zeit; aber wir lassen es hier zunächst bei jener allgemeinen Bestimmung bewenden. Ferner wurde auf die Wichtigkeit des unendlichen Unterschieds zwischen dem Prinzip, dem, was nur erst an sich, und zwischen dem, was wirklich ist, aufmerksam gemacht. Zugleich ist es die Freiheit in ihr selbst, welche die unendliche Notwendigkeit in sich schließt, eben sich zum Bewußtsein – denn sie ist, ihrem Begriffe nach, Wissen von sich – und damit zur Wirklichkeit zu bringen: sie ist sich der Zweck, den sie ausführt, und der einzige Zweck des Geistes.

Des Geistes Substanz ist die Freiheit. Sein Zweck in dem geschichtlichen Prozesse ist hiermit angegeben: die Freiheit des Subjekts, daß es sein Gewissen und seine Moralität, daß es für sich allgemeine Zwecke habe, die es geltend mache, daß das Subjekt unendlichen Wert habe und auch zum Bewußtsein dieser Extremität komme. Dieses Substantielle des Zweckes des Weltgeistes wird erreicht durch die Freiheit eines jeden.

Die Volksgeister sind die Glieder in dem Prozesse, daß der Geist zur freien Erkenntnis seiner selbst komme. Die Völker aber sind Existenzen für sich – wir haben es hier nicht mit dem Geiste an sich zu tun –, als solche haben sie ein natürliches Dasein. Sie sind Nationen, und insofern ist ihr Prinzip ein natürliches; und weil die Prinzipien unterschieden sind, so sind auch die Völker natürlich unterschieden. Jedes hat sein eigenes Prinzip, dem es als seinem Zwecke nachstrebt; hat es diesen Zweck erreicht, dann hat es nichts mehr in der Welt zu tun.

Der Geist eines Volkes ist also zu betrachten als die Entwickelung des Prinzips, das in die Form eines dunkeln Triebes eingehüllt ist, der sich herausarbeitet, sich objektiv zu machen strebt. Ein solcher Volksgeist ist ein bestimmter Geist, ein konkretes Ganzes; er muß in seiner Bestimmtheit erkannt werden. Weil er Geist ist, läßt er sich nur geistig, durch den Gedanken fassen, und wir sind es, die den Gedanken erfassen; ein Weiteres ist dann, daß auch der Volksgeist selbst sich denkend erfaßt. Wir haben also den bestimmten Begriff, das Prinzip dieses Geistes zu betrachten. Dies Prinzip ist in sich sehr reich und entfaltet sich mannigfach; denn der Geist ist lebendig und wirkend, und es ist ihm um das Produkt seiner selbst zu tun. Er allein ist es, der in allen Taten und Richtungen des Volkes sich hervortreibt, der sich zu seiner Verwirklichung, zum Selbstgenusse und Selbsterfassen bringt. Seine Entfaltung sind Religion, Wissenschaft, Künste, Schicksale, Begebenheiten. Dieses, nicht die Naturbestimmtheit des Volkes (wie die Ableitung des Wortes natio von nasci nahelegen könnte) geben dem Volke seinen Charakter. In seinem Wirken weiß der Volksgeist zunächst nur von den Zwecken seiner bestimmten Wirklichkeit, noch nicht von sich selber. Er selbst hat aber den Trieb, seine Gedanken zu fassen. Seine höchste Tätigkeit ist Denken, und so ist er in seiner höchsten Wirkung tätig, sich selbst zu fassen. Es ist das Höchste für den Geist, sich zu wissen, sich nicht nur zur Anschauung, sondern auch zum Gedanken seiner selbst zu bringen. Dies muß und wird er auch vollbringen; aber diese Vollbringung ist zugleich sein Untergang und dieser das Hervortreten einer andern Stufe, eines andern Geistes. Der einzelne Volksgeist vollbringt sich, indem er den Übergang zu dem Prinzip eines andern Volkes macht, und so ergibt sich ein Fortgehen, Entstehen, Ablösen der Prinzipien der Völker. Worin der Zusammenhang dieser Bewegung bestehe, das aufzuzeigen ist die Aufgabe der philosophischen Weltgeschichte.

Die abstrakte Weise des Fortganges des Volksgeistes ist das ganz sinnliche Fortgehen der Zeit, eine erste Tätigkeit; die konkretere Bewegung ist die geistige Tätigkeit. Ein Volk macht Fortschritte in sich selbst; es erlebt Fortgang und Untergang. Das Nächste ist hier die Kategorie der Bildung, der Überbildung und Verbildung; dies Letzte ist für das Volk Produkt oder Quelle seines Verderbens. Mit dem Worte Bildung ist jedoch noch nichts über den substantiellen Inhalt des Volksgeistes bestimmt; sie ist formell und wird überhaupt durch die Form der Allgemeinheit konstruiert. Der gebildete Mensch ist der, der allem seinem Tun den Stempel der Allgemeinheit aufzudrücken weiß, der seine Partikularität aufgegeben hat, der nach allgemeinen Grundsätzen handelt. Die Bildung ist Form des Denkens; näher liegt hierin, daß der Mensch sich zu hemmen weiß, nicht bloß nach seinen Neigungen, Begierden handelt, sondern sich sammelt. Er gibt dadurch dem Gegenstande, dem Objekt, eine freie Stellung und ist gewöhnt, sich theoretisch zu verhalten. Damit ist die Gewohnheit verbunden, die einzelnen Seiten in ihrer Vereinzelung aufzufassen, die Umstände zu zersplittern, das Isolieren der Seiten, das Abstrahieren, indem jeder dieser Seiten unmittelbar die Form der Allgemeinheit gegeben wird. Der gebildete Mensch kennt an den Gegenständen die verschiedenen Seiten; sie sind für ihn vorhanden, seine gebildete Reflexion hat ihnen die Form der Allgemeinheit gegeben. Er kann dann auch in seinem Benehmen jede einzelne Seite gewähren lassen. Der Ungebildete hingegen, indem er die Hauptsache auffaßt, kann wohlmeinend ein halbes Dutzend anderer verletzen. Indem der gebildete Mensch die verschiedenen Seiten festhält, handelt er konkret; er ist gewöhnt, nach allgemeinen Gesichtspunkten, Zwecken zu handeln. Die Bildung also drückt die einfache Bestimmung aus, daß einem Inhalt der Charakter des Allgemeinen aufgeprägt werde.

Indessen muß die Entwickelung des Geistes als die Bewegung, aus der die Bildung hervorgegangen ist, noch konkreter aufgefaßt werden. Es ist das Allgemeine des Geistes, die Bestimmungen, die er an sich hat, zu setzen. Dies kann wieder in subjektivem Sinne verstanden werden; und man nennt dann, was der Geist an sich ist, Anlage, und insofern er gesetzt ist, nennt man es Eigenschaften, Geschicklichkeiten. Dann wird auch das Hervorgebrachte selbst nur in subjektiver Form aufgefaßt. In der Geschichte dagegen ist es in der Form, wie es als Gegenstand, Tat, Werk vom Geiste hervorgebracht ist. Der Volksgeist ist Wissen, und die Tätigkeit des Gedankens auf die Realität eines Volksgeistes ist, daß er sein Werk als Objektives, nicht mehr bloß Subjektives weiß. In Rücksicht dieser Bestimmungen ist zu bemerken, daß oft ein Unterschied gemacht wird zwischen dem, was der Mensch innerlich ist, und seinen Taten. In der Geschichte ist dies unwahr; die Reihe seiner Taten ist der Mensch selbst. Man bildet sich wohl ein, daß die Intention, die Absicht, etwas Vortreffliches sein könne, wenn auch die Taten nichts taugen sollten. Es kann freilich im einzelnen vorkommen, daß der Mensch sich verstellt; das ist aber ganz etwas Partielles. Das Wahre ist, daß das Äußere von dem Innern nicht verschieden ist. Besonders in der Geschichte fallen dergleichen Ausklügelungen momentaner Trennungen weg. Was ihre Taten sind, das sind die Völker. Die Taten sind ihr Zweck.

Der Geist handelt wesentlich, er macht sich zu dem, was er an sich ist, zu seiner Tat, zu seinem Werk; so wird er sich Gegenstand, so hat er sich als ein Dasein vor sich. So der Geist eines Volkes; sein Tun ist, sich zu einer vorhandenen Welt zu machen, die auch im Raume besteht; seine Religion, Kultus, Sitten, Gebräuche, Kunst, Verfassung, politische Gesetze, der ganze Umfang seiner Einrichtungen, seine Begebenheiten und Taten, das ist sein Werk – das ist dies Volk. Diese Empfindung hat jedes Volk. Das Individuum findet das Sein des Volkes dann als eine bereits fertige, feste Welt vor sich, der es sich einzuverleiben hat. Es hat sich dieses substantielle Sein anzueignen, daß dieses seine Sinnesart und Geschicklichkeit werde, auf daß es selbst etwas sei. Das Werk ist vorhanden, und die Individuen haben sich ihm anzubilden, ihm gemäß zu machen. Wenn wir die Periode dieses Hervorbringens betrachten, so finden wir, daß hier das Volk für den Zweck seines Geistes handelt, und nennen es sittlich, tugendhaft, kräftig, weil es das, was der innere Wille seines Geistes ist, hervorbringt und sein Werk in der Arbeit seiner Objektivierung auch gegen äußere Gewalt verteidigt. Hier findet die Absonderung der Individuen von dem Ganzen noch nicht statt; sie tritt erst später in der Periode der Reflexion hervor. Hat das Volk sich so zu seinem Werke gemacht, so ist der Zwiespalt zwischen dem Ansich, was es in seinem Wesen ist, und der Wirklichkeit aufgehoben, und es hat sich befriedigt: was es an sich ist, hat es als seine Welt hingestellt. In diesem seinem Werke, seiner Welt genießt sich nun der Geist.

Das Nächste ist nun, was eintritt, wenn der Geist hat, was er will. Seine Tätigkeit ist nicht mehr erregt, seine substantielle Seele nicht mehr in Tätigkeit. Sein Tun steht nur mehr in entfernterem Zusammenhange mit seinen höchsten Interessen. Ich habe Interesse für etwas nur, insofern es mir noch verborgen oder für meinen Zweck notwendig, dieser aber noch nicht erfüllt ist. Indem also das Volk sich ausgestaltet, seinen Zweck erreicht hat, schwindet sein tieferes Interesse. Der Volksgeist ist ein natürliches Individuum; als ein solches blüht er auf, ist stark, nimmt ab und stirbt. Es liegt in der Natur der Endlichkeit, daß der beschränkte Geist vergänglich ist. Er ist lebendig und insofern wesentlich Tätigkeit; mit dem Hervorbringen seiner selbst, der Produktion, der Verwirklichung seiner selbst ist er beschäftigt. Ein Gegensatz ist vorhanden, sofern die Wirklichkeit seinem Begriffe noch nicht gemäß oder sofern der innere Begriff seiner noch nicht zum Selbstbewußtsein gebracht worden ist. Sobald aber der Geist sich seine Objektivität in seinem Leben gegeben hat, sobald er den Begriff seiner ganz herausgearbeitet und ihn ganz zur Ausführung gebracht hat, so ist er, wie gesagt, zum Genusse seiner selbst gekommen, der nicht mehr Tätigkeit, der ein widerstandsloses Ergehen seiner durch sich selbst ist. In die Periode, wo der Geist noch tätig ist, fällt die schönste Zeit, die Jugend eines Volkes; da haben die Individuen den Drang, ihr Vaterland zu erhalten, den Zweck ihres Volkes geltend zu machen. Ist das vollbracht, tritt die Gewohnheit des Lebens ein; und wie der Mensch an der Gewohnheit des Lebens erstirbt, so auch der Volksgeist an dem Genusse seiner selbst. Wenn der Geist des Volkes seine Tätigkeit durchgesetzt hat, dann hört die Regsamkeit und das Interesse auf; das Volk lebt in dem Übergange vom Mannesalter ins Greisenalter, im Genusse des Erreichten. Vorher war ein Bedürfnis, eine Not, hervorgetreten; sie ist durch irgendeine Einrichtung befriedigt worden und nicht mehr vorhanden. Dann ist auch die Einrichtung aufzuheben, und es tritt bedürfnislose Gegenwart ein. Vielleicht hat sich das Volk auch, manche Seite seines Zweckes aufgebend, mit einem geringern Umfange begnügt. Wenn seine Einbildung auch darüber hinausging, so hat es dieselbe als Zweck aufgegeben, wenn die Wirklichkeit sich nicht dazu darbot, und hat den Zweck nach dieser beschränkt. Es lebt nun in der Befriedigung des erreichten Zwecks, verfällt in die Gewohnheit, in der keine Lebendigkeit mehr ist, und geht so seinem natürlichen Tode entgegen. Es kann noch viel tun in Krieg und Frieden, im Innern und Äußern; es kann noch lange fortvegetieren. Es regt sich; aber diese Regsamkeit ist bloß die der besondern Interessen der Individuen, nicht mehr das Interesse des Volkes selbst. Das größte, höchste Interesse hat sich aus dem Leben verloren; denn Interesse ist nur vorhanden, wo Gegensatz ist.

Der natürliche Tod des Volksgeistes kann sich als politische Nullität zeigen. Er ist das, was wir die Gewohnheit nennen. Die Uhr ist aufgezogen und geht von selber fort. Die Gewohnheit ist ein gegensatzloses Tun, dem nur die formelle Dauer übrig sein kann, und in dem die Fülle und Tiefe des Zwecks nicht mehr zur Sprache zu kommen braucht – eine gleichsam äußerliche, sinnliche Existenz, die sich nicht mehr in die Sache vertieft. So sterben Individuen, so sterben Völker eines natürlichen Todes; wenn letztere auch fortdauern, so ist es eine interesselose, unlebendige Existenz, die ohne das Bedürfnis ihrer Institutionen ist, eben weil das Bedürfnis befriedigt ist – eine politische Nullität und Langeweile. Das Negative erscheint dann nicht als Zwiespalt, Kampf; so z. B. bei den alten Reichsstädten, die in sich unschuldig aufgehört haben, ohne daß sie gewußt haben, wie ihnen geschah. Bei solchem Tode kann sich ein Volk recht gut befinden, obwohl es aus dem Leben der Idee herausgetreten ist. Es dient dann als Material eines höhern Prinzips, wird Provinz eines andern Volkes, in dem ein höheres Prinzip gilt. Das Prinzip aber, zu dem ein Volk gelangt ist, ist ein Wirkliches; auch wenn es in der Gewohnheit seinen Tod findet, so kann es doch als ein Geistiges nicht aussterben, sondern es drängt sich zu einem Höhern durch. Die Vergänglichkeit ist es, die uns erschüttern kann, die wir aber tiefer als notwendig erkennen in der höhern Idee des Geistes. Da ist der Geist so gesetzt, daß er dadurch seinen absoluten Endzweck vollbringt; und so müssen wir mit seiner Vergänglichkeit versöhnt werden.

Der besondere Volksgeist ist der Vergänglichkeit unterworfen, geht unter, verliert die Bedeutung für die Weltgeschichte, hört auf, der Träger des höchsten Begriffs zu sein, den der Geist von sich gefaßt hat. Denn jedesmal das Volk ist an der Zeit und das regierende, das den höchsten Begriff des Geistes gefaßt hat. Es kann sein, daß Völker von nicht so hohen Begriffen bleiben; aber sie sind in der Weltgeschichte auf die Seite gesetzt.

Weil aber das Volk ein Allgemeines, Gattung ist, so tritt eine weitere Bestimmung ein. Der Volksgeist ist als Gattung für sich existierend; hierin liegt die Möglichkeit, daß in diesem Existierenden das Allgemeine, das in ihm ist, als das Entgegengesetzte erscheint. Das Negative seiner kommt in ihm zur Erscheinung; das Denken erhebt sich über das unmittelbare Wirken. Und so erscheint sein natürlicher Tod auch als Tötung seiner selbst. Wir beobachten so einesteils den Untergang, den sich der Volksgeist selbst bereitet. Die Erscheinung des Vergehens hat ihre verschiedenen Gestalten, daß von innen das Verderben herausbricht, die Begierden los werden, daß die Einzelheit ihre Befriedigung sucht und so der substantielle Geist zu kurz kommt und zertrümmert wird. Die einzelnen Interessen reißen die Kräfte, Vermögen an sich, die vorher dem Ganzen gewidmet waren. So erscheint das Negative als Verderben von innen, sich zu besondern. Es pflegt äußere Gewalt verbunden zu sein, die das Volk außer den Besitz der Herrschaft setzt und bewirkt, daß es das erste zu sein aufhört. Diese äußere Gewalt aber gehört nur zur Erscheinung; keine Macht kann sich gegen den Volksgeist oder in ihm zerstörend geltend machen, wenn er nicht in ihm selbst leblos, erstorben ist.

Das Weitere aber nach dem Momente der Vergänglichkeit ist, daß allerdings nachher auf den Tod Leben folgt. Man könnte an das Leben in der Natur erinnern, wie die Knospen abfallen und andere hervortreten. Aber im geistigen Leben ist es anders. Der Baum perenniert, treibt Sprossen, Blätter, Blüten, bringt Früchte hervor und fängt so immer wieder von vorn an. Die einjährige Pflanze überlebt ihre Frucht nicht; der Baum läßt es jahrzehntelang an sich vorübergehen, aber er stirbt doch auch. Die Wiederbelebung in der Natur ist nur die Wiederholung eines und desselben; es ist die langweilige Geschichte mit immer demselben Kreislauf. Unter der Sonne geschieht nichts Neues. Aber mit der Sonne des Geistes ist es anders. Deren Gang, Bewegung ist nicht eine Selbstwiederholung, sondern das wechselnde Ansehen, das der Geist sich in immer andern Gebilden macht, ist wesentlich Fortschreiten. Das stellt sich in dieser Auflösung des Volksgeistes durch die Negativität seines Denkens so dar, daß die Erkenntnis, die denkende Auffassung des Seins, die Quelle und Geburtsstätte einer neuen Gestalt ist, und zwar einer höhern Gestalt in einem teils erhaltenden, teils verklärenden Prinzip. Denn der Gedanke ist das Allgemeine, die Gattung, die nicht stirbt, die sich selbst gleich bleibt. Die bestimmte Gestalt des Geistes geht nicht bloß natürlich in der Zeit vorüber, sondern wird in der selbstwirkenden, selbstbewußten Tätigkeit des Selbstbewußtseins aufgehoben. Weil dies Aufheben Tätigkeit des Gedankens ist, ist es zugleich Erhalten und Verklären. – Indem somit der Geist einerseits die Realität, das Bestehen dessen, was er ist, aufhebt, gewinnt er zugleich das Wesen, den Gedanken, das Allgemeine dessen, was er nur war. Sein Prinzip ist nicht mehr dieser unmittelbare Inhalt und Zweck, wie er war, sondern das Wesen desselben.

Indem wir den Übergang eines Volksgeistes in den andern nachzuweisen haben, ist zu bemerken, daß der allgemeine Geist überhaupt nicht stirbt, als Volksgeist aber, der der Weltgeschichte angehört, zu dem Wissen dessen, was sein Werk ist, und dazu gelangen muß, sich zu denken. Dieses Denken, diese Reflexion, hat dann vor dem Unmittelbaren, das es als ein besonderes Prinzip erkennt, keinen Respekt mehr; es entsteht eine Trennung des subjektiven Geistes von dem allgemeinen. Die Individuen treten in sich zurück und streben nach eigenen Zwecken; wir haben schon bemerklich gemacht, daß dieses das Verderben des Volkes ist: jeder setzt sich nach seinen Leidenschaften seine eigenen Zwecke. Zugleich aber tritt bei diesem Zurücktreten des Geistes in sich nun das Denken als besondere Wirklichkeit hervor, und es entstehen die Wissenschaften. So sind Wissenschaften und das Verderben, der Untergang eines Volkes, immer miteinander verpaart.

Darin aber liegt der Beginn eines höhern Prinzips. Die Entzweiung enthält, führt mit sich das Bedürfnis der Vereinigung, weil der Geist einer ist. Er ist lebendig und stark genug, die Einheit hervorzubringen. Der Gegensatz, worein der Geist mit dem niedern Prinzip tritt, der Widerspruch, führt zum höhern. So hatten die Griechen in ihrer blühenden Periode, in ihrer heitern Sittlichkeit, nicht den Begriff der allgemeinen Freiheit; sie hatten wohl das *καϑηκον*, das Geziemende, aber keine Moralität oder kein Gewissen. Moralität, was Rückkehr des Geistes in sich, Reflexion, Flucht des Geistes in sich hinein ist, war nicht da; das fing erst mit Sokrates an. Sobald nun die Reflexion eintrat und das Individuum sich in sich zurückzog und sich von der Sitte trennte, um in sich und nach eigenen Bestimmungen zu leben, da entstand das Verderben, der Widerspruch. In dem Gegensatze kann aber der Geist nicht bleiben, er sucht eine Vereinigung, und in der Vereinigung liegt das höhere Prinzip. Dieser Prozeß, dem Geiste zu seinem Selbst, zu seinem Begriffe zu verhelfen, ist die Geschichte. Die Entzweiung enthält also das Höhere des Bewußtseins; aber dies Höhere hat ebenso noch eine Seite, die nicht in das Bewußtsein eingeht. Dann erst kann der Gegensatz in das Bewußtsein aufgenommen werden, wenn das Prinzip der persönlichen Freiheit schon da ist.

Das Resultat dieses Ganges ist also, daß der Geist, indem er sich objektiviert und dieses sein Sein denkt, einerseits die Bestimmtheit seines Seins zerstört, anderseits das Allgemeine desselben erfaßt, und dadurch seinem Prinzip eine neue Bestimmung gibt. Hiemit hat sich die substantielle Bestimmtheit dieses Volksgeistes geändert, d. i. sein Prinzip ist in ein anderes, und zwar höheres Prinzip aufgegangen.

Es ist das Wichtigste, die Seele und das Ausgezeichnete im philosophischen Auffassen und Begreifen der Geschichte, den Gedanken dieses Übergangs zu haben und zu kennen. Ein Individuum durchläuft als eines verschiedene Bildungsstufen und bleibt dasselbe Individuum; ebenso auch ein Volk, bis zu der Stufe, welche die allgemeine Stufe seines Geistes ist. In diesem Punkte liegt die innere, die Begriffsnotwendigkeit der Veränderung. Die Ohnmacht des Lebens zeigt sich aber – worauf wir schon hingewiesen haben – darin, daß, was anfängt und was Resultat ist, auseinanderfällt. So auch im Leben der Individuen und Völker. Der bestimmte Volksgeist ist nur ein Individuum im Gange der Weltgeschichte. Das Leben eines Volkes bringt eine Frucht zur Reife; denn seine Tätigkeit geht dahin, sein Prinzip zu vollführen. Diese Frucht fällt aber nicht in seinen Schoß zurück, wo sie sich ausgeboren hat, es bekommt sie nicht zu genießen; im Gegenteil, sie wird ihm ein bitterer Trank. Lassen kann es nicht von ihm, denn es hat den unendlichen Durst nach demselben, aber das Kosten des Tranks ist seine Vernichtung, doch zugleich das Aufgehen eines neuen Prinzips. Die Frucht wird wieder Samen, aber Samen eines andern Volkes, um dieses zur Reife zu bringen.

Der Geist ist wesentlich Resultat seiner Tätigkeit: seine Tätigkeit ist Hinausgehen über die Unmittelbarkeit, das Negieren derselben und Rückkehr in sich.

Der Geist ist frei; und sich dies sein Wesen wirklich zu machen, diesen Vorzug zu erreichen, ist das Bestreben des Weltgeistes in der Weltgeschichte. Sich zu wissen und zu erkennen ist seine Tat, die aber nicht mit einem Male, sondern im Stufengange vollbracht wird. Jeder einzelne neue Volksgeist ist eine neue Stufe in der Eroberung des Weltgeistes, zur Gewinnung seines Bewußtseins, seiner Freiheit. Der Tod eines Volksgeistes ist Übergang ins Leben, und zwar nicht so wie in der Natur, wo der Tod des einen ein anderes Gleiches ins Dasein ruft. Sondern der Weltgeist schreitet aus niedern Bestimmungen zu höhern Prinzipien, Begriffen seiner selbst, zu entwickelteren Darstellungen seiner Idee vor.

Es wäre hier also um den Endzweck zu tun, den die Menschheit hat, den der Geist in der Welt sich vorsetzt zu erreichen, den er unendlich, mit absoluter Gewalt getrieben ist sich zu verwirklichen. Das Bestimmtere in Ansehung dieses Endzwecks schließt sich an das an, was vorher in bezug auf den Volksgeist erinnert worden ist. Gesagt worden ist, daß das, um was es dem Geiste zu tun ist, nichts anderes sein kann als er selbst. Es gibt nichts Höheres als den Geist, nichts, das würdiger wäre, sein Gegenstand zu sein. Er kann nicht ruhen, mit nichts anderm sich beschäftigen, bis er weiß, was er ist. Dies ist freilich ein allgemeiner, abstrakter Gedanke; und es ist eine weite Kluft zwischen diesem Gedanken, von dem wir sprechen, daß er das höchste, einzige Interesse des Geistes sei, und dem, wovon wir in der Geschichte sehen, daß es die Interessen der Völker und der Individuen ausmacht. In der empirischen Ansicht sehen wir besondere Zwecke, partikuläre Interessen, die die Völker jahrhundertelang beschäftigt haben, man denke z. B. an den Gegensatz zwischen Rom und Karthago. Und es ist eine weite Kluft bis dahin, in den Erscheinungen der Geschichte den Gedanken zu erkennen, der von uns als das wesentliche Interesse angegeben worden ist. Wenn der Gegensatz zwischen den zunächst erscheinenden Interessen und dem, was als absolutes Interesse des Geistes angegeben worden ist, erst später erörtert werden wird, so ist wenigstens der allgemeine Gedanke des Begriffs leicht zu fassen, daß der freie Geist sich notwendig zu sich selbst verhält, da er freier Geist ist; sonst wäre er abhängig und nicht frei. Indem so das Ziel bestimmt ist, daß der Geist zum Bewußtsein seiner selbst komme oder die Welt sich gemäß mache – denn beides ist dasselbe: man kann sagen, daß der Geist die Gegenständlichkeit sich zu eigen mache, oder umgekehrt, daß der Geist seinen Begriff aus sich hervorbringe, ihn objektiviere und so sein Sein werde; in der Gegenständlichkeit wird er sich seiner bewußt, auf daß er selig sei: denn wo Gegenständlichkeit entsprechend ist der inneren Forderung, da eben ist Freiheit –, indem er also das Ziel bestimmt hat, so erhält das Fortschreiten seine nähere Bestimmung, nämlich nach der Seite, daß es nicht als ein bloßes Mehrwerden gefaßt ist. Wir können sogleich dies anknüpfen, daß wir auch in unserm gewöhnlichen Bewußtsein zugeben, daß das Bewußtsein, um sein Wesen zu wissen, Stufen der Bildung durchzugehen habe.

Das Ziel der Weltgeschichte ist also, daß der Geist zum Wissen dessen gelange, was er wahrhaft ist, und dies Wissen gegenständlich mache, es zu einer vorhandenen Welt verwirkliche, sich als objektiv hervorbringe. Das Wesentliche ist, daß dies

Ziel ein Hervorgebrachtes ist. Der Geist ist nicht ein Naturding wie ein Tier; das ist, wie es ist, unmittelbar. Der Geist ist dies, daß er sich hervorbringt, sich zu dem macht, was er ist. Deswegen seine nächste Gestaltung, daß er wirklich sei, ist nur Selbsttätigkeit. Sein Sein ist Aktuosität, kein ruhendes Dasein, sondern dies, sich hervorgebracht zu haben, für sich geworden zu sein, durch sich selbst sich gemacht zu haben. Daß er wahrhaft sei, dazu gehört, daß er sich hervorgebracht habe; sein Sein ist der absolute Prozeß. In diesem Prozeß, der eine Vermittlung seiner mit sich selbst durch sich, nicht durch anderes ist, liegt es, daß er unterschiedene Momente hat, Bewegungen und Veränderungen in sich enthält, bald so und bald anders bestimmt ist. Es sind also in diesem Prozesse wesentlich Stufen enthalten, und die Weltgeschichte ist die Darstellung des göttlichen Prozesses, des Stufenganges, in dem der Geist sich selbst, seine Wahrheit weiß und verwirklicht. Es sind alles Stufen der Selbsterkenntnis; das höchste Gebot, das Wesen des Geistes ist es, sich selbst zu erkennen, sich als das, was er ist, zu wissen und hervorzubringen. Das vollbringt er in der Weltgeschichte, er bringt sich als bestimmte Gestalten hervor, und diese Gestalten sind die weltgeschichtlichen Völker. Es sind Gebilde, deren jedes eine besondere Stufe ausdrückt und die so Epochen in der Weltgeschichte bezeichnen. Tiefer begriffen: es sind die Prinzipien, die der Geist von sich gefunden hat, und die er gedrungen ist zu realisieren. Es ist also darin ein wesentlicher Zusammenhang, der nichts ausdrückt als die Natur des Geistes.

Die Weltgeschichte ist die Darstellung des göttlichen, absoluten Prozesses des Geistes in seinen höchsten Gestalten, dieses Stufenganges, wodurch er seine Wahrheit, das Selbstbewußtsein über sich selbst erlangt. Die Gestaltungen dieser Stufen sind die welthistorischen Volksgeister, die Bestimmtheiten ihres sittlichen Lebens, ihrer Verfassung, ihrer Kunst, Religion und Wissenschaft. Diese Stufen zu realisieren, ist der unendliche Trieb des Weltgeistes, sein unwiderstehlicher Drang; denn diese Gliederung sowie ihre Verwirklichung ist sein Begriff. – Die Weltgeschichte zeigt nur, wie der Geist allmählich zum Bewußtsein und zum Wollen der Wahrheit kommt; es dämmert in ihm, er findet Hauptpunkte, am Ende gelangt er zum vollen Bewußtsein. Über den Endzweck dieses Fortschreitens haben wir uns oben erklärt. Die Prinzipien der Volksgeister in einer notwendigen Stufenfolge sind selbst nur Momente des einen allgemeinen Geistes, der durch sie in der Geschichte sich zu einer sich erfassenden Totalität erhebt und abschließt.

Dieser Anschauung eines Prozesses, durch den der Geist in der Geschichte sein Ziel verwirklicht, steht eine sehr verbreitete Vorstellung entgegen von dem, was das Ideal sei und welches Verhältnis es zur Wirklichkeit habe. Es ist nämlich nichts häufiger und geläufiger, als die Klage zu hören, daß die Ideale in der Wirklichkeit nicht realisiert werden könnten – es seien Ideale der Phantasie oder der Vernunft, was immer den Anspruch macht –, besonders daß die Ideale der Jugend von der kalten Wirklichkeit zu Träumen heruntergesetzt würden. Diese Ideale, welche an der Klippe der harten Wirklichkeit auf der Lebensfahrt scheiternd zugrunde gehen, können zunächst nur subjektive sein und der sich für das Höchste und Klügste haltenden Individualität des einzelnen angehören. Die gehören eigentlich nicht hierher. Denn was das Individuum für sich in seiner Einzelheit sich ausspinnt, kann für die allgemeine Wirklichkeit nicht Gesetz sein, ebenso wie das Weltgesetz nicht für die einzelnen Individuen allein ist, die dabei sehr zu kurz kommen können. Es kann allerdings geschehen, daß dergleichen nicht realisiert wird. Das Individuum macht sich oft seine Vorstellungen von sich selbst, von hohen Absichten, herrlichen Taten, die es ausführen wolle, von der Wichtigkeit, die es selbst habe, die es berechtigt sei in Anspruch zu nehmen, die zum Heile der Welt diene. Was solche Vorstellungen betrifft, so müssen sie an ihren Ort gestellt bleiben. Man kann sich viel von sich träumen, was nichts als übertriebene Vorstellungen vom eigenen Werte sind. Es kann auch sein, daß dem Individuum Unrecht geschieht; aber das geht die Weltgeschichte nichts an, der die Individuen als Mittel in ihrem Fortschreiten dienen.

Aber man versteht unter den Idealen auch Ideale der Vernunft, die Ideen vom Guten, Wahren, von dem Besten in der Welt, die wahre Anforderung ihrer Befriedigung haben; daß diese nicht eintrete, sieht man als objektives Unrecht an. Dichter wie Schiller haben ihre Trauer darüber empfindsam und rührend dargestellt. Sagen wir nun dagegen, die allgemeine Vernunft vollführe sich, so ist es um das empirisch Einzelne freilich nicht zu tun; denn das kann besser und schlechter sein, weil hier der Zufall, die Besonderheit ihr ungeheures Recht auszuüben vom Begriffe die Macht erhält. Man kann sich allerdings in Rücksicht auf besondere Dinge vorstellen, daß manches in der Welt unrecht sei. So wäre denn an den Einzelheiten der Erscheinung vieles zu tadeln. Aber um das empirisch Besondere ist es hier nicht zu tun; das ist dem Zufall anheimgegeben, und darauf kommt es nicht an. Es ist auch nichts leichter als zu tadeln und durch den Tadel sich die Meinung von seinem Besserwissen, guter Absicht zu geben. Dies subjektive Tadeln, das nur das Einzelne und seinen Mangel vor sich hat, ohne die allgemeine Vernunft darin zu erkennen, ist leicht und kann, indem es die Versicherung guter Absicht für das Wohl des Ganzen herbeibringt und sich den Schein des guten Herzens gibt, gewaltig groß tun und sich aufspreizen. Es ist leichter, den Mangel an Individuen, an Staaten, an der Weltleitung einzusehen als ihren wahrhaften Gehalt. Denn beim negativen Tadeln steht man vornehm und mit hoher Miene über der Sache, ohne in sie eingedrungen zu sein, d. h. sie selbst, ihr Positives erfaßt zu haben. Gewiß kann der Tadel gegründet sein; nur ist es viel leichter, das Mangelhafte aufzufinden als das Substantielle (z. B. bei Kunstwerken). Die Menschen meinen oft, sie seien fertig, wenn sie das mit Recht Tadelhafte aufgefunden haben; sie haben freilich recht, aber sie haben auch unrecht, daß sie das Affirmative an der Sache verkennen. Es ist das Zeichen der größten Oberflächlichkeit, überall das Schlechte zu finden, nichts von dem Affirmativen, Echten daran zu sehen. Das Alter im allgemeinen macht milder, die Jugend ist immer unzufrieden; das macht beim Alter die Reife des Urteils, das nicht nur aus Interesselosigkeit auch das Schlechte sich gefallen läßt, sondern, durch den Ernst des Lebens tiefer belehrt, auf das Substantielle, Gediegene der Sache ist geführt worden; es ist das nicht eine Billigkeit, sondern eine Gerechtigkeit.

Was aber das wahrhafte Ziel betrifft, die Idee der Vernunft selbst, so ist die Einsicht, zu der die Philosophie verhelfen soll, daß die wirkliche Welt ist, wie sie sein soll, daß der vernünftige Wille, das konkret Gute das Mächtigste ist in der Tat, die absolute Macht, die sich vollführt. Das wahrhafte Gute, die allgemeine göttliche Vernunft ist auch die Macht, sich selbst zu vollbringen. Dieses Gute, diese Vernunft in ihrer konkretesten Vorstellung ist Gott. Das Gute, nicht bloß als Idee überhaupt, sondern als eine Wirksamkeit, ist das, was wir Gott nennen. Die Einsicht der Philosophie ist, daß keine Gewalt über die Macht des Guten, Gottes, geht, die ihn hindert, sich geltend zu machen, daß Gott recht behält, daß die Weltgeschichte nichts anderes darstellt als den Plan der Vorsehung. Gott regiert die Welt; der Inhalt seiner Regierung, die Vollführung seines Planes ist die Weltgeschichte. Diesen zu fassen ist die Aufgabe der Philosophie der Weltgeschichte, und ihre Voraussetzung ist, daß das Ideal sich vollbringt, daß nur das Wirklichkeit hat, was der Idee gemäß ist. Vor dem reinen Licht dieser göttlichen Idee, die kein bloßes Ideal ist, verschwindet der Schein, als ob die Welt ein verrücktes, törichtes Geschehen sei. Die Philosophie will den Inhalt, die Wirklichkeit der göttlichen Idee erkennen und die verschmähte Wirklichkeit rechtfertigen. Denn die Vernunft ist das Vernehmen des göttlichen Werkes.

Das, was sonst Wirklichkeit heißt, wird von der Philosophie als ein Faules betrachtet, das wohl scheinen kann, aber nicht an und für sich wirklich ist. Diese Einsicht enthält, man kann es den Trost nennen gegen die Vorstellung von dem absoluten Unglück, der Verrücktheit dessen, was geschehen ist. Trost ist indessen nur der Ersatz für ein Übel, das nicht hätte geschehen sollen, und ist im Endlichen zu Hause. Die Philosophie ist also nicht ein Trost; sie ist mehr, sie versöhnt, sie verklärt das Wirkliche, das unrecht scheint, zu dem Vernünftigen, zeigt es als solches auf, das in der Idee selbst begründet ist und womit die Vernunft befriedigt werden soll. Denn in der Vernunft ist das Göttliche. Der Inhalt, der der Vernunft zugrunde liegt, ist die göttliche Idee und wesentlich der Plan Gottes. Als Weltgeschichte erfaßt ist nicht die Vernunft in dem Willen des Subjekts der Idee gleich, sondern allein die Wirksamkeit Gottes ist der Idee gleich. Aber in der Vorstellung ist die Vernunft das Vernehmen der Idee, schon etymologisch das Vernehmen dessen, was ausgesprochen ist (Logos), – und zwar des Wahren. Die Wahrheit des Wahren – das ist die erschaffene Welt. Gott spricht; er spricht nur sich selbst aus, und er ist die Macht, sich auszusprechen, sich vernehmlich zu machen. Und die Wahrheit Gottes, die Abbildung seiner ist es, was in der Vernunft vernommen wird. So geht die Philosophie dahin, daß, was leer ist, kein Ideal ist, sondern nur, was wirklich ist, – daß die Idee sich vernehmlich mache.

DER STAAT ALS MATERIAL DER VERWIRKLICHUNG DES GEISTES

Das Dritte nun aber ist, welches der durch diese Mittel auszuführende Zweck sei, das ist, seine Gestaltung in der Wirklichkeit. Es ist vom Mittel die Rede gewesen, aber bei der Ausführung eines subjektiven endlichen Zweckes haben wir auch noch das Moment eines Materials, was für die Verwirklichung desselben vorhanden sein oder herbeigeschafft werden muß. So wäre die Frage: welches ist das Material, in welchem der vernünftige Endzweck ausgeführt wird?

Die Veränderungen im geschichtlichen Leben setzen etwas voraus, woran sie sich ergeben. Gesetzt aber werden sie, wie wir gesehen haben, durch den subjektiven Willen. So ist die eine Seite auch hier zunächst das Subjekt wiederum selbst, die Bedürfnisse des Menschen, die Subjektivität überhaupt. Im menschlichen Wissen und Wollen, als im Material, kommt das Vernünftige zu seiner Existenz. Der subjektive Wille ist betrachtet worden, wie er einen Zweck hat, der die Wahrheit einer Wirklichkeit ist, und zwar insofern er eine große welthistorische Leidenschaft ist. Als subjektiver Wille in beschränkten Leidenschaften ist er abhängig, und seine besondern Zwecke findet er nur innerhalb dieser Abhängigkeit zu befriedigen. Aber er hat, wie wir gezeigt haben, auch ein substantielles Leben, eine Wirklichkeit, worin er sich im Wesentlichen bewegt und dies zum Zwecke seines Daseins hat. Dies Wesentliche nun, die Einheit des subjektiven Willens und des Allgemeinen, ist das sittliche Ganze und in seiner konkreten Gestalt der Staat. Er ist die Wirklichkeit, in der das Individuum seine Freiheit hat und genießt, aber indem es das Wissen, Glauben und Wollen des Allgemeinen ist. So ist er der Mittelpunkt der andern konkreten Seiten, des Rechts, der Kunst, der Sitten, der Bequemlichkeiten des Lebens. Im Staate ist die Freiheit sich gegenständlich und positiv darin realisiert. Doch ist dies nicht so zu nehmen, als ob der subjektive Wille des Einzelnen zu seiner Ausführung und seinem Genusse durch den allgemeinen Willen käme, und dieser ein Mittel für ihn wäre. Er ist auch nicht ein Zusammensein der Menschen, worin die Freiheit aller einzelnen beschränkt werden müsse. Die Freiheit ist nur negativ gefaßt, wenn man sie vorstellt, als ob das Subjekt neben den andern Subjekten seine Freiheit so beschränkte, daß diese gemeinsame Beschränkung, das Genieren aller gegeneinander, jedem einen kleinen Platz ließe, worin er sich ergehen könne; vielmehr sind Recht, Sittlichkeit, Staat, und nur sie, die positive Wirklichkeit und Befriedigung der Freiheit. Das Belieben des Einzelnen ist eben nicht Freiheit.

Die Freiheit, welche beschränkt wird, ist die Willkür, die sich auf das Besondere der Bedürfnisse bezieht.

Im Staat allein hat der Mensch vernünftige Existenz. Alle Erziehung geht dahin, daß das Individuum nicht ein Subjektives bleibe, sondern sich im Staate objektiv werde. Wohl kann ein Individuum den Staat zu seinem Mittel machen, um dies und jenes zu erreichen. Das Wahrhafte aber ist, daß jeder die Sache selbst wolle und das Unwesentliche abgestreift habe. Alles, was der Mensch ist, verdankt er dem Staat; er hat nur darin sein Wesen. Allen Wert, den der Mensch hat, alle geistige Wirklichkeit, hat er allein durch den Staat. Denn seine geistige Wirklichkeit ist, daß ihm als Wissenden sein Wesen, das Vernünftige gegenständlich sei, daß es objektives, unmittelbares Dasein für ihn habe; so nur ist er Bewußtsein, so nur ist er in der Sitte, dem rechtlichen und sittlichen Staatsleben. Denn das Wahre ist die Einheit des allgemeinen und subjektiven Willens; und das Allgemeine ist im Staate in den Gesetzen, in allgemeinen und vernünftigen Bestimmungen.

Der subjektive Wille, die Leidenschaft ist das Betätigende, Verwirklichende; die Idee ist das Innere: der Staat ist das vorhandene, wirklich sittliche Leben. Denn er ist die Einheit des allgemeinen, wesentlichen Wollens und des subjektiven, und das ist die Sittlichkeit. Das Individuum, das in dieser Einheit lebt, hat ein sittliches Leben, hat einen Wert, der allein in dieser Substantialität besteht. Antigone beim Sophokles sagt: die göttlichen Gebote sind nicht von gestern, noch von heute, nein, sie leben ohne Ende, und niemand wüßte zu sagen, von wannen sie kamen. Die Gesetze der Sittlichkeit sind nicht zufällig, sondern das Vernünftige selbst. Daß nun das Substantielle im wirklichen Tun der Menschen und in ihrer Gesinnung gelte, vorhanden sei und sich selbst erhalte, das ist der Zweck des Staates. Es ist das absolute Interesse der Vernunft, daß dieses sittliche Ganze vorhanden sei; und in diesem Interesse der Vernunft liegt das Recht und Verdienst der Heroen zur Stiftung der Staaten, sie seien auch noch so unausgebildet gewesen. Der Staat ist nicht um der Bürger willen da; man könnte sagen, er ist der Zweck, und sie sind seine Werkzeuge. Indes ist das Verhältnis von Zweck und Mittel überhaupt hier nicht passend. Denn der Staat ist nicht das Abstrakte, das den Bürgern gegenübersteht; sondern sie sind Momente wie im organischen Leben, wo kein Glied Zweck, keines Mittel ist. Das Göttliche des Staats ist die Idee, wie sie auf Erden vorhanden ist.

Das Wesen des Staates ist die sittliche Lebendigkeit. Diese besteht in der Vereinigung des Willens der Allgemeinheit und des subjektiven Willens. Der Wille ist Tätigkeit, und diese hat im subjektiven Willen an der äußern Welt ihren Gegensatz. Das

Prinzip des Willens ist das Fürsichsein; damit aber ist Ausschließung und Endlichkeit verbunden. Von der Rede, daß der Mensch im Willen unbeschränkt und im Denken beschränkt sei, ist gerade das Umgekehrte wahr. Faßt man dagegen den Willen in der Gestalt, wie er wesentlich und an und für sich ist, so ist er als befreit vom Gegensatze gegen die Außenwelt zu denken, durchaus als Allgemeines auch nach dieser Seite. So ist der Wille Macht an ihm selber und das Wesen allgemeiner Macht, der Natur und des Geistes. Dies Wesen kann etwa gedacht werden als »der Herr«, der Herr der Natur und des Geistes. Dieses Subjekt aber, der Herr, ist selbst nur etwas, das noch gegen anderes ist. Die Macht als absolute ist dagegen nicht Herr über ein anderes, sondern Herr über sich selbst, Reflexion in sich selbst, Persönlichkeit. Diese Reflexion in sich ist einfache Beziehung auf sich, ein Seiendes; die Macht ist, so in sich reflektiert, unmittelbare Wirklichkeit. Diese aber ist Wissen und näher das Wissende, und dieses ist die menschliche Individualität. Der allgemeine Geist ist wesentlich vorhanden als menschliches Bewußtsein. Der Mensch ist dieses Dasein und Fürsichsein des Wissens. Der Geist als sich wissender, sich als Subjekt seiender Geist ist dies, sich als Unmittelbares, als Seiendes zu setzen: so ist er menschliches Bewußtsein.

Es ist die Gewohnheit, nach allgemeinem Willen zu handeln und ein Allgemeines zu seinem Zwecke zu machen, was im Staate gilt. Auch im rohen Staate findet Unterwerfung des Willens unter einen andern statt; das heißt aber nicht, daß das Individuum nicht einen Willen für sich hätte, sondern daß sein besonderer Wille nicht gilt. Einfälle, Lüste haben keine Geltung. Auf die Besonderheit des Willens wird Verzicht getan schon in solchem rohen staatlichen Zustande, und der allgemeine Wille ist das Wesentliche. Indem also der besondere Wille wenigstens unterdrückt wird, geht er in sich zurück. Dies ist das erste Moment, das für die Existenz des Allgemeinen notwendig ist, das Element des Wissens, des Denkens, das hier im Staate auftritt. Nur auf diesem Boden, d. h. im Staate können Kunst und Religion vorhanden sein. Völker, die sich vernünftig in sich organisiert haben, sind es, die wir betrachten. In der Weltgeschichte kann nur von Völkern die Rede sein, welche einen Staat bilden. Man darf sich eben nicht einbilden, daß auf einer wüsten Insel, überhaupt in Abgeschiedenheit solches hervorgehen könne. Zwar haben sich alle großen Menschen in der Einsamkeit gebildet, aber nur, indem sie das, was der Staat schon geschaffen hatte, für sich verarbeiteten. Das Allgemeine muß nicht bloß von dem Einzelnen Gemeintes, es muß Seiendes sein; als solches ist es eben im Staate vorhanden, es ist das, was gilt. Hier ist die Innerlichkeit zugleich Wirklichkeit. Freilich ist die Wirklichkeit äußere Mannigfaltigkeit, aber sie ist hier in Allgemeinheit gefaßt.

Die allgemeine Idee kommt im Staate zur Erscheinung. In Rücksicht auf den Ausdruck Erscheinung ist zu bemerken, daß er hier nicht die Bedeutung hat wie in der gewöhnlichen Vorstellung. In dieser trennen wir Kraft und Erscheinung, als ob jene das Wesentliche, diese das Unwesentliche, Äußerliche wäre. Aber in der Kategorie der Kraft liegt selbst noch keine konkrete Bestimmung. Dagegen, wo Geist ist, der konkrete Begriff, da ist Erscheinung selbst das Wesentliche. Die Unterscheidung des Geistes ist seine Tat, Aktuosität. Das, was der Mensch ist, ist seine Tat, ist die Reihe seiner Taten, ist das, wozu er sich gemacht hat. So ist der Geist wesentlich Energie, und man kann bei ihm nicht von der Erscheinung abstrahieren. Das Erscheinen des Geistes ist sein Sichbestimmen, und das ist das Element seiner konkreten Natur: der Geist, der sich nicht bestimmt, ist Abstraktum des Verstandes. Die Erscheinung des Geistes ist seine Selbstbestimmung, und diese Erscheinung haben wir in der Gestalt von Staaten und Individuen zu betrachten.

Das geistige Individuum, das Volk, insofern es in sich gegliedert ein organisches Ganze ist, nennen wir Staat. Diese Benennung ist dadurch der Zweideutigkeit ausgesetzt, daß man mit Staat und Staatsrecht im Unterschiede von Religion, Wissenschaft und Kunst gewöhnlich nur die politische Seite bezeichnet. Hier aber ist Staat in einem umfassenderen Sinne genommen, so wie wir auch den Ausdruck Reich gebrauchen, wo wir die Erscheinung des Geistigen meinen. Ein Volk also fassen wir auf als geistiges Individuum, und in ihm betonen wir zunächst nicht die äußerliche Seite, sondern nehmen das heraus, was auch schon der Geist des Volkes genannt worden ist, d. i. sein Selbstbewußtsein über seine Wahrheit, sein Wesen, und was ihm selbst als das Wahre überhaupt gilt, die geistigen Mächte, die in einem Volke leben und es regieren. Das Allgemeine, das im Staate sich hervortut und gewußt wird, die Form, unter die alles, was ist, gebracht wird, ist dasjenige überhaupt, was die Bildung einer Nation ausmacht. Der bestimmte Inhalt aber, der diese Form der Allgemeinheit erhält und in der konkreten Wirklichkeit enthalten ist, die der Staat bildet, ist der Geist des Volkes selbst. Der wirkliche Staat ist von diesem Geiste beseelt in allen seinen besondern Angelegenheiten, Kriegen, Institutionen usf. Dieser geistige Inhalt ist ein Festes, Gediegenes, ganz entnommen der Willkür, den Partikularitäten, den Einfällen, der Individualität, der Zufälligkeit; das diesen Preisgegebene macht zur Natur des Volkes nichts aus: es ist wie der Staub, der über einer Stadt, einem Acker spielt und schwebt, ihn aber nicht wesentlich umgestaltet. Dieser geistige Inhalt macht dann ebenso das Wesen des Individuums aus, als er der Geist des Volkes ist. Er ist das Heilige, das die Menschen, die Geister zusammen bindet. Es ist ein und dasselbe Leben, ein großer Gegenstand, ein großer Zweck, ein großer Inhalt, von dem alles Privatglück, alle Privatwillkür abhängt.

So ist der Staat der näher bestimmte Gegenstand der Weltgeschichte überhaupt, worin die Freiheit ihre Objektivität erhält und in dem Genusse dieser Objektivität lebt. Denn das Gesetz ist die Objektivität des Geistes und der Wille in seiner Wahrheit; und nur der Wille, der dem Gesetze gehorcht, ist frei: denn er gehorcht sich selbst und ist bei sich selbst und also frei. Indem der Staat, das Vaterland, eine Gemeinsamkeit des Daseins ausmacht, indem sich der subjektive Wille des Menschen den Gesetzen unterwirft, verschwindet der Gegensatz von Freiheit und Notwendigkeit. Notwendig ist das Vernünftige als das Substantielle, und frei sind wir, indem wir es als Gesetz anerkennen und ihm als der Substanz unseres eigenen Wesens folgen: der objektive und der subjektive Wille sind dann ausgesöhnt und ein und dasselbe ungetrübte Ganze. Denn die Sittlichkeit des Staates ist nicht die moralische, die reflektierte, wobei die eigene Überzeugung waltet; diese ist mehr der modernen Welt zugänglich, während die wahre und antike darin wurzelt, daß jeder in seiner Pflicht steht. Ein atheniensischer Bürger tat gleichsam aus Instinkt dasjenige, was ihm zukam; reflektiere ich aber über den Gegenstand meines Tuns, so muß ich das Bewußtsein haben, daß mein Wille hinzugekommen sei. Die Sittlichkeit aber ist die Pflicht, das substantielle Recht, die zweite Natur, wie man sie mit Recht genannt hat; denn die erste Natur des Menschen ist sein unmittelbares, tierisches Sein. –

GESCHICHTE ALS GEGENWART

Ein Volk ist überhaupt nur welthistorisch, insofern in seinem Grundelemente, in seinem Grundzweck ein allgemeines Prinzip gelegen hat; nur insofern ist das Werk, welches ein solcher Geist hervorbringt, eine sittliche, politische Organisation. Wenn es nur die Begierde ist, was die Völker treibt, so geht solches Treiben spurlos vorüber, z. B. als Schwärmerei; aber es ist kein Werk. Ihre Spuren sind vielmehr nur Verderben und Zerstörung. So reden die Griechen von der Herrschaft des Kronos, der Zeit, der seine Kinder, die Taten, die er erzeugt, wieder aufzehrt, – es war das goldene Zeitalter, ohne sittliche Werke. Erst Zeus, der politische Gott, der aus seinem Haupte die Pallas Athene geboren hat, und zu dessen Kreise Apollo nebst den

Musen gehört, hat die Zeit dadurch bezwungen, daß er ein sittliches, wissendes Werk geschaffen, den Staat hervorgebracht hat.

Das Objektive in dem Werk ist also nur dies, daß es gewußt wird. Im Elemente eines Werks ist selbst die Bestimmung der Allgemeinheit, des Denkens enthalten; ohne den Gedanken hat es keine Objektivität, er ist die Basis. Das Volk muß das Allgemeine wissen, worauf die Sittlichkeit des Volkes beruht und wodurch das Partikuläre verschwindet, also muß es die Bestimmungen seines Rechts, seiner Religion wissen. Der Geist kann sich nicht damit begnügen, daß eine Ordnung, ein Kultus besteht; was er will, ist dies Wissen seiner Bestimmungen. Nur so setzt sich der Geist in die Einheit seiner Subjektivität mit dem Allgemeinen seiner Objektivität. Seine Welt ist zwar eine solche, die zugleich außereinander ist, und er verhält sich zu ihr in äußerem Anschauen usf.; aber es soll auch die Einheit seines Innersten mit dieser seiner Welt für ihn vorhanden sein. Dies ist seine höchste Befreiung, weil das Denken sein Innerstes ist. Der höchste Punkt der Bildung eines Volkes ist dieser, auch den Gedanken seines Lebens und Zustandes, die Wissenschaft seiner Gesetze, seines Rechts und seiner Sittlichkeit zu fassen; denn in dieser Einheit liegt die innerste Einheit, in der der Geist mit sich sein kann. Es ist ihm in seinem Werke darum zu tun, sich als Gegenstand zu haben; sich aber als Gegenstand in seiner Wesenhaftigkeit hat der Geist nur, indem er sich denkt. Auf diesem Punkt weiß also der Geist seine Grundsätze, das Allgemeine seiner wirklichen Welt. Wenn wir so wissen wollen, was Griechenland gewesen ist, so finden wir dies im Sophokles und Aristophanes, im Thukydides und Plato; dort ist geschichtlich geworden, was das griechische Leben gewesen ist. In diesen Individuen hat der griechische Geist sich selbst vorstellend und denkend gefaßt.

Das geistige Bewußtsein des Volkes von sich selbst ist das Höchste; aber erstens ist es auch nur ideell. Dieses Werk des Denkens ist die tiefere Befriedigung; aber sie ist als das Allgemeine zugleich ideell und der Form nach von der reellen Wirksamkeit, dem wirklichen Werk und dem Leben verschieden, wodurch dies Werk zustande gekommen war. Es gibt jetzt ein reales Dasein und ein ideales. So sehen wir ein Volk in solcher Zeit Befriedigung in der Vorstellung und in dem Gerede von der Tugend finden, das sich teils neben die Tugend, teils an ihre Stelle setzt. Der Geist hat diese hervorgebracht, und er weiß das Unreflektierte, das nur Faktische zur Reflexion über sich zu bringen. Damit gewinnt es zum Teil das Bewußtsein der Beschränktheit solcher Bestimmtheiten – wie der Glaube, das Zutrauen, die Sitte –, und so erhält das Bewußtsein Gründe, sich von ihnen, ihren Gesetzen loszusagen. Überhaupt liegt das in der Forderung von Gründen; indem solche Gründe, d. h. etwas ganz abstrakt Allgemeines, als Basis für jene Gesetze nicht gefunden werden, so wird die Vorstellung von der Tugend schwankend, das Absolute gilt nicht mehr als solches, sondern nur, indem es auf Gründen beruht. Damit tritt zugleich die Isolierung der Individuen von einander und vom Ganzen ein, die einbrechende Eigensucht derselben und Eitelkeit, das Suchen des eigenen Vorteils und Befriedigen desselben auf Kosten des Ganzen. Denn das Bewußtsein ist Subjektivität, und diese hat das Bedürfnis in sich, sich zu vereinzeln. So erscheinen dann die Eitelkeit, Selbstsucht; so treten die Leidenschaften, eigenen Interessen losgebunden als Verderben hervor. Dies ist dann nicht der natürliche Tod des Volksgeistes, sondern die Zerrissenheit in sich.

So ist Zeus, der dem Verschlingen der Zeit ein Ziel gesetzt und dies Vorübergehen sistiert hat, nachdem er ein in sich Festes begründet hatte, mit seinem ganzen Reiche verschlungen worden, und zwar eben von dem Prinzipe des Gedankens, dem Erzeugenden der Erkenntnis, des Räsonnements, der Einsicht aus Gründen und der Forderung von Gründen. Die Zeit ist das Negative im Sinnlichen; der Gedanke ist dieselbe Negativität, aber die innerste, die unendliche Form selbst, in welche daher alles Seiende überhaupt aufgelöst wird, zunächst das endliche Sein, die bestimmte Gestalt. Wohl ist also die Zeit das Korrosive des Negativen, der Geist aber ist selbst ebenfalls dies, daß er allen bestimmten Inhalt auflöst. Er ist das Allgemeine, Unbeschränkte, die innerste unendliche Form selbst, und wird mit allem Beschränkten fertig. Selbst wenn das Objektive dem Inhalte nach nicht als endlich und beschränkt erscheint, so erscheint es doch als Gegebenes, Unmittelbares, Autorität, und dadurch als solches, das dem Gedanken keine Schranken ziehen, nicht als Schranke für das denkende Subjekt und die unendliche Reflexion in sich aufgerichtet bleiben kann.

Diese Auflösung durch den Gedanken ist nun notwendig zugleich das Hervorgehen eines neuen Prinzips. Der Gedanke als Allgemeines ist auflösend; in diesem Auflösen ist aber in der Tat das vorhergehende Prinzip erhalten, nur nicht mehr in seiner ursprünglichen Bestimmung vorhanden. Das allgemeine Wesen ist erhalten, aber seine Allgemeinheit ist als solche herausgehoben worden. Das vorhergehende Prinzip ist durch die Allgemeinheit verklärt worden; zugleich ist die jetzige Weise als von der vorigen verschieden zu betrachten, in der die jetzige mehr nur im Innern vorhanden war und äußerliches Dasein nur in einer Verwicklung von mannigfaltigen Verhältnissen hatte. Was vorher nur in konkreter Einzelheit bestand, wird in Form der Allgemeinheit verarbeitet; es ist aber auch ein Neues, eine andere, weitere Bestimmung vorhanden. Der Geist, wie er jetzt in sich bestimmt ist, hat andere, weitere Interessen und Zwecke. Die Umbildung der Form des Prinzips bringt auch andere, weitere Bestimmungen des Inhalts. Jeder weiß, daß der gebildete Mensch ganz andere Forderungen macht als der ungebildete Mensch desselben Volkes, der in derselben Religion, Sittlichkeit lebt, dessen substantieller Zustand ganz derselbe ist. Die Bildung scheint zunächst rein formell zu sein, bringt aber auch eine inhaltliche Differenz hervor. Der gebildete und der ungebildete Christ erscheinen einesteils als ganz dieselben, haben aber gleichwohl beide ganz verschiedene Bedürfnisse. Mit den Verhältnissen des Eigentums ist es ebenso. Der Leibeigene hat auch Eigentum, aber verknüpft mit Lasten, wodurch ein anderer Miteigentümer wird. Wenn nun gedacht wird, was Eigentum ist, so folgt, daß nur einer der Herr sein kann. Der Gedanke hebt das Allgemeine hervor, und dadurch ist ein anderes Interesse, sind andere Bedürfnisse entstanden.

Das Bestimmte des Überganges bei dieser Veränderung ist also, daß das Vorhandene gedacht und dadurch in die Allgemeinheit erhoben wird. Der Geist besteht darin, das Allgemeine, das, was wesentlich ist, zu fassen. Die Allgemeinheit, gefaßt, wie sie wahrhaft ist, ist die Substanz, die Wesenheit, das wahrhaft Seiende. Solches Allgemeine ist z. B. von dem Sklaven der Mensch; hier schmilzt die Besonderheit in der Allgemeinheit. Wenn also durch den Gedanken bei einem Volke wie z. B. bei den Athenern die Besonderheit aufgehoben wird, wenn der Gedanke sich dahin entwickelt, daß das besondere Prinzip dieses Volkes nicht mehr wesentlich ist, so kann dies Volk nicht mehr bestehen; es ist ein anderes Prinzip entstanden. Die Weltgeschichte geht dann zu einem andern Volke über. In der Geschichte sind die Prinzipien als Volksgeister vorhanden; diese aber sind zugleich natürliche Existenzen. Die Stufe, die der Geist erreicht hat, ist als Naturprinzip des Volkes da oder als Nation. Nach den Arten seiner Auseinanderlegung in diesem bestimmten natürlichen Elemente erscheint der Geist in verschiedenen Gestalten. So tritt seine weitere, höhere Bestimmung in dem einen Volksgeiste zwar noch als Negation, als Verderben seines Vorherbestehenden auf, aber ihre positive Seite erscheint als ein neues Volk. Ein Volk kann nicht mehrere Stufen durchlaufen, es kann nicht zweimal in der Weltgeschichte Epoche machen. Wenn wahrhafte Interessen im Volke neu entstehen sollten, so müßte der Geist eines Volkes dazu kommen, ein Neues zu wollen, – woher aber sollte dieses Neue kommen? Es könnte nur eine höhere allgemeinere Vorstellung seiner selbst, ein Hinausgegangensein über sein Prinzip, ein Streben nach einem allgemeineren sein, – aber eben damit ist ein weiter bestimmtes Prinzip, ein neuer Geist vorhanden. Welthistorisch kann ein Volk nur einmal das herrschende sein, weil ihm im Prozesse des Geistes nur ein Geschäft übertragen sein kann.

Dies Fortgehen, dieser Stufengang scheint ein Progreß in die Unendlichkeit zu sein gemäß der Vorstellung der Perfektibilität, ein Progreß, der ewig dem Ziele fern bleibt. Indessen, wenn auch bei dem Fortschritt zu einem neuen Prinzip der Inhalt des vorigen allgemeiner gefaßt wird, so ist doch so viel gewiß, daß auch die neue Gestalt wieder eine bestimmte ist. Ohnehin hat es die Geschichte mit der Wirklichkeit zu tun, in der sich das Allgemeine als bestimmte Weise darstellen muß. Gegen den Gedanken, den Begriff kann keine beschränkte Gestalt sich fest machen. Gäbe es so etwas, was der Begriff nicht verdauen, nicht auflösen könnte, so läge dies freilich als die höchste Zerrissenheit, Unseligkeit da. Aber gäbe es so etwas, so wäre es nur der Gedanke selbst, wie er sich selbst faßt. Denn nur er ist das in sich Unbeschränkte, und alle Wirklichkeit ist in ihm bestimmt. Und so hörte die Zerrissenheit auf, und er wäre in sich befriedigt. Hier wäre der Endzweck der Welt. Die Vernunft erkennt das Wahrhafte, an und für sich Seiende, das keine Beschränkung hat. Der Begriff des Geistes ist Rückkehr in sich selbst, sich zum Gegenstande zu machen; also ist das Fortschreiten kein unbestimmtes ins Unendliche, sondern es ist ein Zweck da, nämlich die Rückkehr in sich selber. Also ist auch ein gewisser Kreislauf da, der Geist sucht sich selbst.

Man sagt, der Endzweck sei das Gute. Dies ist zunächst ein unbestimmter Ausdruck. Man könnte sich dabei und hat sich der religiösen Form zu erinnern. Überhaupt müssen wir uns in der Philosophie nicht so verhalten, daß wir andere ehrwürdige Anschauungen aus Scheu liegenlassen. Nach der religiösen Anschauung gilt es als der Zweck, daß der Mensch geheiligt werde. Dies ist religiös der eigentliche Zweck nach der Seite der Individuen. Das Subjekt gewinnt sich als solches, die Erfüllung seines Zwecks, in der religiösen Anstalt. So gefaßt aber setzt der Zweck den Inhalt allgemeiner Art, das, worin die Seelen ihr Heil finden, schon voraus. Man könnte meinen, daß uns diese Vorstellung des Heils nichts angehe, weil es der künftige, jenseitige Zweck sei. Aber dann bliebe doch das diesseitige Dasein noch als die Vorbereitung auf ihn. Überhaupt aber gilt diese Unterscheidung nur nach der subjektiven Seite; den Individuen bliebe durch sie nur übrig, das, was sie zum Heile führt, bloß als Mittel zu betrachten. Das aber ist keineswegs der Fall, sondern es muß durchaus als das Absolute gefaßt werden. Nach der religiösen Ansicht nun ist der Zweck wie des Naturdaseins, so auch der geistigen Tätigkeit die Verherrlichung Gottes. In der Tat ist dies der würdigste Zweck des Geistes und der Geschichte.

Der Geist ist dies, sich gegenständlich zu machen und sich zu fassen. Erst dann ist er als Selbstproduziertes, als Resultat wirklich vorhanden. Sich fassen heißt sich denkend fassen. Das bedeutet aber nicht bloß die Kenntnis willkürlicher, beliebiger, vorbeigehender Bestimmungen, sondern das Erfassen des Absoluten selbst. Also ist es der Zweck des Geistes, sich das Bewußtsein des Absoluten zu geben und so, daß dies sein Bewußtsein als einzig und allein Wahres gegeben ist, so daß alles danach eingerichtet werden müsse und danach wirklich eingerichtet sei, daß es wirklich die Weltgeschichte regiert und regiert hat. Dies in der Tat erkennen heißt Gott die Ehre geben oder die Wahrheit verherrlichen. Dies ist der absolute Endzweck, und die Wahrheit ist die Macht, welche selbst die Verherrlichung der Wahrheit hervorbringt. In der Ehre Gottes hat auch der individuelle Geist seine Ehre, aber nicht seine besondere, sondern durch das Wissen, daß sein Tun zur Ehre Gottes das absolute ist. Hier ist er in der Wahrheit, hat mit dem Absoluten zu tun; er ist daher bei sich. Hier ist dann der Gegensatz weggefallen, der im beschränkten Geiste sich vorfindet, der sein Wesen nur als Schranke weiß und sich durch den Gedanken darüber erhebt. Hier kann dann auch nicht der natürliche Tod eintreten.

Indem wir die Weltgeschichte begreifen, so haben wir es mit der Geschichte zunächst als mit einer Vergangenheit zu tun. Aber ebenso schlechterdings haben wir es mit der Gegenwart zu tun. Was wahr ist, ist ewig an und für sich, nicht gestern und nicht morgen, sondern schlechthin gegenwärtig, »Itzt« im Sinne der absoluten Gegenwart. In der Idee ist, was auch vergangen scheint, ewig unverloren. Die Idee ist präsent, der Geist unsterblich; es gibt kein Einst, wo er nicht gewesen wäre oder nicht sein würde, er ist nicht vorbei und ist nicht noch nicht, sondern er ist schlechterdings itzt. So ist hiermit schon gesagt, daß die gegenwärtige Welt, Gestalt des Geistes, sein Selbstbewußtsein, alle in der Geschichte als früher erscheinenden Stufen in sich begreift. Diese haben sich zwar als selbständig nacheinander ausgebildet; was aber der Geist ist, ist er an sich immer gewesen, der Unterschied ist nur die Entwicklung dieses Ansich. Der Geist der gegenwärtigen Welt ist der Begriff, den der Geist sich von sich selbst macht; er ist es, der die Welt hält und regiert, und er ist das Resultat der Bemühungen von 6000 Jahren, das, was der Geist durch die Arbeit der Weltgeschichte vor sich gebracht hat und was durch diese Arbeit hat herauskommen sollen. So haben wir die Weltgeschichte zu fassen, worin uns dargestellt wird die Arbeit des Geistes, wie er zur Erkenntnis dessen gekommen ist, was er ist, und das herausgearbeitet hat in den verschiedenen dadurch bedingten Sphären.

In dieser Rücksicht kann daran erinnert werden, daß jedes Individuum in seiner Bildung verschiedene Sphären durchlaufen muß, die seinen Begriff des Geistes überhaupt gegründet und die Form gehabt haben, in vorheriger Zeit jede für sich selbständig sich gestaltet und ausgebildet zu haben. Aber was der Geist jetzt ist, das war er immer; er ist jetzt nur das reichere Bewußtsein, der tiefer in sich ausgearbeitete Begriff seiner selbst. Der Geist hat alle Stufen der Vergangenheit noch an ihm, und das Leben des Geistes in der Geschichte ist, ein Kreislauf von verschiedenen Stufen zu sein, die teils gegenwärtig, teils in vergangener Gestaltung erschienen sind. Indem wir es mit der Idee des Geistes zu tun haben und in der Weltgeschichte alles nur als seine Erscheinung betrachten, so beschäftigen wir uns, wenn wir Vergangenheit, wie groß sie auch immer sei, durchlaufen, nur mit Gegenwärtigem. Die Philosophie hat es mit dem Gegenwärtigen, Wirklichen zu tun. Die Momente, die der Geist hinter sich zu haben scheint, hat er auch in seiner gegenwärtigen Tiefe. Wie er in der Geschichte seine Momente durchlaufen hat, so hat er sie in der Gegenwart zu durchlaufen – in dem Begriffe von sich.

DIE EINTEILUNG DER WELTGESCHICHTE

Die Einteilung der Weltgeschichte bietet eine allgemeine Übersicht, die zugleich den Zweck hat, den Zusammenhang auch nach der Idee, nach der innern Notwendigkeit, als begriffenen bemerklich zu machen.

In der geographischen Übersicht ist uns schon im allgemeinen der Zug angegeben worden, den die Weltgeschichte nimmt. Die Sonne geht im Morgenlande auf. Die Sonne ist Licht; und das Licht ist die allgemeine einfache Beziehung auf sich selbst und damit das in sich selbst Allgemeine. Dies in sich selbst allgemeine Licht ist in der Sonne ein Individuum, ein Subjekt. Man hat oft vorstellig gemacht, wie ein Mensch den Morgen anbrechen, das Licht hervortreten und die Sonne in ihrer Majestät emporsteigen sehe. Solche Schilderung wird hervorheben das Entzücktsein, Anstaunen, unendliche Vergessen seiner selbst in dieser Klarheit. Doch wenn die Sonne einige Zeit heraufgestiegen, wird das Staunen gemäßigt werden, der Blick mehr auf die Natur und auf sich die Aufmerksamkeit zu richten genötigt sein; er wird so in seiner eigenen Helle sehen, zum Bewußtsein seiner selbst übergehen, aus der ersten staunenden Untätigkeit der Bewunderung weitergehen zur Tat, zum Bilden aus sich selbst. Und am Abend wird er ein Gebäude vollendet haben, eine innere Sonne, die Sonne seines Bewußtseins, die er durch seine Arbeit hervorgebracht hat; und diese wird er höher schätzen als die äußerliche Sonne und wird in seinem Gebäude sich dies erschaffen haben, zum Geist in dem Verhältnis zu stehen, in dem er zuerst zu der äußerlichen Sonne stand, vielmehr aber in einem freien Verhältnis: denn dieser zweite Gegenstand ist sein eigener Geist. Hierin liegt eigentlich enthalten der Gang der ganzen Weltgeschichte, der große Tag des Geistes, sein Tagewerk, das er in der Weltgeschichte vollbringt.

Die Weltgeschichte geht von Osten nach Westen; denn Europa ist schlechthin das Ende der Weltgeschichte, Asien der Anfang. Für die Weltgeschichte ist ein Osten *κατ εξοχην* vorhanden, während der Osten für sich etwas ganz Relatives ist; denn obgleich die Erde eine Kugel bildet, so macht die Geschichte doch keinen Kreis um sie herum, sondern sie hat vielmehr einen bestimmten Osten, und das ist Asien. Hier geht die äußerliche physische Sonne auf, und im Westen geht sie unter: dafür steigt aber hier die innere Sonne des Selbstbewußtseins auf, die einen höhern Glanz verbreitet. Die Weltgeschichte ist die Zucht von der Unbändigkeit des natürlichen Willens zum Allgemeinen und zur subjektiven Freiheit.

Das, was in der Erscheinung unser Gegenstand als solcher ist, ist der Staat. Da er die allgemeine Idee, das allgemeine geistige Leben ist, zu dem die Individuen durch die Geburt sich mit Zutrauen und Gewohnheit verhalten, und in dem sie ihr Wesen und ihre Wirklichkeit, ihr Wissen und Wollen haben, sich darin Wert geben und sich dadurch erhalten, so kommt es auf zwei Grundbestimmungen an, erstens die allgemeine Substanz des Staates, den an sich gediegenen einen Geist, die absolute Macht, den selbständigen Geist des Volkes, und zweitens die Individualität als solche, die subjektive Freiheit. Der Unterschied ist, ob das wirkliche Leben der Individuen die reflexionslose Gewohnheit und Sitte jener Einheit ist, oder ob die Individuen reflektierende und persönliche, für sich seiende Subjekte sind. In dieser Beziehung ist es, daß die substantielle Freiheit von der subjektiven Freiheit zu unterscheiden ist. Die substantielle Freiheit ist die an sich seiende Vernunft des Willens, welche sich dann im Staate entwickelt. Bei dieser Bestimmung der Vernunft ist aber noch nicht die eigene Einsicht und das eigene Wollen, d. h. die subjektive Freiheit vorhanden, welche erst in dem Individuum sich selbst bestimmt und das Reflektieren des Individuums in seinem Gewissen ausmacht. Bei der bloß substantiellen Freiheit sind die Gebote und Gesetze ein an und für sich Festes, wogegen sich die Subjekte in vollkommener Dienstbarkeit verhalten. Diese Gesetze brauchen nun dem eigenen Willen gar nicht zu entsprechen, und es befinden sich die Subjekte somit den Kindern gleich, die ohne eigenen Willen und ohne eigene

Einsicht den Eltern gehorchen. Wie aber die subjektive Freiheit aufkommt und der Mensch aus der äußern Wirklichkeit in seinen Geist heruntersteigt, so tritt der Gegensatz der Reflexion ein, welcher in sich die Negation der Wirklichkeit enthält. Das Zurückziehen nämlich von der Gegenwart bildet schon in sich einen Gegensatz, dessen eine Seite Gott, das Göttliche, die andere aber das Subjekt als Besonderes ist. Es handelt sich in der Weltgeschichte um nichts als um das Verhältnis hervorzubringen, worin diese beiden Seiten in absoluter Einigkeit, wahrhafter Versöhnung sind, einer Versöhnung, in der das freie Subjekt nicht untergeht in der objektiven Weise des Geistes, sondern zu seinem selbständigen Rechte kommt, wo aber ebensosehr der absolute Geist, die objektive gediegene Einigkeit ihr absolutes Recht erlangt hat. Im unmittelbaren Bewußtsein des Orients ist beides ungetrennt. Das Substantielle unterscheidet sich auch gegen das Einzelne, aber der Gegensatz ist noch nicht in den Geist gelegt.

Die erste Gestalt des Geistes ist daher die orientalische. Dieser Welt liegt das unmittelbare Bewußtsein, die substantielle Geistigkeit zugrunde, das Wissen nicht mehr der besondern Willkür, sondern das Aufgehen der Sonne, das Wissen eines wesentlichen Willens, der für sich selbständig, unabhängig ist und zu dem sich die subjektive Willkür zunächst als Glaube, Zutrauen, Gehorsam verhält. Konkreter gefaßt, ist es das patriarchalische Verhältnis. In der Familie ist das Individuum ein Ganzes und ist zugleich ein Moment jenes Ganzen, lebt darin in einem gemeinsamen Zweck, der zugleich als gemeinsamer seine eigentümliche Existenz hat und darin auch Gegenstand für das Bewußtsein der Individuen ist. Dies Bewußtsein ist vorhanden in dem Chef der Familie, der der Wille ist, das Wirken für den gemeinsamen Zweck, der für die Individuen sorgt, ihr Tun auf diesen Zweck richtet, sie erzieht und in der Angemessenheit des allgemeinen Zweckes erhält. Sie wissen und wollen nicht über diesen Zweck und über seine Präsenz in dem Chef und dessen Willen hinaus. Dies ist notwendig die erste Weise des Bewußtseins eines Volkes.

Was also vorhanden ist, das ist zunächst der Staat, in dem das Subjekt noch nicht zu seinem Rechte gekommen ist und mehr eine unmittelbare, gesetzlose Sittlichkeit herrscht, das Kindesalter der Geschichte. Diese Gestalt spaltet sich in zwei Seiten. Das erste ist der Staat, wie er auf dem Familienverhältnis gegründet ist, ein Staat der väterlichen Fürsorge, die durch Ermahnung und Züchtigung das Ganze zusammenhält, ein prosaisches Reich, weil hier der Gegensatz, die Idealität, noch nicht aufgegangen ist. Zugleich ist es ein Reich der Dauer; es kann sich nicht aus sich verändern. Dies ist die Gestalt Hinterasiens, wesentlich die des chinesischen Reiches. – Auf der andern Seite steht dieser räumlichen Dauer die Form der Zeit gegenüber. Die Staaten, ohne sich in sich, oder im Prinzip, zu verändern, sind in unendlicher Veränderung gegeneinander, in unaufhaltsamem Konflikt, der ihnen schnellen Untergang bereitet. Indem der Staat nach außen gerichtet ist, tritt das Ahnen des individuellen Prinzips ein; Kampf und Streit ist ein Sichzusammennehmen, Insichfassen. Dies Ahnen aber erscheint noch selbst mehr als kraftloses, bewußtloses, natürliches – als Licht, das aber noch nicht das Licht der sich wissenden Persönlichkeit ist. Auch diese Geschichte ist selbst noch überwiegend geschichtslos, denn sie ist nur die Wiederholung desselben majestätischen Untergangs. Das Neue, das durch Tapferkeit, Kraft, Edelmut an die Stelle der vorherigen Pracht tritt, geht denselben Kreis des Verfalls und Untergangs durch. Dieser Untergang ist also kein wahrhafter, denn es wird durch alle diese rastlose Veränderung kein Fortschritt gemacht. Das Neue, das etwa an die Stelle eines Untergegangenen tritt, senkt sich auch in das Untergehende; es findet hier kein Fortschritt statt: diese Unruhe ist eine ungeschichtliche Geschichte. Die Geschichte geht hiemit, und zwar nur äußerlich, d. h. ohne Zusammenhang mit dem Vorhergehenden – nach Mittelasien überhaupt über. Wenn wir den Vergleich mit den Menschenaltern fortsetzen wollen, so wäre dies das Knabenalter, welches sich nicht mehr in der Ruhe und dem Zutrauen des Kindes, sondern sich raufend und herumschlagend verhält.

Näher steht der orientalische Geist in der Bestimmung der Anschauung, eines unmittelbaren Verhältnisses zu seinem Gegenstande, das aber sich damit so bestimmt, daß das Subjekt versunken ist in der Substantialität, sich aus der Gediegenheit, Einheit noch nicht in seine subjektive Freiheit herausgezogen, herausgerungen hat. So hat das Subjekt noch nicht den allgemeinen Gegenstand aus sich selbst erzeugt; so ist der Gegenstand noch nicht ein aus dem Subjekt wiedergeborener. Seine geistige Weise ist noch nicht vorgestellt; sondern er besteht nach dem Verhältnis der Unmittelbarkeit und hat die Weise der Unmittelbarkeit. Der Gegenstand ist deshalb ein Subjekt, ist auf unmittelbare Weise bestimmt und hat die Weise einer natürlichen Sonne, ist wie diese ein Gebilde der sinnlichen Phantasie, nicht der geistigen, eben darum auch ein natürlicher einzelner Mensch. Der Geist des Volkes, die Substanz ist so den Individuen gegenständlich, vorhanden in der Weise eines Menschen. Denn Menschlichkeit ist immer die höchste, würdigste Weise der Gestaltung. Vornehmlich ein Mensch ist das Subjekt, das von seinem Volke gewußt wird als die geistige Einheit, als diese Form der Subjektivität, in der das Ganze, Eine ist. Dies ist das

Prinzip der orientalischen Welt, daß die Individuen noch nicht ihre subjektive Freiheit in sich gewonnen haben, sondern sich als Akzidenzen an der Substanz halten, die aber nicht eine abstrakte Substanz ist, wie die Spinozas, sondern Präsenz hat für das natürliche Bewußtsein in der Weise eines Oberhauptes, daß sie alles nur ihm angehörig sehen.

Die substantielle Macht enthält zwei Seiten in sich: den Geist, der herrscht, und die Natur zu ihm im Gegensatze. Diese beiden Momente sind in der substantiellen Macht vereinigt. Es ist ein Herr da, der das Substantielle geltend macht, der als Gesetzgeber dem Besondern entgegentritt. Man muß aber hier das Herrschende nicht nur auf das einschränken, was man weltliches Regiment nennt; das geistliche Regiment ist noch nicht als geschieden hervorgetreten. Wir können in der orientalischen Welt die Herrschaft eine Theokratie nennen. Gott ist weltlicher Regent, und der weltliche Regent ist Gott; beides ist der Regent in einem: es herrscht dort ein Gottmensch. Wir haben dort dreierlei Gestalten dieses Prinzips zu unterscheiden.

Das chinesische und mongolische Reich ist das Reich der theokratischen Despotie. Hier liegt der patriarchalische Zustand zugrunde; ein Vater steht an der Spitze, der auch über das herrscht, was wir dem Gewissen unterstellen. Dieses patriarchalische Prinzip ist in China zu einem Staate organisiert; bei den Mongolen ist es nicht so systematisch ausgebildet. In China steht ein Despot an der Spitze, der zu vielen Abstufungen der Hierarchie hinunter eine systematisch aufgebaute Regierung leitet. Auch Religionsverhältnisse, Familiensachen werden hier durch Staatsgesetze bestimmt; das Individuum ist moralisch selbstlos.

In Indien macht der Unterschied das Feste aus, in den sich ein entwickeltes Volksleben notwendig teilt. Es sind hier die Kasten, die einem jeden seine Rechte und Pflichten anweisen. Man kann diese Herrschaft eine theokratische Aristokratie nennen. Über diesen festen Unterschied erhebt sich die Idealität der Phantasie, eine Idealität, die sich noch von dem Sinnlichen nicht getrennt hat. Der Geist erhebt sich wohl zur Einheit Gottes; aber er kann sich auf dieser Spitze nicht halten. Das Hinausgehen über die Partikularität ist ein wildes Herumschweifen und ein immerwährendes Zurücksinken.

In Persien ist die substantielle Einheit zur Reinheit herausgehoben. Ihre natürliche Erscheinung ist das Licht. Das Geistige ist das Gute. Wir können diese Gestalt theokratische Monarchie nennen. Das Gute ist es, was der Monarch zu betätigen hat. Die Perser haben eine Menge von Völkern unter sich gehabt, die aber alle in ihrer Eigentümlichkeit gelassen worden sind; ihr Reich kann also mit einem Kaiserreich verglichen werden. China und Indien in ihrem Prinzip blieben fest, die Perser ma-

8*

chen den eigentlichen Übergang von dem Morgenlande gegen den Westen. Den innern Übergang zu dem griechischen freien Leben macht dann Ägypten wie die Perser den äußern. In Ägypten kommt der Widerspruch der Prinzipien vor, dessen Auflösung die Aufgabe des Westens ist.

Die Pracht der orientalischen Anschauung liegt vor uns, die Anschauung dieses Einen, dieser Substanz, der alles zukommt, von der sich noch nichts abgeschieden hat. Die Grundanschauung ist die Gewalt, die fest in sich zusammenhängt, der aller Reichtum der Phantasie und der Natur eigen ist. Die subjektive Freiheit ist darin noch nicht zu ihrem Rechte gekommen, hat ihre Ehre noch nicht für sich, sondern nur in dem absoluten Gegenstande. Die Prachtgebäude der orientalischen Staaten bilden substantielle Gestaltungen, in welchen alle vernünftigen Bestimmungen vorhanden sind, aber so, daß die Subjekte nur Akzidenzen bleiben. Diese drehen sich um einen Mittelpunkt, um den Herrscher, der als Patriarch, nicht aber als Despot im Sinne des römischen Kaiserreiches, an der Spitze steht. Denn er hat das Sittliche und Substantielle geltend zu machen: er hat die wesentlichen Gebote, welche schon vorhanden sind, aufrechtzuerhalten; und was bei uns durchaus zur subjektiven Freiheit gehört, das geht hier von dem Ganzen und Allgemeinen aus. Diese Bestimmung der Substantialität aber zerfällt gleich, eben darum, weil sie den Gegensatz nicht in sich aufgenommen und überwunden hat, in zwei Momente. Der Gegensatz ist noch nicht in ihr entwickelt, so fällt er außer ihr. Auf der einen Seite sehen wir die Dauer, das Stabile, auf der andern die sich zerstörende Willkür. Was in der Idee liegt, ist wesentlich vorhanden und gegenwärtig; es kommt aber darauf an, wie es vorhanden ist, und ob ihre Momente in ihrem wahrhaften Verhältnis wirklich sind. Weil nun das Moment der Subjektivität ein wesentliches Moment des Geistes ist, so muß es auch vorhanden sein. Aber es ist noch nicht versöhnt, vereinigt, es besteht in unbesänftigter Weise. So ist mit dem Prachtgebäude der einen Macht, dem sich nichts entziehen, vor dem sich nichts Selbständiges gestalten kann, unbändige Willkür verbunden. Die unbesänftigte greuliche Willkür findet einesteils statt in dem Gebäude selbst, in der Weltlichkeit der Macht der Substantialität selbst; andererseits hat sie außerhalb derselben ihr ungedeihliches Umherschweifen. Der Idee nach ist sie nicht in dem Prachtgebäude, aber sie muß vorhanden sein, in der höchsten Inkonsequenz, und abgetrennt von dieser substantiellen Einheit. Daher finden sich auch neben den Gebäuden der orientalischen Substantialität die wilden Schwärme, die von dem Saume des Hochlandes herabsteigen in die Gebäude der Ruhe, sie verwüsten, zerstören, so daß sie einen ganz kahlen Boden machen, sich aber dann damit amalgamieren, ihre Wildheit verlieren, überhaupt aber, unbildsam in sich, für sich ohne Resultat zerstäuben.

In der orientalischen Welt sind für uns Staaten vorhanden; aber innerhalb der Staaten selbst fällt nicht ein solcher Zweck, wie der ist, den wir Staatszweck nennen. Wir finden daselbst im Staatsleben die substantielle, das ist die realisierte vernünftige Freiheit, die sich entwickelt, ohne aber in sich zur subjektiven Freiheit fortzugehen. Staat ist das substantiell für sich Gedachte in der Form eines allgemeinen substantiellen Zwecks für alle. Aber dort ist der Staat ein Abstraktum, nichts Allgemeines für sich selbst; nicht der Zweck, sondern das Oberhaupt ist der Staat. Man kann, wie gesagt, diese Gestalt mit der Kindheit überhaupt vergleichen.

Die zweite Gestalt könnte mit dem Jünglingsalter verglichen werden; sie umfaßt die griechische Welt. Charakteristisch an ihr ist, daß hier eine Menge von Staaten sich hervortun. Es ist das Reich der schönen Freiheit; die unmittelbare Sittlichkeit ist es, in der sich hier die Individualität entwickelt. Das Prinzip der Individualität geht hier auf, die subjektive Freiheit, aber eingebettet in die substantielle Einheit. Das Sittliche ist wie in Asien Prinzip, aber es ist die Sittlichkeit, welche der Individualität eingeprägt ist und somit das freie Wollen der Individuen bedeutet. Die beiden Extreme der orientalischen Welt sind hier vereint: subjektive Freiheit und Substantialität; das Reich der Freiheit ist vorhanden, nicht der ungebundenen, natürlichen, sondern der sittlichen Freiheit, die einen allgemeinen Zweck hat, nicht die Willkür, das Besondere, sondern den allgemeinen Zweck des Volkes selbst sich vorsetzt, ihn will, von ihm weiß. Aber es ist nur das Reich der schönen Freiheit, die mit dem substantiellen Zweck in natürlicher, unbefangener Einheit ist. Es ist die Vereinigung des Sittlichen und des subjektiven Willens so, daß die Idee mit einer plastischen Gestalt vereinigt ist: sie ist noch nicht abstrakt für sich auf der einen Seite, sondern unmittelbar mit dem Wirklichen verbunden, wie in einem schönen Kunstwerke das Sinnliche das Gepräge und den Ausdruck des Geistigen trägt. Es ist die unbefangene Sittlichkeit, noch nicht Moralität; sondern der individuelle Wille des Subjekts steht in der unmittelbaren Sitte und Gewohnheit des Rechten und der Gesetze. Das Individuum ist daher in unbefangener Einheit mit dem allgemeinen Zweck. Dieses Reich ist demnach wahre Harmonie, die Welt der anmutigsten, aber vergänglichen, schnell vorübereilenden Blüte, die heiterste, aber in sich unruhigste Gestalt, indem sie selbst durch die Reflexion ihre Gediegenheit verkehren muß; es ist, weil jene beiden Prinzipien nur in unmittelbarer Einheit sind, der höchste Widerspruch in sich selbst. Die beiden Prinzipien der orientalischen Welt sind hier vereint, die Substantialität und die subjektive Freiheit. Sie sind aber nur in unmittelbarer Einheit, d. h. zugleich der höchste Widerspruch in sich selbst. Im Orient ist der Widerspruch an die Extreme verteilt, die in Konflikt miteinander kommen. In Griechenland sind sie vereint; aber so wie sie in Griechenland sich zeigt, kann ihre Vereinigung nicht bestehen. Denn die schöne Sittlichkeit ist nicht die wahrhafte, ist nicht aus dem Kampfe der subjektiven Freiheit herausgeboren, die sich wiedergeboren hätte, sondern ist die erste subjektive Freiheit und hat also noch den Charakter natürlicher Sittlichkeit, statt daß sie heraufgeboren wäre zu der höhern, reinern Gestalt allgemeiner Sittlichkeit. Diese Sittlichkeit wird so die Unruhe sein, die sich durch sich zerstreut; und die Reflexion dieser Extreme in sich wird den Untergang dieses Reiches herbeiführen. So folgt die Herausbildung einer weitern, höhern Form, die die dritte Gestalt ausmacht. In der griechischen Welt ist die beginnende Innerlichkeit, die Reflexion überhaupt als ein Moment vorhanden; und das nächste ist, daß diese innere Reflexion, der Gedanke, die Wirksamkeit des Gedankens sich Luft macht, hervordringt und ein Reich eines allgemeinen Zweckes schafft.

Dies ist das Prinzip der dritten Gestalt: die Allgemeinheit, ein Zweck, der als solcher ist, aber in abstrakter Allgemeinheit; es ist die Gestalt des römischen Reichs. Ein Staat als solcher ist Zweck, der den Individuen voransteht, für den sie alles tun. Dies kann als das Mannesalter der Geschichte angesehen werden. Der Mann lebt weder in der Willkür des Herrn noch in der eigenen schönen Willkür; sein ist die saure Arbeit, daß er im Dienste lebt und nicht in froher Freiheit seines Zweckes. Der Zweck ist ihm zwar ein Allgemeines, aber zugleich ein Starres, dem er sich widmen muß. Ein Staat, Gesetze, Verfassungen sind Zwecke, und solchen dient das Individuum: es geht in ihnen unter und erreicht seinen eigenen Zweck nur als in dem allgemeinen. (Ein solches Reich scheint für die Ewigkeit zu sein, besonders wenn es auch noch das Prinzip der subjektiven Befriedigung so wie in der Religion in sich trägt, wenn es heiliges römisches Reich wird. Dies ist aber vor zwei Jahrzehnten untergegangen.)

Der Staat fängt an, sich abstrakt herauszuheben und zu einem Zwecke zu bilden, an dem die Individuen auch Anteil haben, aber nicht einen durchgehenden und konkreten. Die freien Individuen werden nämlich der Härte des Zwecks aufgeopfert, dem sie in diesem Dienste für das selbst abstrakt Allgemeine sich hingeben müssen. Das römische Reich ist nicht mehr das Reich der Individuen, wie es die Stadt Athen war. Hier ist keine Froheit und Freudigkeit mehr, sondern harte und saure Arbeit. Das Interesse löst sich ab von den Individuen; diese aber gewinnen an ihnen selbst die abstrakte formelle Allgemeinheit. Das Allgemeine unterjocht die Individuen, sie haben sich in demselben aufzugeben; aber dafür erhalten sie die Allgemeinheit ihrer selbst, d. h. die Persönlichkeit: sie werden rechtliche Personen als Private. In eben dem Sinne, wie die Individuen dem abstrakten Begriffe der Person einverleibt werden, haben auch die Völkerindividuen dies Schicksal zu erfahren; unter dieser Allgemeinheit werden ihre konkreten Gestalten zerdrückt und derselben als Masse einverleibt. Rom wird ein Pantheon aller Götter und alles Geistigen, aber ohne daß diese Götter und dieser Geist ihre eigentümliche Lebendigkeit behalten.

Der Übergang zum folgenden Prinzip ist als Kampf der abstrakten Allgemeinheit mit der Individualität anzusehen. Als abstrakte muß diese Gesetzmäßigkeit in der vollkommenen Subjektivität untergehen. Das Subjekt, das Prinzip der unendlichen Form, hat sich nicht selbst substantialisiert und muß so als willkürliche Herrschaft erscheinen: so ist die weltliche Versöhnung des Gegensatzes gesetzt. Die geistige Versöhnung aber ist dies, daß die individuelle Persönlichkeit zu der an und für sich seienden Allgemeinheit gereinigt und verklärt wird als an und für sich persönliche Subjektivität. Dies ist die göttliche Persönlichkeit; sie muß in der Welt erscheinen, aber als an und für sich Allgemeines.

Diese Entwicklung nach ihren zwei Seiten näher betrachtet, so hat das Reich des allgemeinen Zwecks als auf der Reflexion, der abstrakten Allgemeinheit ruhend den ausdrücklichen, ausgesprochenen Gegensatz in sich selbst: es stellt also wesentlich den Kampf desselben innerhalb seiner dar, mit dem notwendigen Ausgange, daß über die abstrakte Allgemeinheit die willkürliche Individualität, die vollkommen zufällige und durchaus weltliche Gewalt eines Herrn, die Oberhand erhält. Ursprünglich ist der Gegensatz zwischen dem Zwecke des Staates als der abstrakten Allgemeinheit und zwischen der abstrakten Person vorhanden. Das Prinzip der abstrakten Allgemeinheit ist ausgebildet, zu seiner Realisation gelangt, daß sich das Individuum ihm einbilde; und daraus geht das Subjekt als persönliches hervor. Es tritt hervor die Vereinzelung der Subjekte überhaupt. Die Allgemeinheit, und zwar die abstrakte Allgemeinheit, die ihnen eigen gemacht wird, macht sie zu rechtlichen Personen, zu solchen, die in ihrer Besonderheit selbständige und wesentliche sind. Auf der andern Seite entsteht damit die Welt des formellen, abstrakten Rechts, des Rechts des Eigentums. Indem aber dies Zerfallen in die Vielheit der Personen zugleich im Staate ist, so steht dieser Staat nicht mehr als das Abstraktum des Staates den Individuen gegenüber, sondern als eine Gewalt des Herrn über die Individualität. In dem Abstraktum, für das nicht mehr der allgemeine Zweck, sondern das persönliche Recht das Höchste ist, bei diesem Zerfallen kann die Macht, dieser Zusammenhalt, selbst nur willkürliche Gewalt sein, nicht vernünftige Staatsmacht. Indem also im Verlaufe der Geschichte die Persönlichkeit das Überwiegende wird und das in Atome zerfallende Ganze nur äußerlich zusammengehalten werden kann, tritt die subjektive Gewalt der Herrschaft als zu dieser Aufgabe berufen hervor. Denn die abstrakte Gesetzmäßigkeit ist dies, nicht konkret in sich selbst zu sein, sich nicht in sich organisiert zu haben, und hat, indem sie zur Macht geworden, nur eine willkürliche Gewalt in der Weise der zufälligen Subjektivität zum Bewegenden und zum Herrschenden; der einzelne sucht dann im entwickelten Privatrecht den Trost für die verlorene Freiheit. Es tritt also eine willkürliche Macht auf; durch sie ist der Gegensatz ausgeglichen, es ist Ruhe und Ordnung vorhanden. Diese Ruhe ist aber zugleich die absolute Zerrissenheit des Innern; es ist nur eine äußerliche, die rein weltliche Versöhnung des Gegensatzes und damit zugleich die Empörung des Innern, dem der Schmerz über den Despotismus fühlbar wird. Es muß also zweitens zur Ausgleichung des Gegensatzes die höhere, wahrhafte, die geistige Versöhnung eintreten; es muß dies hervorgehen, daß die individuelle Persönlichkeit angeschaut, gewußt und gewollt werde als an ihr selbst zur Allgemeinheit gereinigt und verklärt. Der Geist, in seine innersten Tiefen zurückgetrieben, verläßt die götterlose Welt, sucht in sich selber die Versöhnung und beginnt nun das Leben seiner Innerlichkeit, einer erfüllten konkreten Innerlichkeit, die zugleich eine Substantialität besitzt, welche nicht allein im äußerlichen Dasein wurzelt. Jenem nur weltlichen Reich wird so vielmehr das geistige gegenübergestellt, das Reich der sich wissenden, und zwar in ihrem Wesen sich wissenden Subjektivität, des wirklichen Geistes. So kommt das Prinzip des Geistes zur Erscheinung, daß die Subjektivität die Allgemeinheit ist.

Das Reich der sich wissenden Subjektivität ist Aufgang des wirklichen Geistes; damit tritt das vierte Reich ein, nach der natürlichen Seite das Greisenalter des Geistes. Das natürliche Greisenalter ist Schwäche; das Greisenalter des Geistes aber ist seine vollkommene Reife, in der er zur Einheit zurückgeht, aber als Geist. Der Geist als unendliche Kraft erhält die Momente der früheren Entwicklung in sich und erreicht dadurch seine Totalität.

Es ist also die Geistigkeit und die geistige Versöhnung, die aufgegangen ist; und diese geistige Versöhnung ist das Prinzip der vierten Gestalt. Der Geist ist zu dem Bewußtsein gekommen, daß der Geist das Wahrhafte ist. Der Geist ist hier für den

Gedanken. Diese vierte Gestalt ist notwendig selbst gedoppelt: der Geist als Bewußtsein einer innerlichen Welt, der Geist, der gewußt wird als das Wesen, als das Bewußtsein des Höchsten durch den Gedanken, das Wollen des Geistes ist einerseits selbst wieder abstrakt und beharrend in der Abstraktion des Geistigen. Insofern das Bewußtsein so beharrt, so ist die Weltlichkeit wieder sich selbst, der Roheit, Wildheit überlassen, neben der die vollkommene Gleichgültigkeit gegen die Weltlichkeit einhergeht; sie ist damit verbunden, daß das Weltliche nicht ins Geistige einschlägt, daß es nicht zu einer vernünftigen Organisation im Bewußtsein kommt. Dies macht die mohammedanische Welt aus, die höchste Verklärung des orientalischen Prinzips, die höchste Anschauung des Einen. Sie ist zwar spätern Ursprungs als das Christentum; aber daß dieses eine Weltgestalt wurde, ist die Arbeit langer Jahrhunderte gewesen und erst durch Karl den Großen vollbracht worden. Daß dagegen der Mohammedanismus Weltreich wurde, ist wegen der Abstraktion des Prinzips schnell gegangen; es ist ein früheres Weltregiment als das christliche.

Die zweite Gestalt dieser geistigen Welt ist dann eben darin vorhanden, daß sich das Prinzip des Geistes konkret zu einer Welt gebildet hat. Es ist das Bewußtsein, Wollen der Subjektivität als einer göttlichen Persönlichkeit, das in der Welt zunächst in einem einzelnen Subjekt erscheint. Aber es ist zu einem Reiche des wirklichen Geistes ausgebildet worden. Diese Gestalt kann als die germanische Welt bezeichnet, die Nationen, denen der Weltgeist dies sein wahrhaftes Prinzip aufgetragen hat, können germanische genannt werden. Das Reich des wirklichen Geistes hat das Prinzip der absoluten Versöhnung der für sich seienden Subjektivität mit der an und für sich seienden Gottheit, mit dem Wahren, Substantiellen, daß das Subjekt frei für sich ist und nur insofern frei, als es selbst dem Allgemeinen angemessen ist, im Wesen steht: das Reich der konkreten Freiheit.

Von jetzt an wird weltliches und geistliches Reich sich gegenüberstehen. Das Prinzip des Geistes, der für sich ist, ist in seiner Eigentümlichkeit Freiheit, einerseits Subjektivität. Das eigene Gemüt will bei dem sein, wofür es Respekt haben soll. Dies eigene Gemüt aber soll kein zufälliges sein, sondern das Gemüt nach seinem Wesen, nach seiner geistigen Wahrheit. Dies offenbart uns Christus in seiner Religion; seine eigene Wahrheit, die die des Gemütes ist, ist sich in der Verbindung mit der Gottheit zu setzen. Hier ist die Versöhnung an und für sich vollbracht. Weil sie aber erst in sich vollbracht ist, so beginnt wegen ihrer Unmittelbarkeit diese Stufe mit einem Gegensatz.

Zwar beginnt sie geschichtlich mit der im Christentume geschehenen Versöhnung; aber weil diese selbst erst beginnt, für das Bewußtsein nur an sich vollbracht ist, zeigt sich zuerst der ungeheuerste Gegensatz, der dann aber als Unrecht und als aufzuheben erscheint. Es ist der Gegensatz des geistigen, religiösen Prinzips, dem das weltliche Reich gegenübersteht. Das weltliche Reich ist aber nicht mehr das vorherige, sondern das christliche, das daher der Wahrheit angemessen sein müßte. Das geistige Reich aber muß auch dahin kommen, anzuerkennen, daß das Geistige im Weltlichen realisiert sei. Insofern beide unmittelbar sind, hat aber das weltliche Reich die willkürliche Subjektivität noch nicht abgestreift, ebenso andererseits das geistliche noch nicht das weltliche anerkannt; so stehen beide im Kampf. Der Fortgang ist deswegen nicht ruhige, widerstandslose Entwickelung; der Geist geht nicht ruhig zu seiner Verwirklichung fort. Sondern die Geschichte ist diese, daß beide Seiten ihre Einseitigkeit, diese unwahrhafte Form, abtun. Auf der einen Seite ist die hohle Wirklichkeit, die dem Geist angemessen sein soll, aber noch nicht angemessen ist; deshalb muß sie untergehen. Auf der andern Seite ist das geistige Reich zunächst ein geistliches, das sich in die äußere Weltlichkeit versenkt; und wie die weltliche Macht äußerlich unterdrückt wird, so verdirbt die geistliche. Dies macht den Standpunkt der Barbarei aus.

Die Versöhnung ist, wie schon bemerkt worden, zunächst an sich vollbracht, aber damit muß sie auch für sich vollbracht werden. Deswegen muß das Prinzip mit dem ungeheuersten Gegensatz anfangen; weil die Versöhnung absolut ist, muß es der abstrakteste Gegensatz sein. Dieser Gegensatz hat zu einer Seite, wie wir gesehen haben, das geistige Prinzip zunächst als geistliches, auf der andern Seite die rohe, wilde Weltlichkeit. Die erste Geschichte ist die Feindschaft beider, die zugleich zusammengebunden sind, so daß das geistliche Prinzip von der Weltlichkeit anerkannt und diese dennoch ihm nicht angemessen ist, während sie doch eingestandenermaßen ihm angemessen sein soll. Die zunächst geistverlassene Weltlichkeit wird von der geistlichen Macht unterdrückt; und die erste Form der Obrigkeit des geistigen Reiches ist so, daß es selbst in die Weltlichkeit übergeht, damit seine geistige Bestimmung, aber nun auch seine Macht verliert. Aus dem Verderben beider Seiten geht dann das Verschwinden der Barbarei hervor, und der Geist findet die höhere Form, die allgemein seiner würdig ist, die Vernünftigkeit, die Form des vernünftigen, des freien Gedankens. Der in sich zurückgedrängte Geist faßt sein Prinzip und produziert es in sich in seiner freien Form, in der Form des Gedankens, in denkender Gestalt, und so ist er dann fähig, mit der äußerlichen Wirklichkeit überhaupt zusammenzugehen, in dieser sich zu insinuieren und aus der Weltlichkeit heraus das Prinzip des Vernünftigen zu realisieren.

Das geistige Prinzip kann nur, indem es seine objektive Form, die denkende, gewonnen hat, über die äußerliche Wirklichkeit wahrhaft übergreifen; nur so kann der Zweck des Geistigen an dem Weltlichen realisiert werden. Es ist die Form des Gedankens, was die gründliche Versöhnung zustande bringt: die Tiefe des Gedankens ist die Versöhnerin. Diese Tiefe des Gedankens wird dann in der Weltlichkeit zum Vorschein kommen, weil diese die einzelne Subjektivität der Erscheinung zu ihrem Felde hat, in dieser Subjektivität aber das Wissen hervorgeht, und die Erscheinung in die Existenz fällt. So ist also das Prinzip der Versöhnung von Kirche und Staat aufgetreten, in dem die Geistlichkeit in der Weltlichkeit ihren Begriff und ihre Vernünftigkeit hat und findet. So verschwindet der Gegensatz von Kirche und sogenanntem Staat; dieser steht der Kirche nicht mehr nach und ist ihr nicht mehr untergeordnet, und die Kirche behält kein Vorrecht; das Geistige ist dem Staate nicht mehr fremd. Die Freiheit hat die Handhabe gefunden, ihren Begriff wie ihre Wahrheit zu realisieren. So ist es geschehen, daß durch die Wirksamkeit des Gedankens, allgemeiner Gedankenbestimmungen, die dieses konkrete Prinzip, die Natur des Geistes, zu ihrer Substanz haben, das Reich der Wirklichkeit, dieser konkrete Gedanke, der substantiellen Wahrheit gemäß herausgebildet worden ist. Die Freiheit findet in der Wirklichkeit ihren Begriff und hat die Weltlichkeit zu einem objektiven System eines in sich organisch gewordenen Dieses ausgebildet. Der Gang dieser Überwindung macht das Interesse der Geschichte aus, und der Punkt des Fürsichseins der Versöhnung ist dann im Wissen: hier ist die Wirklichkeit umgebildet und rekonstruiert. Dies ist das Ziel der Weltgeschichte, daß der Geist sich zu einer Natur, einer Welt ausbilde, die ihm angemessen ist, so daß das Subjekt seinen Begriff von Geist in dieser zweiten Natur, in dieser durch den Begriff des Geistes erzeugten Wirklichkeit, findet und in dieser Objektivität das Bewußtsein seiner subjektiven Freiheit und Vernünftigkeit hat. Das ist der Fortschritt der Idee überhaupt; und dieser Standpunkt muß für uns in der Geschichte das Letzte sein. Das Nähere, daß es überhaupt vollführt ist, das ist die Geschichte; daß noch Arbeit vorhanden ist, gehört der empirischen Seite an. Wir haben in der Betrachtung der Weltgeschichte den langen Weg zu machen, der eben übersichtlich angegeben ist und auf dem sie ihr Ziel realisiert. Doch Länge der Zeit ist etwas durchaus Relatives, und der Geist gehört der Ewigkeit an. Eine eigentliche Länge gibt es für ihn nicht. Dies ist die fernere Arbeit, daß dieses Prinzip sich entwickle, sich ausbilde, daß der Geist zu seiner Wirklichkeit komme, zum Bewußtsein seiner in der Wirklichkeit.

DAS VERDERBEN DER GRIECHISCHEN SITTLICHKEIT

Die zweite Form des Verderbens ist die tiefere; das Prinzip des freien Gedankens, der Innerlichkeit des Menschen hat den Bruch hervorgebracht. Die Entwicklung des Geistes zu dem Gedanken, zu der Idealität eines innerlichen Allgemeinen hat sich in Griechenland vollzogen. Bemerkt sei, daß der griechische Geist, weil hier der Geist für sich selbst Gegenstand ist, dies enthält, daß sich der Geist für sich herausbildet, für sich frei wird; parallel zu dem übrigen Fortschreiten bleibt auch die Erstarkung des Gedankens.

Die Ausbildung der Kunst steht in dem Prinzip, daß die Individualität sich innerlich wird, daß es sich nicht mehr um ein Interesse der Wirklichkeit handelt, daß die Individuen nicht mehr ihr Interesse im Staate haben, sondern sich in sich zu verlieren anfangen, daß sich die Wirklichkeit in Idealität verwandelt. Die Kunst bringt selbst den Untergang der schönen Religion herbei, indem sie alles Sinnliche offenbar macht. Wenn in dem Stoffe nicht mehr übrig ist, was über die Idee hinausgeht, wenn die Kunst sich ganz herausgeboren hat, dann ist alles Sinnliche offenbar geworden, und aus dem Gegenstande als solchem ist alles Interesse entflohen. Nur den Inhalt kann der Geist noch gelten lassen, der geheim bleibt, und das ist der höhere Inhalt der spekulativen Religion. Das sinnliche Moment, das in der schönen Religion vorhanden ist, hat für den in sich gegangenen Geist seine Bedeutung verloren. Auch diese Entwicklung, daß die Kunst selber die Spitze erreicht, wodurch ihr Inhalt das Interesse verliert, gehört dem athenischen Volke an. Plato hat nicht die Kunst aus seinem Staate verbannt, sondern sie nur nicht mehr als Gott stehenlassen wollen.

Die orientalische Welt hat auch Verderben in sich; in dem orientalischen Prinzip liegt aber die Bestimmung, das Prinzip, das ihm selbst entgegengesetzt ist, nicht in ihm selbst zu haben. Es entläßt den Geist nicht zu der Freiheit aus sich, daß er sich gegen es selbst kehre. In den orientalischen Staaten, in denen diese Gegensatzlosigkeit vorhanden ist, kann es nicht zu einer moralischen Freiheit kommen, da ihr höchstes Prinzip die Abstraktion ist. Die orientalische Welt enthält also zwar Verderben, nicht aber ein Prinzip des Verderbens in sich, das in sich selbst gerechtfertigt wäre. Dagegen das Prinzip der griechischen Schönheit enthält in sich das andere Prinzip der individuellen Subjektivität, das für dieses Prinzip der Sittlichkeit störend ist, die wesentlich als Sitte und Gewohnheit ist und die Substanz des griechischen Geistes ausmacht. Diese griechische Sittlichkeit, so höchst schön, liebenswürdig und interessant sie ist in ihrer Erscheinung, ist dennoch nicht der höchste Standpunkt des geistigen Selbstbewußtseins; es fehlt ihr die unendliche Form, eben jene Reflexion des Denkens in sich, die Befreiung von dem natürlichen Momente, dem Sinnlichen, das in dem Charakter der Schönheit und der Göttlichkeit liegt, sowie von der Unmittelbarkeit, in welcher die Sittlichkeit ist; es fehlt das Sichselbst-Erfassen des Gedankens, die Unendlichkeit des Selbstbewußtseins, daß, was mir als Recht und Sittlichkeit gelten soll, sich in mir, aus dem Zeugnisse meines Geistes bestätige, daß das Schöne – die Idee nur in sinnlicher Anschauung oder Vorstellung – auch zum Wahren werde, zu einer innerlichen, übersinnlichen Welt. Auf dem Standpunkte der schönen geistigen Einheit konnte der Geist nur kurze Zeit stehenbleiben, und die Quelle des weiteren Fortschrittes und des Verderbens war das Element der Subjektivität, der Moralität, der eigenen Reflexion und der Innerlichkeit.

Man findet in neuerer Zeit große, tiefe Männer, wie z. B. Rousseau, die das Bessere rückwärts suchen. Das ist aber ein Irrtum. Wir werden uns zwar ewig von Griechenland angezogen fühlen; aber die höchste Befriedigung finden wir da nicht, denn es fehlt dieser Schönheit die Wahrheit. Das höhere Prinzip erscheint für das frühere, niedere, immer als Verderben, als solches, wodurch die Gesetze der bestehenden Welt verneint, nicht anerkannt werden. Diese Verneinung ist es, die dem Staate und den Individuen ihre Tugend raubt.

Die konkrete Lebendigkeit bei den Griechen ist Sittlichkeit, Leben für die Religion, den Staat, ohne weiteres Nachdenken, ohne allgemeine Bestimmungen, die sich sogleich von der konkreten Gestaltung entfernen und sich ihr gegenüberstellen müssen. Das Gesetz ist vorhanden, und der Geist ist in ihm. Sobald aber der Gedanke aufsteht, untersucht er die Verfassungen: er bringt heraus, was das Bessere sei, und verlangt, daß das, was er dafür anerkennt, an die Stelle des Vorhandenen trete. Das Prinzip des Gedankens ist störend für die Bestimmung, auf der das Bestehen der ganzen griechischen Welt ruht. Dies höhere Prinzip ist von der Art, daß es zu versöhnen ist, seine Versöhnung aber nur auf einem höheren Standpunkte finden kann, als die Form des griechischen Geistes ist; dabei ist es von der Beschaffenheit, daß es aus dem griechischen Geiste hervorgehen muß. Denn der Geist ist der Gegenstand der Griechen, und dieser Standpunkt enthält in seiner Entwickelung, daß der Gedanke, die Subjektivität sich entwickelt. Das Prinzip des freien Gedankens also, der Innerlichkeit hat den Bruch hervorgebracht. Früher galten die Gesetze und Sitten unbedingt, die menschliche Individualität stand in Einheit mit dem Allgemeinen. Die Götter ehren, für das Vaterland sterben, war ein allgemeines Gesetz, und jeder erfüllte den allgemeinen Inhalt ohne Untersuchung. Da aber ging der Mensch in sich, fing an zu forschen, ob er sich dem Inhalt fügen wolle und müsse. Dieser erwachte Gedanke brachte den Göttern Griechenlands und der schönen Sittlichkeit den Tod. Das Denken erscheint also hier als das Prinzip des Verderbens, und zwar des Verderbens der schönen Sittlichkeit; denn indem es sich affirmativ weiß, stellt es Vernunftprinzipien auf, die in einem wesentlichen Verhältnis zur vorhandenen Wirklichkeit und im Gegensatze gegen die beschränkende Sitte stehen.

Wir bewundern die Werke der Griechen, und sie sind unsere Muster; dessenungeachtet ist in ihrem Prinzip eine Beschränktheit, die nicht in dieser oder jener Mangelhaftigkeit der Gesetze oder der Leidenschaften einzelner Individuen lag. Die Religion der Griechen war die der Schönheit, also mit sinnlichen Momenten behaftet; ihr Gott ist schöne Individualität. Ebenso ist ihre Verfassung, sind ihre Gesetze, Sitten und Gewohnheiten schöne Sittlichkeit gewesen; aber die Art und Weise, wie sie gegolten haben, war unmittelbar. Es hat den Griechen noch die Erkenntnis ihres Prinzips gefehlt, das Bewußtsein der Subjektivität, des sich in sich erfassenden Gedankens. Die schöne Religion aber, ebenso wie die Gesetze und Verfassungen sind die Frucht der Idealität des Gedankens; so muß nun in Griechenland jenes Bewußtsein erwachen. Die frei für sich werdende Innerlichkeit entsteht aber auf doppelte Weise, einmal als die allgemeine Idee des Wahren, dann als die besondere Idee der Subjektivität, worin die Leidenschaften und die Willkür der Individuen zusammengefaßt sind. Diese Innerlichkeit aber bedeutet das Verderben der griechischen Welt: der griechischen schönen Religion droht der Gedanke, das innerlich Allgemeine; den Staatsverfassungen und Gesetzen drohen die Leidenschaften der Individuen und die Willkür, und dem ganzen unmittelbaren Bestehen die in allem sich erfassende und sich zeigende Subjektivität. So vollzieht sich wie die Auflösung der Religion auch die der Demokratie; diese gerät durch sich selbst in den Widerspruch, daß die Individualität auf die höchste Spitze getrieben werden muß, um wirklich zu sein, und daß zugleich das Volk als Allgemeines selbst herrschen soll. Nur in Perikles sehen wir dies erreicht, daß eine höchste Spitze da war und zugleich in ihr das Volk herrschte; nachher ist der Staat den besonderen Individuen aufgeopfert worden wie diese dem Staate.

Die schönste Blüte des griechischen Lebens dauerte ungefähr nur sechzig Jahre, von den medischen Kriegen an bis zum Peloponnesischen, 492–431 v. Chr. Das Prinzip der Moralität, das eintreten mußte, wurde der Anfang des Verderbens. In dem Prinzip der griechischen Freiheit liegt, daß dort auch der Gedanke freiwerden mußte; mit der Ausbildung der Kunst beginnt zugleich auch die Ausbildung des Gedankens. Vor Anfang des Peloponnesischen Krieges tat sich die geistige Bildung so weit ausgebildet hervor, um ihren absoluten Standpunkt gefunden zu haben. Zuvörderst hatten die sieben Weisen angefangen, allgemeine Sätze auszusprechen; doch wurde zu jener Zeit die Weisheit noch mehr in die konkrete Einsicht gesetzt. Die ältesten ionischen Philosophen ließen das Natürliche als Prinzip gelten; bei den Sophisten fing das Räsonieren und das Reflektieren über das Vorhandene an. Der Gedanke, der selbständig die Bestimmung in sich hat, erweist sich ebenso unverträglich mit der politischen Gestaltung Griechenlands wie mit der schönen Religion zu sein; sie hat sich ihren Feind in sich selbst erzogen. Indem sich der Gedanke an alles wagt, macht er alle Gegenstände ideell, durchdringt sie und löst sie auf. Er beweist sich als den Herrn dieser Gegenstände; aber sich selbst hat er in dieser Wandelbarkeit noch nicht gefaßt, seinen Mittelpunkt hat er noch nicht gefunden.

Die Sophisten waren die gebildeten Männer des damaligen Griechenlands und die Verbreiter der Bildung. Eben diese Betriebsamkeit und Tätigkeit, die wir bei den Griechen im praktischen Leben und in der Kunstausübung sahen, zeigte sich bei ihnen in dem Hin- und Hergehen und -wenden in den Vorstellungen, so daß, wie die sinnlichen Dinge von der menschlichen Tätigkeit verändert, verarbeitet, verkehrt werden, ebenso der Inhalt des Geistes, das Gemeinte, das Gewußte hin und her bewegt, Objekt der Beschäftigung und diese Beschäftigung ein Interesse für sich wird. Die Bewegung des Gedankens und das innerliche Ergehen darin, dies interesselose Spiel wird nun selbst zum Interesse. Die Wissenschaft des Gedankens zeigt sich zunächst als formelles Denken, als die Geschicklichkeit, die Vorstellungen hin und her zu bewegen. Die Sophisten, nicht Gelehrte oder wissenschaftliche Männer, sondern gebildete Meister der Gedankenwendung, beweisen das Gemeinte und setzen die Griechen dadurch in Erstaunen, daß sie alles, wie man sagt, beweisen können. Auf alle Fragen hatten sie eine Antwort, für alle Interessen politischen und religiösen Inhalts hatten sie allgemeine Gesichtspunkte, und die weitere Ausbildung bestand darin, alles beweisen zu können, in allem eine zu rechtfertigende Seite aufzufinden.

In der Demokratie ist es das besondere Bedürfnis, vor dem Volke zu sprechen, ihm etwas vorstellig zu machen, und dazu gehört, daß ihm der Gesichtspunkt, den es als wesentlich ansehen soll, gehörig vor die Augen geführt werde. Hier ist die Bildung des Geistes notwendig, und diese Gymnastik haben die Griechen sich bei ihren Sophisten erworben. In ihnen aber war der Gedanke nur ein räsonierender, der in sich noch keinen Ruhepunkt gefunden hatte, noch an nichts Festes sich hielt. So ist ihr Wesen dialektische Kunst geblieben, und ihr muß etwas gegenüberstehen, das ihr als fester Zweck erscheint. Diesen Zweck hat sie in dem Menschen gesehen. Ein Hauptsatz der Sophisten hieß: »Der Mensch ist das Maß aller Dinge«; hierin wie in all ihren Aussprüchen liegt aber die Zweideutigkeit, daß der Mensch der Geist in seiner Tiefe und Wahrhaftigkeit oder auch in seinem Belieben und besonderen Interessen sein kann. Das Prinzip der Sophisten war durchgehends, daß der subjektive Mensch das Maß aller Dinge sei. Der Mensch als besondere Individualität ist ihnen das Ziel, und die Nützlichkeit für sein natürliches Dasein der höchste Gesichtspunkt geworden. Sie erklärten hiermit das Belieben für das Prinzip dessen, was recht ist, und das dem Subjekt Nützliche für den letzten Bestimmungsgrund. Und dieses Dafürhalten des Individuums ist dem griechischen Geiste ganz zuwider. Es wurde aber nun diese Gedankenbildung für das Individuum das Mittel, seine Absichten und Interessen bei dem Volke durchzusetzen; der geübte Sophist wußte den Gegenstand nach dieser oder jener Seite hin zu wenden, und so war den Leidenschaften Tür und Tor geöffnet. Diese Sophistik kehrt zu allen Zeiten, nur in verschiedenen Gestalten, wieder; so auch in unseren Zeiten macht sie das subjektive Dafürhalten von dem, was recht ist, das Gefühl, zum Bestimmungsgrund.

In Sokrates dagegen erscheint das Allgemeine, das Denken, als letzter Zweck, daß sich der Mensch als allgemeiner, als denkender zu finden und daß er zu erkennen habe, nicht was der Besonderheit nützlich, sondern was recht und gut sei. Die Griechen wußten wohl, was sittlich war in jeder Beziehung; aber daß der Mensch dies in sich suchen und aus sich finden müsse, das ist der Standpunkt des Sokrates. Er hat so die freie Unabhängigkeit des Gedankens in sich ausgesprochen. Anaxagoras war der erste, der Gott als das Absolute aussprach; er hat gelehrt, daß der Gedanke selbst das absolute Wesen der Welt sei. Sokrates hat dann erklärt, daß das Innere, durch den Gedanken Bestimmte das Gute und schlechthin allgemein sei. Damit ist die Freiheit des Gedankens, der sich selbst erfaßt, aufgegangen. Sokrates hat die Innerlichkeit des Menschen zu seinem Bewußtsein gebracht, so daß in dem Gewissen das Maß des Rechten und Sittlichen aufgestellt wurde. Darin lag der Gegensatz des bisherigen Sittlichen zu dem der folgenden Zeit; die früheren Griechen hatten kein Gewissen. Sokrates ist als moralischer Lehrer berühmt; in Wahrheit aber ist er der Erfinder der Moral. Er hat den Gedanken als das Höchste, als das Bestimmende ausgesprochen. Sittlichkeit haben die Griechen gehabt; aber welche moralischen Tugenden, Pflichten usw. der Mensch habe, das wollte sie Sokrates lehren. Der moralische Mensch ist nicht der, welcher bloß das Rechte will und tut, nicht der unschuldige Mensch, sondern der, welcher das Bewußtsein seines Tuns hat.

Damit ist nun ein Bruch vollzogen worden mit der Wirklichkeit, und zwar so, daß die Versöhnung der Innerlichkeit, Subjektivität mit dem Konkreten überhaupt noch nicht hat stattfinden können; sie ist erst später geschehen. Wohl aber ist jetzt das Prinzip ausgesprochen, durch das eine innerliche Welt ihren Boden gefunden hat und sich von dem scheidet, was bis dahin objektive Welt gewesen ist. So ist es geschehen, daß von jetzt an sich Individuen in einer ideellen Welt befriedigen konnten, ohne sich an den Staat zu fesseln. Die größten Menschen gaben sich dieser ideellen Welt hin und wurden unpraktisch. Es ist die *ϱαϑυμια* eingetreten, und aus dem Prinzip, daß der Gedanke es sei, der bestimmt, was recht und gut sei, sind die Fragen hervorgegangen, ob Götter seien oder nicht und was sie seien, was Gerechtigkeit, was recht und sittlich sei usw. Die Gesetze, Sitten galten nicht mehr, weil sie Gesetze, Sitten waren, für recht und gültig. Ein neues Tribunal für das, was recht sei, ist hiermit aufgestellt; man zog die Gegenstände vor ein inneres Tribunal. Jetzt hat Plato, der Schüler von Sokrates, den Homer und Hesiod, die Urheber der religiösen Vorstellungsart der Griechen, aus seinem Staate verbannt wissen wollen; denn er verlangte eine höhere, dem Gedanken zusagende Vorstellung von dem, was als Gott verehrt werden soll. Wenn Sokrates selbst zwar noch seine Pflichten als Bürger erfüllte, so war ihm doch nicht dieser bestehende Staat und dessen Religion, sondern die Gedankenwelt die wahre Heimat. Indem er es der Einsicht, der Überzeugung anheimgestellt hat, den Menschen zum Handeln zu bringen, hat er das Subjekt als entscheidend gegen Vaterland und Sitte gesetzt und sich selbst somit zum Orakel im griechischen Sinne gemacht. Er sagte, daß er ein *δαιμονιον* in sich habe, das ihm rate, was er tun solle, und ihm offenbare, was seinen Freunden nützlich sei. Wenn Sokrates seine Freunde zum Nachdenken bringen will, so ist die Unterhaltung immer negativ, das heißt, er bringt sie zum Bewußtsein, daß sie nicht wissen, was das Rechte sei. Das Prinzip des Sokrates erweist sich als revolutionär gegen den athenischen Staat; denn das Eigentümliche dieses Staates ist, daß die Sitte die Form ist, worin er besteht, nämlich die Untrennbarkeit des Gedankens von dem wirklichen Leben. Das Schicksal des Sokrates spiegelt uns den ganzen Kampf des Gedankens mit sich wider. Nach Aristoteles gründete er die Tugend auf das Wissen, übersah aber die Gewohnheit. Die Berechtigung des Gedankens hatte er für sich; dieser Dämon befahl ihm, so zu handeln. Es war das eine andere Gottheit als die bisherigen.

An Sokrates sehen wir die Tragödie des griechischen Geistes aufgeführt. Er ist der edelste der Menschen, moralisch untadelig; aber er hat das Prinzip einer übersinnlichen Welt zum Bewußtsein gebracht, ein Prinzip der Freiheit des reinen Gedankens, das absolut berechtigt, schlechthin an und für sich ist, und dies Prinzip der Innerlichkeit mit seiner Wahlfreiheit bedeutete die Zerstörung für den athenischen Staat. So ist sein Schicksal das der höchsten Tragödie. Sein Tod kann als höchstes Unrecht erscheinen, da er seine Pflichten gegen das Vaterland vollkommen erfüllte und seinem Volke eine innere Welt aufschloß. Auf der anderen Seite aber hatte auch das athenische Volk vollkommen recht, wenn es das tiefere Bewußtsein hatte, daß durch diese Innerlichkeit das Gesetz des Staates in seinem Ansehen geschwächt und der athenische Staat untergraben wurde. So hochberechtigt also auch Sokrates war, ebenso berechtigt war das athenische Volk gegen ihn. Denn sein Prinzip ist ein Prinzip der Revolution der griechischen Welt. In diesem großen Sinne hat das athenische Volk seinen Feind zum Tode verurteilt, und der Tod des Sokrates war die höchste Gerechtigkeit. So hoch die Gerechtigkeit des Sokrates war, so hoch war auch die des athenischen Volkes, als es den Zerstörer seiner Sittlichkeit tötete. Beide Teile hatten recht. Sokrates ist also nicht unschuldig gestorben; dies wäre nicht tragisch, sondern bloß rührend. Sein Schicksal aber ist tragisch im wahrhaften Sinne. Unser Staatswesen ist ganz anders als das des athenischen Volkes, da es ganz gleichgültig sein kann gegen das innere Leben, selbst gegen die Religion.

Nachher hat das athenische Volk das Urteil bereut, und auch das war gehörig. Es lag hierin das Hochtragische, daß die Athener zu dem Gefühle kommen mußten, daß eben das, was sie im Sokrates verdammten, schon in ihre Brust gedrungen sei. In diesem Gefühle haben sie die Ankläger des Sokrates verdammt und diesen für unschuldig erklärt. Sie sahen ein, daß sie ebenso mitschuldig oder ebenso freizusprechen seien, weil das Prinzip des Sokrates bei ihnen schon feste Wurzel gefaßt habe, schon ihr eigenes Prinzip geworden sei, nämlich das Prinzip der Subjektivität. Dies Prinzip sehen wir in seiner tiefsten, berechtigtsten Form als den Grund für das Unglück des griechischen Volkes. Das Entscheidende des Willens ist, gleich dem Dämon des Sokrates, in das subjektive Innere als solches gelegt. Die näheren Formen, die das Prinzip der Individualität angenommen hat, haben wir nicht anzuführen. Es hat noch nicht die absolut berechtigende Form gehabt und ist in Habsucht, Selbstsucht u. dgl. hervorgetreten; es zeigte sich aber in Athen und Sparta in einer verschiedenen Gestalt: in Athen als offener Leichtsinn, in Sparta als Privatverderben.

In Athen entwickelte sich das höhere Prinzip, welches das Verderben des substantiellen Bestehens des athenischen Staates war, mehr und mehr: der Geist hatte den Hang, sich selbst zu befriedigen, nachzudenken, gewonnen. Auch im Verderben erscheint der Geist Athens herrlich, weil er sich als der freie zeigt, als der liberale, der seine Momente in ihrer reinen Eigentümlichkeit, in der Gestalt, wie sie sind, darstellt. Liebenswürdig und selbst im Tragischen heiter ist die Munterkeit und der Leichtsinn, mit der die Athener ihre Sittlichkeit zu Grabe begleiten. Wir erkennen darin das höhere Interesse der neuen Bildung, daß sich das Volk über seine eigenen Torheiten lustig machte und großes Vergnügen an den Komödien des Aristophanes fand, die eben die bitterste Verspottung zu ihrem Inhalte haben und zugleich das Gepräge der ausgelassensten Lustigkeit an sich tragen.

In Sparta tritt dasselbe Verderben ein, daß das Subjekt sich für sich gegen das allgemeine sittliche Leben geltend zu machen sucht: aber da zeigt sich uns bloß die einzelne Seite der partikulären Subjektivität, das Verderben als solches, die blanke Immoralität, die platte Selbstsucht, Habsucht, Bestechlichkeit. Alle diese Leidenschaften tun sich innerhalb Spartas und besonders in den Personen seiner Feldherrn hervor, die, meistens vom Vaterlande entfernt, die Gelegenheit erhalten, auf Kosten des eigenen Staates sowohl als derer, welchen sie zum Beistande geschickt sind, Vorteile zu erlangen.

Der Gedanke macht sowohl den Bruch aus mit der Wirklichkeit als auch den Frieden in seiner Idealität. Erst muß das Herz der Welt brechen, ehe ihr höheres Leben vollkommen offenbar wird. Die Versöhnung ist deshalb zuerst nur im abstrakten Gedanken: so hat Sokrates sie erfaßt. Aber sie mußte dann erst noch im Geiste geschehen.

DIE RÖMISCHE WELT

Napoleon hat einst gegen Goethe geäußert, an die Stelle des Schicksals in den Tragödien der Alten sei in den Tragödien unserer Zeit die Politik getreten. In der Weltgeschichte tritt mit der römischen Welt die Politik tatsächlich als das abstrakte allgemeine Schicksal ein. Der Zweck und die Gewalt des Staates ist dies Unwiderstehliche, dem alle Partikularitäten unterliegen müssen. Die Tat des Römischen Reiches ist diese Politik als Macht, die alle sittlichen Individuen in Banden geschlagen hat. Rom hat in seinem Pantheon die Individualität aller Götter und aller großen Geister versammelt, paralysiert und ausgelöscht, es hat das Herz der Welt gebrochen. Das ist der Unterschied des römischen und des persischen Prinzips, daß jenes alle Lebendigkeit erstickt, während dies sie im vollsten Maße hatte bestehen lassen. Dadurch, daß es der Zweck des Staates ist, daß ihm die Individuen in ihrem sittlichen Leben aufgeopfert werden, ist die Welt in Trauer versenkt; ihre Natürlichkeit ist der Unseligkeit verfallen. Doch nur aus dieser Unseligkeit konnte sich der freie Geist entwickeln. In der griechischen Welt sehen wir das Reich der Schönheit, der unbefangenen Sittlichkeit. Diese schöne Sittlichkeit aber hat noch nicht die Tiefe des Geistes erreicht. Das griechische Prinzip zeigt uns die Geistigkeit in ihrer Freude, in ihrer Heiterkeit und in ihrem Genusse: der Geist hat sich noch nicht in die Abstraktion zurückgezogen, er ist noch mit dem Naturelemente, mit der Partikularität der Individuen behaftet, weswegen die Tugenden der Individuen selbst sittliche Kunstwerke wurden. Die abstrakte allgemeine Persönlichkeit war noch nicht vorhanden, denn der Geist mußte sich erst zu dieser Form der abstrakten Allgemeinheit bilden, welche die harte Zucht über die Menschen ausgeübt hat.

Das Insichgehen des Geistes ist zugleich die Entstehung des Gegensatzes. Der Gegensatz hat zu seinen beiden Seiten erstens das Allgemeine, worin das Individuum sich verliert und unter der Bedingung des Gehorsams gegen den abstrakten Staat die Erlaubnis erhält, für sich Herr zu sein. Dem allgemeinen Abstrakten steht so zweitens das abstrakte starre Subjekt gegenüber; es ist also in diesem Gegensatze das strenge Recht der Persönlichkeit mit ausgesprochen. In Rom finden wir nunmehr diese freie Allgemeinheit, diese abstrakte Freiheit, welche einerseits den abstrakten Staat, die Politik und die Gewalt über die konkrete Individualität setzt und diese durchaus unterordnet, anderseits dieser Allgemeinheit gegenüber die Persönlichkeit erschafft – die Freiheit des Ichs in sich –, die wohl von der Individualität unterschieden werden muß. Denn die Persönlichkeit macht die Grundbestimmung des Rechts aus: sie tritt hauptsächlich im Eigentum ins Dasein, ist aber gleichgültig gegen die konkreten Bestimmungen des lebendigen Geistes, mit denen es die Individualität zu tun hat. Diese beiden Momente, welche Rom bilden, die politische Allgemeinheit für sich und die abstrakte Freiheit des Individuums in sich selbst, sind zunächst in der Form der Innerlichkeit selbst befaßt. Diese Innerlichkeit, dieses Zurückgehen in sich selbst, das wir als das Verderben des griechischen Geistes gesehen, wird hier der Boden, auf dem eine neue Seite der Weltgeschichte aufgeht. Es ist bei der Betrachtung der römischen Welt nicht um ein konkret geistiges, in sich reiches Leben zu tun; das Konkrete in dieser Allgemeinheit ist nur die prosaische praktische Herrschaft. Sie ist der Zweck, der mit geist- und herzloser Härte verfolgt wird, um doch nichts anderes als jenes Abstraktum der Allgemeinheit geltend zu machen. Wir finden hier kein freies Leben, das Freude an dem Theoretischen hätte; sondern es ist nur ein unlebendiges Leben, das praktisch sich erhält.

In Griechenland war die Demokratie die Grundbestimmung des politischen Lebens, wie im Orient der Despotismus; hier ist es nun die Aristokratie, und zwar eine starre, die dem Volke gegenübersteht. Auch in Griechenland hat sich die Demokratie, aber nur in Weise der Faktionen, entzweit; in Rom sind es Prinzipien, die das Ganze geteilt halten, sie stehen einander feindselig gegenüber und kämpfen miteinander: erst die Aristokratie mit den Königen, dann die Plebs mit der Aristokratie, bis die Demokratie die Oberhand gewinnt; da erst entstehen Faktionen, aus denen jene spätere Aristokratie großer Individuen hervorging, welche die Welt bezwungen hat. Dieser Dualismus ist es, der eigentlich Roms innerstes Wesen bedeutet.

Die Gelehrsamkeit hat die römische Geschichte von vielerlei Gesichtspunkten aus betrachtet und sehr verschiedene und entgegengesetzte Ansichten aufgestellt. Namentlich gilt dieses von der älteren römischen Geschichte, die von drei verschiedenen Klassen von Gelehrten bearbeitet worden ist, von Geschichtschreibern, Philologen und Juristen. Die Geschichtschreiber halten sich an die großen Züge und achten die Geschichte als solche, so daß man sich bei ihnen noch am besten zurechtfindet, da sie entschiedene Begebenheiten gelten lassen. Ein anderes ist es mit den Philologen, bei denen die allgemeinen Traditionen weniger bedeuten, und die mehr auf Einzelheiten gehen, die auf mannigfache Weise kombiniert werden können. Diese Kombinationen gelten zuerst als historische Hypothesen und bald darauf als ausgemachte Fakta. In nicht geringerem Grade wie die Philologen haben die Juristen bei Gelegenheit des römischen Rechts das Kleinlichste untersucht und mit Hypothesen vermischt. Das Resultat war, daß man die älteste römische Geschichte ganz und gar für Fabel erklärte, wodurch dieses Gebiet nun durchaus der Gelehrsamkeit anheimfiel, die da immer am breitesten sich ausdehnt, wo am wenigsten zu holen ist. Darum ist es in unserer Zeit schwer, von den Römern in ihrer ältesten Periode zu sprechen, da es keine Notiz gibt, die man nicht in Zweifel zieht und durch trockene Hypothesen verdrängt. Wenn einerseits die Poesie und die Mythen der Griechen tiefe geschichtliche Wahrheiten enthalten sollen und in Geschichte übersetzt werden, so zwingt man dagegen die Römer, Mythen, poetische Anschauungen zu haben, und dem bisher als prosaisch und geschichtlich Angenommenen sollen Epopöen zugrunde liegen.

eine moralische Räuberei, wenn er sagt, nur Räubern hätten sie die Beute fortgenommen.

Es wird auch das Nähere aller dieser Umstände angegeben. Jene räuberischen Hirten nahmen alles auf, was sich zu ihnen schlagen wollte (Livius nennt es eine colluvies); aus allen drei Gebieten, zwischen denen Rom lag, hat sich die Bewohnerschaft der neuen Stadt versammelt. Die Geschichtschreiber geben an, daß dieser Punkt auf einem Hügel am Flusse sehr wohl gewählt war und sehr geeignet, dort ein Asyl aufzutun. Diese Errichtung eines Asyls brachte allerlei Gesindel herbei, Freigelassene und Verbrecher, denen die Nachbarn sogar die Ehe verweigerten. Daß in dem neugebildeten Staate keine Weiber vorhanden waren, und daß die benachbarten Staaten keine connubia mit ihm eingehen wollten, sind geschichtliche Tatsachen, die ihn als eine Räuberverbindung charakterisieren, mit der die anderen Staaten keine Gemeinschaft haben mochten. Auch schlugen sie die Einladung zu den gottesdienstlichen Festen aus, und nur die Sabiner, ein einfaches landbauendes Volk, bei denen, wie Livius sagt, eine tristis atque tetrica superstitio herrschte, haben sich teils aus Aberglauben, teils aus Furcht dabei eingefunden. Der Raub der Sabinerinnen ist dann ein allgemein angenommenes geschichtliches Faktum. Ein gottesdienstliches Fest muß ihnen den Vorwand zu ihrem Weiberraube geben; das charakterisiert schon die Römer. Die Religion wird von ihnen als Mittel zum Zwecke des jungen Staates gebraucht. Eine andere Weise der Erweiterung ist die, daß die Einwohner benachbarter und eroberter Städte nach Rom geschleppt wurden. Auch später noch kamen Fremde freiwillig nach Rom, wie die so berühmt gewordene Familie der Claudier mit ihrer ganzen Klientel. Der Korinther Demaratus aus einer ansehnlichen Familie hat sich in Etrurien niedergelassen, wurde aber da als Verbannter und Fremder wenig geachtet. Sein Sohn Lucumo konnte diese Unwürdigkeit nicht länger ertragen: er begab sich nach Rom, sagt Livius, weil da ein neues Volk und eine repentina atque ex virtute nobilitas wäre. Lucumo gelangte auch sogleich zu solchem Ansehen, daß er nachher König wurde.

2. DIE SITTLICHKEIT

Diese Stiftung des Staates ist es, welche als die wesentliche Grundlage für die Eigentümlichkeit Roms angesehen werden muß. Denn sie führt unmittelbar die härteste Disziplin mit sich, sowie die Aufopferung für den Zweck des Bundes. Ein Staat, der sich selbst erst gebildet hat und auf Gewalt beruht, muß mit Gewalt zusammengehalten werden. Daher ist der Hauptcharakter des Staatslebens aristokratisch; in der Aristokratie entfalteten die Römer ihre Eigentümlichkeit und zeigten sich groß. Und dies hängt mit dem Elementarischen zusammen; wir sehen bei ihnen keine patriarchalische Einheit, keine demokratische Gleichheit, keine wohlwollende Gesinnung der Bürger gegeneinander. Es ist da nicht ein sittlicher, liberaler Zusammenhang, sondern ein gezwungener Zustand der Subordination, der sich aus solchem Ursprunge herleitet. Die römische virtus ist die Tapferkeit, aber nicht bloß die persönliche, sondern die sich wesentlich im Zusammenhang der Genossen zeigt, welcher Zusammenhang für das Höchste gilt und mit aller Gewalttätigkeit verknüpft sein kann. Wenn nun die Römer so einen geschlossenen Bund bildeten, so waren sie zwar nicht, wie die Lakedämonier, im inneren Gegensatz mit einem eroberten und unterdrückten Volk; aber es tat sich in ihnen der Unterschied und der Kampf der Patrizier und Plebejer hervor. Dieser Gegensatz ist schon mythisch angedeutet in den feindlichen Brüdern, Romulus und Remus. Remus ist auf dem Aventinischen Berge begraben, dieser ist den üblen Genien geweiht, und dorthin gehen die Sezessionen der Plebs. Es ist nun die Frage, wie sich dieser Unterschied gemacht habe. Es ist schon gesagt worden, daß Rom sich durch räuberische Hirten und den Zusammenlauf von allerlei Gesindel bildete; später wurden auch noch die Bewohner genommener und zerstörter Städte dahin geschleppt. Die Schwächeren, Ärmeren, die später Hinzugekommenen sind notwendig im Verhältnis der Geringschätzung und Abhängigkeit gegen die, welche sich durch Tapferkeit und auch durch Reichtum auszeichneten. Man hat also nicht nötig, zu einer in neuerer Zeit beliebten Hypothese seine Zuflucht zu nehmen, daß die Patrizier ein eigener Stamm gewesen seien.

Die Abhängigkeit der Plebejer von den Patriziern wird oft als eine vollkommen gesetzliche dargestellt, ja als eine heilige, weil die Patrizier die sacra in den Händen gehabt hätten, die Plebs aber gleichsam götterlos gewesen wäre. Die Plebejer haben den Patriziern ihren heuchlerischen Kram (ad decipiendam plebem. Cicero) gelassen und sich nichts aus ihren sacris und Augurien gemacht; wenn sie aber die politischen Rechte von denselben abtrennten und an sich rissen, so haben sie sich damit ebensowenig einer frevelhaften Verletzung des Heiligen schuldig gemacht wie die Protestanten, als sie die politische Staatsgewalt befreiten und die Gewissensfreiheit behaupteten. Man muß, wie gesagt, das Verhältnis der Patrizier und Plebejer so ansehen, daß die Armen und darum Hilflosen gezwungen waren, sich an die Reicheren und Angeseheneren anzuschließen und ihr patrocinium nachzusuchen; in diesem Schutzverhältnis der Reicheren heißen die Geschützten Klienten. Man findet aber sehr bald auch wieder die Plebs von den Klienten unterschieden. Bei den Zwistigkeiten zwischen den Patriziern und Plebejern hielten sich die Klienten an ihre Patrone, obgleich sie ebensogut zur Plebs gehörten. Daß dieses Verhältnis der Klienten kein rechtliches, gesetzliches Verhältnis war, das geht daraus hervor, daß mit der Einführung und Kenntnis der Gesetze durch alle Stände das Klientelverhältnis allmählich verschwand, denn sobald die Individuen Schutz am Gesetz fanden, mußte jene augenblickliche Not aufhören.

In dem Räuberanfang des Staates war notwendig jeder Bürger Soldat, denn der Staat beruhte auf dem Krieg; diese Last war drückend, da jeder Bürger sich im Kriege selber unterhalten mußte. Es führte dieser Umstand nun eine ungeheure Verschuldung herbei, in welche die Plebs gegen die Patrizier verfiel. Mit der Einführung der Gesetze mußte auch dieses willkürliche Verhältnis nach und nach aufhören; denn es fehlte viel, daß die Patrizier sogleich geneigt gewesen wären, die Plebs aus dem Verhältnis der Hörigkeit zu entlassen, vielmehr sollte noch immer die Abhängigkeit zu ihren Gunsten bestehen. Die Gesetze der zwölf Tafeln enthielten noch viel Unbestimmtes; der Willkür des Richters war noch sehr viel überlassen. Richter aber waren nur die Patrizier; und so dauert denn der Gegensatz zwischen Patriziern und Plebejern noch lange fort. Allmählich erst ersteigen die Plebejer alle Höhen und gelangen zu den Befugnissen, die früher allein den Patriziern zustanden.

Wie der Staat, so empfängt auch die Familie in Rom ihr Gepräge durch die gewaltsamen Anfänge des Gemeinwesens. Im griechischen Leben, wenn es auch nicht aus dem patriarchalischen Verhältnis hervorgegangen ist, war doch Familienliebe und Familienband in seinem ersten Ursprung vorhanden, und der friedliche Zweck des Zusammenseins hatte die Austilgung der Räuber zur See und zu Lande zur Bedingung. Die Stifter Roms dagegen, Romulus und Remus, sind selbst Räuber, kennen das Familienleben nicht, sind aus der Familie ausgestoßen und nicht in der Familienliebe groß geworden. Die ersten Römer erwarben ihre Frauen ohne die Empfindung des natürlich Sittlichen, nicht durch freies Werben und Zuneigung, sondern durch Gewalt. Diese Härte gegen das Familienleben sehen wir der ganzen späteren römischen Ehe zugrunde liegen, eine selbstische Härte, welche die Grundbestimmungen der römischen Sitten und Gesetze für die Folge ausmachte. Wir finden also bei den Römern das Familienverhältnis nicht als ein schönes, freies Verhältnis der Liebe und der Empfindung, sondern an die Stelle des Zutrauens tritt das Prinzip der Härte, der Abhängigkeit und der Unterordnung. Es ist ein Verhältnis der Sklaverei, worin Frau und Kinder zu dem Manne stehen. Die Heiratszeremonie bei der vollkommenen Ehe beruht auf einer coemtio in der Form, wie sie auch bei jedem anderen Kaufe vorkommen konnte. Die Frau wird wie eine Sache per aes et libram durch den Kauf erworben, sie gehört in den Besitz des Mannes (in manum conventio) und wird sein mancipium. So hat die Ehe in ihrer strengen und förmlichen Gestalt ganz die Art und Weise eines dinglichen Verhältnisses. Die Frau wird zwar mater familias, zugleich aber steht sie zu dem Manne filiae loco; der Mann bekommt dasselbe Recht über seine Frau, wie er es über seine Tochter hat. Er ist vollkommener Eigentümer alles Ihrigen, der dos und was sie sonst erwirbt; in älteren Zeiten hat er auch die Gewalt über ihr Leben, das er ihr im Falle von Trunksucht oder Ehebruch nehmen darf. In den guten Zeiten der Republik wurde die Ehe auch durch eine religiöse Zeremonie geschlossen, die confarreatio, die aber später unterblieb. Eine andere Art der Ehe war die durch den usus. Ein Jahr hindurch bekam der Mann die gewünschte Braut auf Probe. Mann und Frau lebten ein Jahr zusammen, und durch den usus ward sie dann seine Ehefrau, nicht mater familias, aber auch nicht Sklavin, sondern matrona. Ihre Söhne hatten nicht die Rechte in sacris wie die Söhne einer matris familias. Blieb die Frau während des ersten Jahres drei Nächte von Hause fort, so hob sie dadurch das Verhältnis auf. Sie kehrte dann zu ihren Eltern zurück und war eine matrona, die selbständig für sich lebte. Aber auch als Ehefrau blieb sie, wenn der Mann nicht in einer der Formen der in manum conventio, d. h. durch coemtio oder confarreatio, geheiratet hatte, entweder in der väterlichen Gewalt oder unter der Vormundschaft ihrer Agnaten, und sie war dem Manne gegenüber frei, behielt auch ihr eigenes Vermögen. Ehre und Würde erlangte also die römische Matrone nur durch die Unabhängigkeit vom Manne, statt, wie es sein soll, durch ihren Mann. Wollte der Mann nach dem freieren Rechte, wenn nämlich die Ehe nicht durch die confarreatio geheiligt war, sich von der Frau scheiden lassen, so schickte er sie eben fort. – Das Verhältnis der Söhne und Töchter war ganz ähnlich: sie waren mancipia ohne Eigentum und eigenes Recht. Sie konnten sich der väterlichen Gewalt auch dann nicht entziehen, wenn sie im Staate ein hohes Amt bekleideten. Keine Würde gab ihnen Selbständigkeit; nur der Flamen dialis und die Vestalin schieden aus der väterlichen Gewalt, weil sie mancipia des Tempels wurden. In bezug auf das Eigentum begründeten die peculia castrensia und adventitia (das Sondergut der Söhne, entweder durch Kriegsdienst erworben oder aus dem Muttererbe ihnen zugefallen) einen Unterschied. Andererseits waren Söhne und Töchter, wenn sie emanzipiert wurden, außer allem Zusammenhang mit ihrem Vater und ihrer Familie. Als Zeichen, wie hier das kindliche Verhältnis mit dem sklavischen zusammengestellt wurde, kann wohl die imaginaria servitus (mancipium) dienen, durch welche die emanzipierten Kinder zu passieren hatten. In Beziehung auf die Erbschaft wäre eigentlich das Sittliche, daß die Kinder die Erbschaft auf gleiche Weise teilen. Bei den Römern dagegen tritt die Willkür des Testierens in schroffster Gestalt hervor. – So entartet und entsittlicht sehen wir hier die Grundverhältnisse der Sittlichkeit. Die unsittliche aktive Härte der Römer nach dieser Privatseite entspricht notwendig der passiven Härte ihres Verbandes zum Staatszweck. Für die Härte, welche der Römer im Staate erlitt, war er entschädigt durch dieselbe Härte, die er nach seiten seiner Familie genoß – Knecht auf der einen Seite, Despot auf der andern.

Mit dem Familienverhältnis hängt das allgemeine Familienwesen zusammen. An Stelle der Familien, die es eigentlich nicht gab, weil die Liebe fehlte, sondern sich die gentes gegeneinander ab, die jahrhundertelang jede ihren Charakter beibehalten haben. Es ist also da nicht eine substantielle Einheit der Nationalität, nicht das schöne und sittliche Bedürfnis des Zusammenlebens in der Polis; sondern jede gens ist ein fester Stamm für sich, der durch natürliche, nicht durch sittliche Verwandtschaft zusammenhängt. In der gens mußte Blutsverwandtschaft sein, zugleich erhält und behält sie ihren bestimmten politischen Charakter. Die Claudier waren Aristokraten, ihre Haltung war strenge Härte; die Valerier waren Demokraten, Wohlwollen für das Volk war ihr Grundzug. Die Kornelier waren durch Adel des Geistes ausgezeichnet. Jede gens hatte ihre Laren, Penaten, ihre Familienfeste, die erblich waren, wie in Athen die Priesterschaft eines allgemeinen Gottes bei einzelnen Familien erblich war, z. B. bei den Eumolpiden. Späterhin war dies ein wichtiger Trennungspunkt der Patrizier und Plebejer hinsichtlich der connubia; die Ehen zwischen Patriziern und Plebejern galten für unheilig, und so erstreckte sich die Unterscheidung und Beschränkung sogar auf das Verheiraten. Die äußeren Unterschiede überhaupt, z. B. die limites eines Ackers (Cicero, pro domo sua), sind hier ein Heiliges, Festes geworden. Darin liegt keine Frömmigkeit, sondern das Gegenteil, daß nämlich etwas Unheiliges zu einem Absoluten gemacht wird. Überall sehen wir ein schroffes Abschließen.

Diese Beschränktheit und Verwirrung des Unterschiedenen ist auch bei der Verfassung des Staates das herrschende Prinzip. Die geheiligte Ungleichheit des Willens und des besonderen Besitzes macht darin die Grundbestimmung aus. Die Ungleichheit der gentes führt es mit sich, daß keine Demokratie der Gleichheit, keine konkrete Lebendigkeit stattfinden kann. Ebensowenig kann hier eine Monarchie bestehen, weil diese den Geist freier

Entwicklung der Besonderheit voraussetzt. Das römische Prinzip läßt nur die Aristokratie zu, die aber auch sogleich das in sich Feindselige, Beschränkte ist, nur als Gegensatz, als Ungleichheit in sich selbst existiert und auch in der vollkommensten Existenz nicht eine für sich fertige Gestalt sein kann. Nur durch Not und Unglück wird dieser Gegensatz momentan ausgeglichen; denn er enthält eine doppelte Gewalt in sich, deren Härte und böse Sprödigkeit nur durch eine noch größere Härte zur gewalttätigen Einheit übermannt und gebunden werden kann. In dem Charakter aber, den das Staatsleben dadurch erhält, muß man die eigentümliche römische Größe suchen.

Die starre Persönlichkeit, die wir in der Familie und in der gens die Verhältnisse der Empfindung und des Gemütes beiseitesetzen sehen, befindet sich mit ebensolcher Aufopferung alles konkret Sittlichen im Staate, sie löst sich auf im Gehorsam gegen den Staat, identifiziert sich mit ihm; und diese abstrakte Einheit, vollkommene Subordination mit und unter dem Staate macht die römische Größe aus. Ihre Eigentümlichkeit ist diese harte Starrheit in der Einheit der Individuen mit dem Staate, dem Staatsgesetz und Staatsbefehl. Die Helden Roms fallen alle nach dieser Seite hin; man muß sie nicht allein in dem Verhältnis nach außen sehen, wie sie den Staat ohne Weichen und Wanken vor Augen haben, mit ganzem Sinn und Gedanken nur ihm angehören, als Feldherren für ihn kämpfen, als Gesandte für ihn auftreten, sondern auch in Zeiten des Aufruhrs im Innern. Hier zeigt sich das Verhältnis der Persönlichkeit zum Staat als diese Stärke, der Rom seine Erhaltung zu verdanken hat. In den Zwistigkeiten der Plebs mit den Patriziern hat die Plebs oft die gesetzliche Ordnung mit Füßen getreten; im Aufstande war die Achtung vor den Gesetzen aufgehoben. Aber fast immer war es der Respekt vor der Form, der die Plebs zur Ordnung gebracht hat, daß sie auf Gewalttätigkeit verzichtet und ruhig abzieht. Eine lange Reihe von Jahren hindurch dauert der Streit; vom Senate werden Diktatoren erwählt, oft genug, wenn weder Krieg noch Feindesnot war, nur um die Plebejer zum Heeresdienst ausheben und sie durch den militärischen Eid zum strengen Gehorsam verpflichten zu können, und aus Respekt vor dem Staate leisten die Plebejer den Eid der Soldatentreue und halten ihn. Bestochene Tribunen und Auguren verhindern das Volk an der Erwerbung seines Rechtes. Der Grundrespekt vor dem Staatsgesetze und dem Herkömmlichen hielt das Volk hin, daß es um die Erfüllung seiner gerechten und ungerechten Forderungen getäuscht wurde. Für das Verhältnis der Plebs zu den Patriziern sind die Gesetze des Licinius von der größten Wichtigkeit. Licinius hat zehn Jahre gebraucht, um Gesetze, die der Plebs günstig waren, durchzusetzen; durch das Formelle des

DAS ABENDLÄNDISCHE PRINZIP

Das Bedürfnis und die Elemente eines anderen Zustandes der Welt liegen in den geschilderten Verhältnissen. Gegen die inhaltleere Ordnung, gegen diese Endlichkeit hat sich das Subjekt aufgetan. Der Geist ist schlechthin außer sich, und so regiert er die Welt; der absolute Grund ist zu dieser Ordnung geworden, er ist also auch in ihr gegeben. Unter Augustus selbst, unter diesem vollkommen einfachen Herrscher der partikulären Subjektivität, ist das Gegenteil, die Unendlichkeit erschienen, aber so, daß sie das Prinzip der für sich seienden Endlichkeit in sich schließt. Die christliche Religion, diese entscheidende Angelegenheit der Weltgeschichte, ist aufgetreten.

Es ist bemerkt worden, daß Cäsar die neue Welt nach ihrer realen Seite eröffnete; nach ihrer geistigen und inneren Existenz tat sie sich unter Augustus auf. Beim Beginn des Kaisertums, dessen Prinzip wir als die zur Unendlichkeit gesteigerte Endlichkeit und partikuläre Subjektivität erkannt haben, ist in demselben Prinzip der Subjektivität das Heil der Welt geboren worden; nämlich als ein dieser Mensch, in abstrakter Subjektivität, aber so, daß umgekehrt die Endlichkeit nur die Form seiner Erscheinung ist, deren Wesen und Inhalt vielmehr die Unendlichkeit, das absolute Fürsichsein ausmacht. Die römische Welt, wie sie beschrieben worden, in ihrer Ratlosigkeit und in dem Schmerz des von Gott Verlassenseins hat den Bruch mit der Wirklichkeit und die gemeinsame Sehnsucht nach einer Befriedigung, die nur im Geiste innerlich erreicht werden kann, hervorgetrieben und den Boden für eine höhere, geistige Welt bereitet. Sie war das Fatum, das die Götter und das heitere Leben in ihrem Dienst erdrückte, und die Macht, die das menschliche Gemüt von aller Besonderheit reinigte. Ihr ganzer Zustand gleicht daher der Geburtsstätte und ihr Schmerz den Geburtswehen von einem anderen, höheren Geist, der mit der christlichen Religion geoffenbart worden. Dieser höhere Geist enthält die Versöhnung und die Befreiung des Geistes, indem der Mensch das Bewußtsein vom Geiste in seiner Allgemeinheit und Unendlichkeit erhält. Das absolute Objekt, die Wahrheit, ist der Geist, und weil der Mensch selbst Geist ist, so ist er sich in diesem Objekte gegenwärtig und hat so in seinem absoluten Gegenstande das Wesen und sein Wesen gefunden. Damit aber die Gegenständlichkeit des Wesens aufgehoben werde und der Geist bei sich selber sei, muß die Natürlichkeit des Geistes, worin der Mensch ein besonderer und empirischer ist, negiert werden, damit das Fremdartige getilgt werde und die Versöhnung des Geistes sich vollbringe.

Es kann hier nicht bewiesen werden, was wahrhafte Religion und Idee Gottes sei, sondern nur das Erscheinende oder die Notwendigkeit ihres Erscheinens zu dieser Zeit, dies, daß die Zeit erfüllt war.

Die wahrhafte Idee ist die an und für sich seiende Allgemeinheit, die nur in dem Gedanken ist, aber nicht das Abstrakte, das leere absolute Wesen, sondern innerlich in sich so bestimmt, daß die Negativität zugleich absolut, oder daß die Form sei, aber als unendliche Form. Gott ist nach dieser Idee der Eine; dies ist das Abstrakte. Die konkreten Bestimmungen in diesem Einen sind die Eigenschaften; diese haben aber selbst nur besonderen Inhalt, z. B. Allmacht, Allgüte usf. Sie sind zwar kein sinnlich Besonderes, aber sie erfüllen doch das Subjekt nicht. Darum geben die Orientalen ihren Göttern sehr viele Namen; es ist ein Versuch, das Unendliche zu erschöpfen. Aber alle diese vielen Bestimmungen erfüllen es doch nicht. Die wahrhafte Fülle, wenn sie gefaßt wird, ist nur immer wieder der Eine; diese Bestimmung allein ist erschöpfend, weil sie nicht ein Besonderes, sondern ein in sich Zurückgekehrtes ist, die also den Gedanken nicht außer sich hinausschickt, sondern in sich zurückgeht, in das Fürsichsein. Dieses Fürsichsein ist die unendliche Fülle, die Bestimmtheit in sich selbst, nicht leere, absolute, unendliche Bestimmtheit, sondern beides, Fülle und Bestimmtheit, eben dadurch, daß sie dies Zurückkehren ist aus dem Hinausschicken, aus dem sich auf ein anderes Beziehen. Diese Fülle ist die der Idee. Sie besondert sich, bringt sich als anderes ihrer selbst hervor, verliert sich aber in diesem Anderen nicht, sondern setzt dieses als Nichtanderes und kehrt so in sich zurück.

Wir kennen diese Bewegung der Idee in vielen Formen, z. B. in der Empfindung: da heißt sie Liebe. Ich gehe in ein Anderes auf, bin nicht bei mir, und indem ich darin mein Wissen und Wollen habe, so bin ich es doch selbst und bin darin bei mir selbst. Ein höherer Ausdruck dieser Idee ist das, was wir Geist nennen; seinen Inhalt bildet, was wir eben dargestellt haben.

Dieser Inhalt nun ist als Lehre der christlichen Kirche in der Dreieinigkeit vorhanden. Gott wird nur so als Geist erkannt, indem er als der Dreieinige gewußt wird. Dieses neue Prinzip ist die Angel, um welche sich die Weltgeschichte dreht. Bis hierher und von daher geht die Geschichte. In dieser Religion sind alle Rätsel gelöst, alle Mysterien offenbar geworden; die Christen wissen von Gott, was er ist, insofern sie wissen, daß er dreieinig ist. Die eine Weise, dies zu wissen, ist die des Glaubens; die andere ist die des Gedankens, der die Wahrheit kennt und so Vernunft ist. Zwischen beiden ist der Verstand, der das Festhalten der Unterschiede ist. Wer von Gott nicht weiß, daß er dreieinig ist, der weiß nichts vom Christentum. Daß Chri-

10/86

stus moralisch usw. gewesen sei, das wissen auch die Mohammedaner.

Nun kann die christliche Religion aufgefaßt werden nach ihrem Anfange; so ist sie ein Vergangenes, Aufbewahrtes. In Wahrheit aber ist sie ein Gegenwärtiges, in dem sich der Geist fortwährend ergründet. Es kommt also nicht darauf an, ob in der Bibel ausdrücklich steht, daß Gott dreieinig ist; das wäre Buchstabe. Der Geist der Kirche aber ist der wirkliche, wirksame Geist, und so ist das, was in der Bibel steht, als vorher Gewußtes noch nicht das Wahrhafte. Es ist die Kirche, die dieses Gewußte erkannt, der Geist der Wahrheit, der sich zum bestimmten Bewußtsein aus sich selbst gebracht hat. Der Verstand aber weiß weder von dem Glauben noch von der Vernunft etwas.

Es ist nun davon zu sprechen, daß die Zeit für die Erscheinung dieses Geistes erfüllt ist, daß Gott seinen Sohn gesandt hat. Das heißt, das Bewußtsein der geistigen Welt hat sich zu den Momenten erhoben, die zum Begriffe des geistigen Selbstbewußtseins gehören. Es sind Momente des weltlichen Bewußtseins, und es ist Bedürfnis, daß diese Momente vereinigt, in der Wahrheit aufgefaßt werden. Diese Momente sind jetzt die regierenden Kategorien der Welt, und daß sie dies sind, darauf kommt es an. Die Frage ist also, welches diese Kategorien sind. Zunächst sind sie disiecta membra, die erst zusammen eine Einheit gewinnen. Die eine Kategorie ist das Anundfürsichbestimmtsein, die Kategorie des sich auf sich beziehenden Punktes, der Glaube der Endlichkeit. Die zweite und entgegengesetzte ist der Glaube der allgemeinen Unendlichkeit, das Allgemeine, das die Grenze für sich selbst in sich bestimmt.

Das erste Prinzip sehen wir in der römischen Welt; es ist die Persönlichkeit, der unendliche Wert des Individuums. Wir haben schon von den Griechen gesagt, daß das Gesetz für ihren Geist war: »Mensch, erkenne dich selbst!« Der griechische Geist war Bewußtsein des Geistes, aber des beschränkten, der das Naturelement als wesentliches Ingrediens hatte. Der Geist herrschte wohl darüber, aber die Einheit des Herrschenden und Beherrschten war selbst noch natürlich; der Geist erschien als bestimmter in einer Menge von Individualitäten der Volksgeister und der Götter und war vorgestellt durch die Kunst, worin das Sinnliche nur bis zur Mitte der schönen Form und Gestalt, nicht aber zum reinen Denken erhoben wird. Das den Griechen fehlende Moment der Innerlichkeit haben wir bei den Römern gefunden. In ihrem harten Dienste für den Staat ist eine Innerlichkeit, die praktisch ist, eine Endlichkeit, die nicht die natürliche, sondern eine innere ist. Es ist damit ein Allgemeines gesetzt, das aber nur endlich ist. Indem es Inneres ist, ist es zum letzten Zwecke gemacht. Ohne diesen harten Dienst ist keine Freiheit, wie ohne

Furcht keine Liebe. Ohne die Empfindung dieser Negativität ist keine Innerlichkeit; erst durch den Gehorsam kann Freiheit werden. Dieser bestimmte Zweck als Absolutes, Letztes gesetzt, bestimmt die Religion der Römer als die der Zweckmäßigkeit. Der Zweck des Endlichen ist als Absolutes vorgestellt, und dies ist als Zweck des Menschen gesetzt; er ist an ihn gebunden. Das Seinige ist so dieser Zweck; dieses Seinige ist auch als Subjekt erschienen, als Prinzip der abstrakten Persönlichkeit, die der Grund für das Privatrecht ist. Das Element der Innerlichkeit ist realisiert in der Persönlichkeit der Individuen.

Aber dies absolute Recht ist auch nur das abstrakte Recht des Eigentums; die Realisierung ist dem Prinzipe adäquat und so abstrakt und formell wie dieses ist. Als dieses Ich bin ich für mich unendlich, und das Dasein meiner ist mein Eigentum und meine Anerkennung als Person. Weiter geht diese Innerlichkeit nicht; aller weitere Inhalt ist darin verschwunden. Die innere Verderbnis der Persönlichkeit hing gerade mit jenem Momente der Innerlichkeit zusammen; weil es formell und unbestimmt in sich war, nahm es seinen Inhalt aus der Leidenschaft und Willkür, ja das Verruchteste konnte sich hier mit dem Schauer der Göttlichkeit verbinden. (Man sehe die Aussage der Hispala über die Bacchanalien bei Livius 39, 13.)

Die leere Innerlichkeit der Römer hängt damit zusammen. Hier ist die Kategorie des Punktes gesetzt, diese leere Sprödigkeit. Sie ist auf der anderen Seite auch so gesetzt, daß sie die Partikularität des Imperators als das Höchste ist; dieser Imperator, der eine »Dieser«, ist der Gott der Welt. Dadurch sind die Individuen als Atome gesetzt; zugleich aber stehen sie unter der harten Herrschaft des Einen, welcher als monas monadum die Macht über die Privatpersonen ist. Dies Privatrecht ist daher ebenso ein Nichtdasein, ein Nichtanerkennen der Person, und dieser Zustand des Rechts ist vollendete Rechtlosigkeit. Das Subjekt ist nach dem Prinzipe seiner Persönlichkeit nur zu dem Besitze berechtigt, und die Person der Personen zum Besitz aller, so daß das einzelne Recht zugleich aufgehoben und rechtlos ist. Dieser Widerspruch ist das Elend der römischen Welt. Das Elend dieses Widerspruchs ist aber die Zucht der Welt. Zucht kommt her von ziehen, zu etwas hin, und es ist irgendeine feste Einheit im Hintergrunde, wohin gezogen und wozu erzogen werden soll, damit man dem Ziele adäquat werde. Es ist ein Abtun, ein Abgewöhnen als Mittel der Hinführung zu einer absoluten Grundlage. Jener Widerspruch der römischen Welt ist das Verhältnis solcher Zucht; er ist die Zucht der Bildung, durch welche die Person zugleich ihre Nichtigkeit manifestiert.

Diese Innerlichkeit aber kann nicht leer bleiben; sie muß sich vollführen; sie muß sich einen Gegenstand und Inhalt geben.

10*

Für sich ist sie das Abstrakte des Allgemeinen; sie hat das Allgemeine, das Ich, zum Gegenstande und ist dann Denken. So tritt die andere Kategorie auf, das Sichselbstbestimmen, das grundlos aus sich selber die absolute Grenze setzt. Wenn die Gegenwart dem Menschen ungetreu ist, so daß er sich in die Innerlichkeit, in sich selbst zurückziehen muß, dann entsteht das bessere Prinzip. Aber zunächst erscheint es auch nur erst auf sinnliche Weise als das Bewußtsein, das zu diesem Verstande oder richtiger zu diesem Unglück der Abstraktion gekommen ist. Es ist noch die einseitige Kategorie der absoluten Schranke, das gerade Gegenteil der unendlichen Selbstbestimmung. Dieser Boden der abstrakten Allgemeinheit ist aufzuzeigen.

Das Individuum konnte an Rom kein Interesse mehr haben; deswegen sehen wir so viele Römer sich in die Welt des Denkens zurückziehen. Alle Unterschiede des Staates waren in Rom verwischt; darum leistete der Geist auf alles Äußere, auf die ganze Welt Verzicht. Zunächst ist es die Form des Stoizismus, der ebenso wie der Epikureismus und Skeptizismus weit ausgebreitet war, worin sich dieser Verzicht äußert. Sie sind sämtlich von der Lehre des Sokrates ausgegangen; ihre gemeinsame Anschauung ist das Zurückziehen des Geistes aus allem Äußeren, in dem Selbstgenügen des Geistes. Im Stoizismus insbesondere liegt, daß der Mensch nur in sich sei, daß er die *αταραξια*, die imperturbabilitas habe und gegen alles gleichgültig sei, weil er in der Welt gar keine Befriedigung habe. Ebenso wollte auch in den beiden anderen Richtungen der Geist unabhängig und frei sein, aber nur in sich allein. Daher das allgemeine subjektive Denken, das darauf hinauskommt, daß der Mensch nichts glaube, nichts für wahr halte.

DAS MORGENLÄNDISCHE PRINZIP

Die weitere Form, in der das Allgemeine sich geltend macht, ist die, daß es auch als seiend gewußt werde als ein Eines, oder als Subjekt, als der Eine, und daß dieser Eine dann auch als existierend vorgestellt werde. Wir haben diese Form schon im Orient gefunden, aber mit zufälliger Bestimmung. Indem sie in der römischen Welt wieder auftritt, so findet in dieser die Verknüpfung statt zwischen der abstrakten Sprödigkeit des Abendlandes und jener unmittelbaren Allgemeinheit des Orients, die aber nicht nur in der Weise des Gedankens, sondern wesentlich in der Anschauung vorhanden ist. Dies Moment der Unermeßlichkeit in den morgenländischen Anschauungen ist doch überhaupt erst nur Prädikat, nicht Subjekt für sich; die begrenzten Anschauungen werden ins Maßlose erweitert, aber dieses ist noch nicht für sich als das Letzte fixiert. In der persischen Anschauung vom Lichte finden wir solche Bestimmtheit zum ersten Male, aber noch an das Sinnliche geknüpft. Nur bei dem israelitischen Volke kommt das Allgemeine so vor, daß es nur als das Wahrhafte, als das Unsinnliche ist; hier ist es der Gott des Gedankens, er ist das Eine, das Allgemeine, und nur in innerlichen Vorstellungen zu fassen. Aber es ist hier auch nicht bloß die Bestimmung des Einen – dann wäre es nur Prädikat; sondern dies Eine ist das Durchsichseiende, das Subjekt. Doch ist im Judentum diese reine Einheit sogleich wieder mit einem ausschließenden Verhältnis zu einem besonderen Volke behaftet. Die Allgemeinheit, vor der alle Partikularität schwindet, hatten die Juden noch nicht gefaßt. Damit hängt es zusammen, daß diese Religion, der die Unvermischtheit mit der Sinnlichkeit eigentümlich war, stille geblieben ist, bis zugleich das begegnende Moment der absoluten Grenze, der spröden Einzelheit, dies Prinzip des rein Allgemeinen, des Einen, das ganz unsinnlich ist, als sein Extrem gefordert hat.

Das Eine kann auf doppelte Weise in dem Bewußtsein aufgehen, einmal unbewußt wie bei den Kindern, denen man sagt: Gott ist einer, weil dies so leicht zu fassen ist. Das ist die abstrakte Form. Das andere Mal wird das Eine von der Sehnsucht gefordert, die erwacht, wenn die mannigfaltige Endlichkeit vorhanden ist, und die sich aus ihr losmachen will; so tritt es auf als die Negation aller Begrenztheit. In der Weltgeschichte ist jene erste Form, die Weise des unmittelbaren Hervorgehens der Einheit, ihr Aufsteigen im Geiste, bei dem jüdischen Volke vorhanden; es ist die Religion Abrahams. Wie er zu dieser Religion gekommen ist mit Wegscheidung alles Fremdartigen, wissen wir geschichtlich nicht. Weil aber in dieser Religion die Erhebung zu dem Einen unmittelbar ist, so ist sie beschränkt; sie kann nur dann unbeschränkt sein, wenn sie alle Endlichkeiten negiert hat, über alle Vermittlungen hinausgegangen ist. In der jüdischen Religion erscheint diese Beschränktheit darin, daß das Eine keine Bestimmtheit hat und das Konkrete, Bestimmte außer diesem Einen fällt, was sich darin zeigt, daß dies Eine äußerlich auf den Menschen bezogen wird als auf diesen bestimmten. Der Geist wird nur als dies Bestimmte aufgefaßt, und Gott ist nur der Gott des jüdischen Volkes. Doch ist in dieser Religion zugleich auch die Vorstellung der allgemeinen menschlichen Natur aufbewahrt worden, und die Sehnsucht nach einer Versöhnung, einer Innerlichkeit, in der das Subjekt mit dem Einen vereinigt ist, finden wir hier z. B. in den Davidischen Psalmen ausgesprochen.

Wir haben in dem Widerspruch, der die römische Welt zerreißt, die Zucht der Welt erkannt, durch die das Subjekt von sich selbst fort- und zu einer absoluten Grundlage hingezogen wird.

Aber zunächst erscheint dies nur uns als Zucht, und diese ist für die Gezogenen ein blindes Schicksal, dem sie sich im stumpfen Leiden ergeben; es fehlt noch die höhere Bestimmung, daß das Innere selbst zum Schmerz und zur Sehnsucht komme, daß der Mensch nicht nur gezogen werde, sondern daß dies Ziehen sich als ein Ziehen in sich hinein zeige. Was nur unsere Reflexion war, muß dem Subjekte selbst als eigene so aufgehen, daß es sich in sich selbst als elend und nichtig wisse. Das äußerliche Unglück muß, wie schon gesagt, zum Schmerze des Menschen in sich selbst werden: er muß sich als das Negative seiner selbst fühlen, er muß einsehen, daß sein Unglück das Unglück seiner Natur sei, daß er in sich selbst das Getrennte und Entzweite sei. Diese Bestimmung der Zucht in sich selbst, des Schmerzes seiner eigenen Nichtigkeit, des eigenen Elends, der Sehnsucht über diesen Zustand des Inneren hinaus ist anderwärts als in der eigentlichen römischen Welt zu suchen; sie gibt dem jüdischen Volke seine welthistorische Bedeutung und Wichtigkeit, denn aus ihr ist das Höhere aufgegangen, daß der Geist zum absoluten Selbstbewußtsein gekommen ist, indem er sich aus dem Anderssein, welches seine Entzweiung und Schmerz ist, in sich selbst reflektiert. Am reinsten und schönsten finden wir die angegebene Bestimmung des jüdischen Volkes in jenen Davidischen Psalmen und in den Propheten ausgesprochen, wo der Durst der Seele nach Gott, der tiefste Schmerz derselben über ihre Fehler, das Verlangen nach Gerechtigkeit und Frömmigkeit den Inhalt ausmachen. Von diesem Geist findet sich die mythische Darstellung gleich im Anfang der jüdischen Bücher, in der Geschichte des Sündenfalls. Der Sündenfall entsteht dadurch, daß der Mensch, der früher mit Gott eins war, zu dem bloß Natürlichen hinabsinkt. Der Mensch, nach dem Ebenbilde Gottes geschaffen, wird erzählt, habe sein absolutes Befriedigtsein dadurch verloren, daß er von dem Baume des Erkenntnisses des Guten und Bösen gegessen habe. Die Sünde besteht hier nur in der Erkenntnis: diese ist das Sündhafte, und durch sie hat der Mensch sein natürliches Glück verscherzt. Es ist dieses eine tiefe Wahrheit, daß das Böse im Bewußtsein liegt; denn die Tiere sind weder böse noch gut, ebensowenig der bloß natürliche Mensch. Der Sündenfall vollzieht sich im Erkennen; denn nur durch Erkennen wird der Mensch schuldig: das Tier hat keine Schuld. Aber dieses Erkennen hat die Heilung in sich, ebenso auch die Versöhnung des Geistes.

Erst das Bewußtsein gibt die Trennung des Ich, nach seiner unendlichen Freiheit als Willkür, und des reinen Inhalts des Willens, des Guten. Das Erkennen als Aufhebung der natürlichen Einheit ist der Sündenfall, der keine zufällige, sondern die ewige Geschichte des Geistes ist. Denn der Zustand der Unschuld, dieser paradiesische Zustand, ist der tierische. Das Paradies ist ein Park, wo nur die Tiere und nicht die Menschen bleiben können. Denn das Tier ist mit Gott eins, aber nur an sich. Nur der Mensch ist Geist, das heißt, für sich selbst. Dieses Fürsichsein, dieses Bewußtsein ist aber zugleich die Trennung von dem allgemeinen göttlichen Geist. Halte ich mich in meiner abstrakten Freiheit gegen das Gute, so ist dies eben der Standpunkt des Bösen. Der Sündenfall ist daher der ewige Mythus des Menschen, wodurch er eben Mensch wird. Das Bleiben auf diesem Standpunkte ist jedoch das Böse, und diese Empfindung des Schmerzes über sich und der Sehnsucht finden wir bei David, wenn er singt: Herr, schaffe mir ein reines Herz, einen neuen gewissen Geist. Diese Empfindung sehen wir schon in der Erzählung vom Sündenfall vorhanden, wo jedoch noch nicht die Versöhnung, sondern das Verbleiben im Unglück ausgesprochen wird. Doch ist darin zugleich die Prophezeiung der Versöhnung enthalten, namentlich in dem Satze: »Der Schlange soll der Kopf zertreten werden«; aber noch tiefer darin, daß Gott, als er sah, daß Adam von jenem Baume gegessen hatte, sagte: »Siehe, Adam ist worden wie unsereiner, wissend das Gute und das Böse.« Gott bestätigt die Worte der Schlange. An und für sich ist also die Wahrheit, daß der Mensch durch den Geist, durch die Erkenntnis des Allgemeinen und Einzelnen Gott selbst erfaßt. Aber dies spricht Gott erst, nicht der Mensch, welcher vielmehr in der Entzweiung bleibt. Die Befriedigung der Versöhnung ist für den Menschen noch nicht vorhanden, die absolute, letzte Befriedigung des ganzen Wesens des Menschen ist noch nicht gefunden, sondern nur erst für Gott. Das Wort, daß der Mensch geworden sei wie Gott, wird erst in Christo wahr. Solche Vorstellungen und Gedanken finden sich nicht in anderen orientalischen, auch nicht in griechischen Erzählungen. Sie sind die Vernunft in der Form der Vorstellung. In der jüdischen Religion bleibt dies ganz ohne Folge; nirgends im Alten Testament findet sich eine Anspielung auf diese Geschichte, nirgends ein Insichgehen in das Wesen des Menschen.

Vorderhand bleibt das Gefühl des Schmerzes über sich das Letzte des Menschen. Die Befriedigung des Menschen sind zunächst endliche Befriedigungen in der Familie und im Besitze des Landes Kanaan. In Gott ist er nicht befriedigt. Gott werden wohl im Tempel Opfer gebracht, ihm wird gebüßt durch äußerliche Opfer und innere Reue. Diese äußerliche Befriedigung in der Familie und im Besitze aber ist dem jüdischen Volke in der Zucht des Römischen Reiches genommen worden. Die syrischen Könige unterdrückten es zwar schon, aber erst die Römer haben seine Individualität negiert, was schließlich in der Zerstörung des Tempels auf dem Zion gipfelte; seitdem ist das Volk Gottes, das seine Bestimmtheit in dem Dienste des Herrn sah, zerstäubt.

Hier ist also jede Befriedigung genommen und das Volk auf den Standpunkt des ersten Mythus zurückgeworfen, auf den Standpunkt des Schmerzes der menschlichen Natur in ihr selbst. Dem allgemeinen Fatum der römischen Welt steht hier gegenüber das Bewußtsein des Bösen und die Richtung auf den Herrn. Es kommt nur darauf an, daß diese Grundidee zu einem objektiven allgemeinen Sinne erweitert und als das konkrete Wesen des Menschen, als die Erfüllung seiner Natur, genommen werde. Früher galt den Juden als dies Konkrete das Land Kanaan und sie selbst, als das Volk Gottes. Dieser Inhalt ist aber jetzt verloren, und es entsteht daraus das Gefühl des Unglücks und des Verzweifelns an Gott, an den jene Realität wesentlich geknüpft war. Das Elend ist also hier nicht Stumpfheit in einem blinden Fatum, sondern unendliche Energie der Sehnsucht. Der Stoizismus lehrte nur: das Negative ist nicht, und es gibt keinen Schmerz; aber die jüdische Empfindung beharrt vielmehr in der Realität und verlangt darin die Versöhnung; denn sie ruht auf der orientalischen Einheit der Natur, d. i. der Realität, der Subjektivität und der Substanz des Einen. Durch den Verlust der bloß äußerlichen Realität wird der Geist in sich zurückgetrieben; die Seite der Realität wird so gereinigt zum Allgemeinen, durch die Beziehung auf den Einen. Der orientalische Gegensatz von Licht und Finsternis ist hier in den Geist verlegt, und die Finsternis ist hier die Sünde. Es bleibt nun für die negierte Realität nichts übrig als die Subjektivität selbst, der menschliche Wille in sich als allgemeiner; und dadurch allein wird die Versöhnung möglich. Sünde ist Erkennen des Guten und Bösen, als Trennung; das Erkennen heilt aber ebenso den alten Schaden und ist der Quell der unendlichen Versöhnung. Nämlich Erkennen heißt eben das Äußerliche, Fremde des Bewußtseins vernichten und ist so Rückkehr der Subjektivität in sich. Dies nun im realen Selbstbewußtsein der Welt gesetzt ist die Versöhnung der Welt. Aus der Unruhe des unendlichen Schmerzes, in welcher die beiden Seiten des Gegensatzes sich aufeinander beziehen, geht die Einheit Gottes und der als negativ gesetzten Realität, d. i. der von ihm getrennten Subjektivität, hervor. Der unendliche Verlust wird nur durch seine Unendlichkeit ausgeglichen und dadurch unendlicher Gewinn.

DAS PRINZIP DER VERSÖHNUNG

Es ist in der römischen Welt, daß die Bestimmung Gottes, daß er das Eine ist, zum welthistorischen Prinzip wird. Die beiden Prinzipien des Morgen- und des Abendlandes gehen hier zunächst äußerlich durch Eroberung, dann aber auch durch innere

Verarbeitung miteinander zusammen. Es ist schon bemerkt worden, daß die römische Innerlichkeit und Subjektivität, welche sich nur abstrakt als geistlose Persönlichkeit in der Sprödigkeit des Ich zeigte, durch die Philosophie des Stoizismus und Skeptizismus zur Form der Allgemeinheit gereinigt wurde. Es war damit der Boden des Gedankens gewonnen, und Gott wurde als der Eine, Unendliche im Gedanken gewußt. Das Allgemeine ist hier nur als unwichtiges Prädikat, das hiemit nicht Subjekt an sich ist, sondern dafür des konkreten, besonderen Inhaltes bedarf. Das Eine und Allgemeine aber, als das Weite der Phantasie, ist überhaupt morgenländisch; denn dem Morgenlande gehören die maßlosen Anschauungen an, die alles Begrenzte über sich selbst hinaustreiben. Auf dem Boden des Gedankens selbst vorgestellt ist das orientalisch Eine der unsichtbare und unsinnliche Gott des israelitischen Volkes, der aber zugleich für die Vorstellung als Subjekt ist. Dieses Prinzip wird nunmehr welthistorisch. Der Abend hat sich nach einer tieferen Unermeßlichkeit gesehnt und solche im Morgenlande gefunden; Vereinigungen derart haben sich verbreitet und sich in trüber Weise geltend gemacht. Der Isis- und der Mithraskult haben sich um diese Zeit in der ganzen römischen Welt ausgebreitet. Der Geist, in die Endlichkeiten der römischen Welt gebannt, in das Äußerliche und die endlichen Zwecke verloren, hat sich nach dem Einen, dem in und für sich Seienden gesehnt. Er verlangte aber nach einer tieferen, rein innerlichen Allgemeinheit, nach einem Unendlichen, das zugleich die Bestimmtheit in sich hätte. Es tritt hier das Verhältnis dieses Einen zur Welt, zur Natur, zum Subjekt in Frage. Besonders ist es um die Vereinigung des Einen und des Subjekts zu tun. Das sehen wir schon im Stoizismus: das Gute ist das Eine; dieses weiß der Mensch sich zu eigen zu machen. Aber dies Gute ist ein abstraktes Gutes, ein Allgemeines, und was das Gute eigentlich sei, weiß man nicht. Die eigentliche Versöhnung der beiden Prinzipien, des Einen und des Subjekts, ist noch nicht vollbracht.

Vornehmlich wurde Alexandrien der Mittelpunkt, wo beide Prinzipien wissenschaftlich miteinander verarbeitet wurden. Indem das Rätsel, das in der ägyptischen Welt ausgedrückt war, im Gedanken aufgefaßt wurde, so war es gelöst. In Alexandrien, wo die Kommunikation zwischen dem Orient und Okzident ihren Mittelpunkt hatte, wurde das Problem der Zeit für den Gedanken aufgestellt, und die Lösung war jetzt der Geist. Es waren dort gelehrte Juden wie Philo, die ihre Anschauungen des Einen im Gedanken mit den abendländischen Bestimmungen auffaßten und so Gott in seiner Unendlichkeit, in der logischen Reinheit bestimmten. Es ist merkwürdig, wie sie abstrakte Formen des Konkreten, die sie von Plato und Aristoteles erhalten haben, mit ihrer Vorstellung des Unendlichen verbinden und Gott nach dem konkreteren Begriffe des Geistes mit der Bestimmung des Λόγος erkennen. So haben auch die tiefen Denker zu Alexandria die Einheit der Platonischen und Aristotelischen Philosophie begriffen, und ihr spekulativer Gedanke gelangte zu den abstrakten Ideen, welche ebenso der Grundinhalt der christlichen Religion sind. Höchst interessant ist die Geschichte dieser Zeit besonders, nachdem durch die christliche Lehre dem Gedanken neue Anregungen gegeben waren. In Ägypten und Syrien entstanden unzählige Sekten, die von ein und demselben Triebe beseelt waren und mit ein und derselben Sehnsucht ein und dasselbe produzierten und erlangten, oft in bewundernswürdigen Erfindungen das Wahre trafen, es aber auch wieder durch bizarre Vorstellungen entstellten. Hieher gehören auch die allegorischen Vorstellungen der griechischen Mythologen, die damals begannen und keinen anderen Zweck hatten, als in das Sinnliche den Gedanken hineinzuarbeiten. Die Philosophie hatte bei den Heiden schon die Richtung genommen, daß die Ideen, welche man als die wahren erkannte, als Forderungen an die heidnische Religion gebracht wurden. Plato hatte die Mythologie gänzlich verworfen und wurde mit seinen Anhängern des Atheismus angeklagt. Die Alexandriner dagegen versuchten in den griechischen Götterbildern eine spekulative Wahrheit aufzuweisen, und der Kaiser Julianus Apostata hat diese Seite dann wieder aufgenommen, indem er behauptete, die heidnischen Gottesdienste seien mit der Vernünftigkeit eng verbunden. Die Heiden wurden gleichsam dazu gezwungen, auch ihre Götter nicht bloß als sinnliche Vorstellungen ansehen zu lassen, und so haben sie es versucht, dieselben zu vergeistigen. Auch ist so viel gewiß, daß die griechische Religion eine Vernunft enthält; denn die Substanz des Geistes ist die Vernunft, und sein Erzeugnis muß ein vernünftiges sein. Nur ist ein Unterschied, ob die Vernunft in der Religion expliziert oder ob sie nur dunkel und als Grundlage darin vorhanden ist.

Diese Idee hat darum auch nicht nur auf solche unvollständige Weise zur Erscheinung kommen können; sie hat sich rein und vollständig darstellen und sich auch zur Anschauung bringen müssen. Der Geist muß sich zum Einen erheben, seine Befriedigung muß vollzogen werden. Die abstrakte Innerlichkeit des Subjekts muß sich objektivieren. Das Eine ist das Objektive; es ist für die Subjektivität ein Äußeres, gegen ihre Endlichkeit ein Unendliches. Das Gefühl dieses Gegensatzes ist schmerzlich; seine Versöhnung aber entsteht nur in der Gewißheit, mit dem Einen verwandt zu sein und es in sich aufnehmen zu können. Der Friede dieser Versöhnung besteht in der Vereinigung des Unendlichen und des Endlichen. Das Bedürfnis danach ist das

Bewußtsein der Einheit beider Extreme. Dazu gehört die absolute Möglichkeit dieser Versöhnung oder die Einheit der göttlichen und menschlichen Natur; diese Einheit muß möglich, d. h. beide müssen an sich identisch sein. Die Einheit selbst aber ist wiederum Gott; denn wenn das Eine nur die eine Seite ausmachte und draußen stehenbliebe, so hätte es sich ein anderes gegenüber und wäre somit gar nicht unendlich.

Der Mensch, wie er seiner Natur nach ist, steht nicht in dieser Einheit; nicht von Natur ist er gut, sondern seine bloße Natürlichkeit ist die Ungeistigkeit, und erst dadurch, daß er diese wegarbeitet, kommt er zur Versicherung jener Einheit, zum Glauben. Hierin, in diesem mystischen Wesen, in dieser Einheit mit Gott, ist ihm wohl. Erst durch die Befreiung von seiner Natürlichkeit kommt er in die Einheit mit Gott.

Die Identität des Subjekts und Gottes kommt in die Welt, als die Zeit erfüllt war: das Bewußtsein dieser Identität ist das Erkennen Gottes in seiner Wahrheit. Der Inhalt der Wahrheit ist der Geist selbst, die lebendige Bewegung in sich selbst. Die Natur Gottes, reiner Geist zu sein, wird dem Menschen in der christlichen Religion offenbar. Was ist aber der Geist? Er ist das Eine, sich selbst gleiche Unendliche, die reine Identität, welche zweitens sich von sich trennt, als das andere ihrer selbst, als das Fürsich- und Insichsein gegen das Allgemeine. Diese Trennung ist aber dadurch aufgehoben, daß die atomistische Subjektivität, als die einfache Beziehung auf sich, selbst das Allgemeine, mit sich Identische ist. Sagen wir so, daß der Geist die absolute Reflexion in sich selbst durch seine absolute Unterscheidung ist, die Liebe als Empfindung, das Wissen als der Geist, so ist er als der dreieinige aufgefaßt: der Vater und der Sohn, und dieser Unterschied in seiner Einheit als der Geist. Weiter ist nun zu bemerken, daß in dieser Wahrheit die Beziehung des Menschen auf diese Wahrheit selbst gesetzt ist. Denn der Geist stellt sich als sein anderes sich gegenüber und ist aus diesem Unterschiede Rückkehr in sich selbst. Das andere in der reinen Idee aufgefaßt ist der Sohn Gottes, aber dies andere in seiner Besonderung ist die Welt, die Natur und der endliche Geist: der endliche Geist ist somit selbst als ein Moment Gottes gesetzt. So ist der Mensch also selbst in dem Begriffe Gottes enthalten, und dies Enthaltensein kann so ausgedrückt werden, daß die Einheit des Menschen und Gottes in der christlichen Religion gesetzt sei. Diese Einheit darf nicht flach aufgefaßt werden, als ob Gott nur Mensch und der Mensch ebenso Gott sei, sondern der Mensch ist nur insofern Gott, als er die Natürlichkeit und Endlichkeit seines Geistes aufhebt und sich zu Gott erhebt. Für den Menschen nämlich, der der Wahrheit teilhaftig ist und das weiß, daß er selbst Moment der göttlichen Idee ist, ist zugleich das Aufgeben seiner Natürlichkeit gesetzt, denn das Natürliche ist das Unfreie und Ungeistige. In dieser Idee Gottes liegt nun auch die Versöhnung des Schmerzes und des Unglücks des Menschen in sich. Denn das Unglück ist selbst nunmehr als ein notwendiges gewußt, zur Vermittlung der Einheit des Menschen mit Gott.

DIE GERMANISCHE WELT

Die subjektive Schwierigkeit bei der neueren Geschichte ist, daß wir selbst diese Materie und also nicht unbefangen sind. Die objektive Schwierigkeit entsteht dadurch, daß die Zwecke des partikulären, subjektiven Willens hier befriedigt werden. Das letzte Ziel ist die Vereinigung des Anundfürsichseins und der partikulären Zwecke. Im Anfange kann die Partikularität noch nicht mit dem absoluten Endzwecke eins sein, sondern die partikulären Zwecke sind noch verschieden und der partikuläre Wille verkennt seinen absoluten Endzweck. Er ist im Kampfe, er will dies, verkennt aber sein wahrhaftes Inneres. In diesem Kampfe bekämpft er das, was er wahrhaft will, und bewirkt es so selbst. Der Wille ist getrieben von dem Wahrhaften; aber er ist noch trübe, und so müssen wir oft dies gerade auf die entgegengesetzte Weise beurteilen, als es in der Geschichte der Völker erscheint. Wir finden daher, daß Individuen und Völker das, was ihr Unglück ist, für ihr größtes Glück ansehen und umgekehrt, was ihr Glück ist, als ihr größtes Unglück bekämpfen. La vérité, en la repoussant, on l'embrasse. Europa kommt zur Wahrheit, indem und insofern es sie zurückgestoßen hat. In dieser Bewegung ist es, daß die Vorsehung im eigentlichen Sinne regiert, indem sie aus Unglück, Leiden, aus partikulären Zwecken und dem unbewußten Willen der Völker ihren absoluten Zweck und ihre Ehre vollführt.

Die Idee herrscht also hier in der Weise der Vorsehung, die mit dem widerstrebenden Wollen der Völker ihre Zwecke vollführt. Bei den Griechen und Römern ist beides nicht so geschieden, sondern sie haben mehr das richtige, das sich nicht verkennende Bewußtsein dessen, was sie wollen und sollen. In der neueren Geschichte ist ein Wechsel der mannigfaltigen Begebenheiten, die am Ende ein Resultat haben, das doch schon der innere Trieb war. Hiernach ist ihre Wichtigkeit zu beurteilen, und so können Begebenheiten, die mit Aufwand von Genie betrieben werden, doch als unbedeutend erscheinen, weil sie kein Resultat haben.

Der Boden des germanischen Reiches ist das westliche Europa. Die Weltgeschichte tritt hier auf ein ganz neues Theater, das erst Cäsar ihr aufgeschlossen hat. Im Nordosten von Europa haben sich die Slawen gelagert, von deren Ursprung wir wenig wissen. Wir finden sie an der Elbe, der Saale entlang durch Thüringen zur Donau hin, auch südlich von ihr und die Donau hinunter, ja auch am Rhein. Zwischen sie haben sich die Ungarn gedrängt. Diese Masse von Slawen hat sich neben den Germanen hingelagert; das ganze Element aber tritt in der Reihe der Entwickelung des Geistes noch nicht auf, und wir brauchen uns dabei nicht aufzuhalten.

Das übrige westliche Europa haben die germanischen Völker eingenommen; was sie vereinigt, ist das Christentum. Die Grundlage des Staates und der Verfassung bei ihnen ist die Entwickelung der Freiheit. Die eigentümliche Weise dieses Prozesses haben wir zu betrachten. Sehr wichtig ist hier zu bemerken, wie verschieden der Gang der Ausbildung der Germanen von dem der Griechen und Römer war. Die Germanen haben den Trieb einer Entwickelung durch eine fremde Kultur erhalten: ihre Bildung, ihre Gesetze und Religion sind fremd. Die Entwickelung hat also mit dem Äußerlichen begonnen, und erst später erfolgte das Insichgehen. Die germanischen Völker waren, als sie sich über die römische Welt verbreiteten, in der Kultur noch ganz zurück. Die Gemeinschaft der Nationen war sehr oberflächlich, und die Hauptbedingung war die Selbständigkeit des Individuums. Die Politik war den Germanen so fremd, daß sie auf die Aufforderung des Cäsar hin die Trevirer, die doch ihrer Nation angehörten, bloß der Beute wegen überfielen. Dasselbe bewog sie aber auch, die Römer in ihrem Lager anzugreifen.

Die germanische Welt hat die römische Bildung und Religion als fertig aufgenommen. Es war wohl eine deutsche und nordische Religion vorhanden, aber sie hatte auf keine Weise feste Wurzeln im Geiste gefaßt. Vom Norden her sind uns noch mythische Traditionen erhalten worden, doch wissen wir nicht, wo diese Vorstellungen eigentlich zu Hause sind und bis wohin sie sich erstrecken. Die christliche Religion nun, welche sie annahmen, war durch die Konzilien und Kirchenväter, welche die ganze Bildung, insbesondere die Philosophie der griechischen und römischen Welt besaßen, ein fertiges dogmatisches System geworden, so wie die Kirche eine ganz ausgebildete Hierarchie. Der eignen Volkssprache der Germanen setzte ebenso die Kirche eine ganz ausgebildete, die lateinische, entgegen. In Kunst und Philosophie war dieselbe Fremdartigkeit. Was an der alexandrinischen und formell Aristotelischen Philosophie in den Schriften des Boëthius und sonst noch aufbewahrt war, das ist nun das Bleibende auf viele Jahrhunderte für das Abendland geworden. Auch in der Form der weltlichen Herrschaft war derselbe Zusammenhang: gotische und andere Fürsten ließen sich Patrizier

verloren, aber nicht seine Religion, seine Gesetze, das Konkrete seines Lebens.

Die Richtung der Staaten also geht ebenso auf ihre Einheit. Sie haben eine Richtung untereinander, eine Beziehung, die Kriege, Freundschaften, Bedürfnisse der Dynastien herbeiführt. Es herrscht aber noch eine andere Einheit; denn jenes entspricht der griechischen Hegemonie, hier aber ist das Hegemonische der Geist. Von dieser Art ist in früher Zeit die Einheit des fränkischen Reiches unter Karl dem Großen. Das Verhältnis jener Selbständigkeit und dieser Einheit ist bald nach der einen, bald nach der anderen Seite überwiegend.

Das Ganze der christlichen Staaten nun ist nach außen gerichtet als eine einheitliche Welt der Vollendung, wo das Prinzip erfüllt ist. Dies Verhältnis nach außen ist ein ganz anderes als bei den Griechen und Römern. Die Griechen und Römer waren gereift in sich, als sie sich nach außen wendeten. Umgekehrt haben die Germanen damit angefangen, aus sich herauszuströmen, die Welt zu überschwemmen und die in sich morschen und ausgehöhlten Staaten der gebildeten Völker sich zu unterwerfen. Dann erst hat ihre Entwickelung begonnen, angezündet an einer fremden Kultur, fremden Religion, Staatsbildung und Gesetzgebung. Sie haben sich durch das Aufnehmen und Überwinden des Fremden in sich gebildet, und ihre Geschichte ist vielmehr ein Insichgehen und Beziehen auf sich selbst. Allerdings hat auch die Abendwelt in den Kreuzzügen, in der Entdeckung und Eroberung von Amerika sich außerhalb begeben, aber sie kam da nicht in Berührung mit einem ihr vorangegangenen welthistorischen Volke, sie verdrängte da nicht ein Prinzip, das bisher die Welt beherrscht hatte. Die Beziehung nach außen begleitet hier nur die Geschichte, bringt nicht wesentliche Veränderungen in der Natur der Zustände mit sich, sondern trägt vielmehr das Gepräge der inneren Evolutionen an sich.

Die Kirche zwar weist auf das Jenseits hin und macht Vorbereitungen für die Zukunft, aber nur für die Partikularitäten; die Individuen werden auf die Ewigkeit vorbereitet, insofern die einzelnen Subjekte als solche immer noch in der Partikularität stehen. Aber die Kirche hat auch den Geist Gottes gegenwärtig in sich und sagt dem Individuum: deine Sünden sind dir vergeben; – so hat es den Genuß der Versöhnung und lebt auf Erden wie im Himmel. Die Kirche ist nach dieser Seite das gegenwärtige Himmelreich und die christliche Welt die Welt der Vollendung; das Prinzip ist erfüllt, und damit ist das Ende der Tage voll geworden: die Idee kann im Christentume nichts Unbefriedigtes mehr sehen. So hat die Christenheit kein wahrhaftes Verhältnis nach außen; sie hat kein absolutes Außen mehr, sondern nur ein relatives, das an sich überwunden ist und in Ansehung dessen es nur darum zu tun ist, auch zur Erscheinung zu bringen, daß es überwunden ist. So zeigt sich das Verhältnis nach außen gerade darin, daß jenes Außen überwunden ist. Dagegen der Mohammedanismus ist solch ein nach außen Gerichtetes. Mit dem Eintritt des christlichen Prinzips ist die Erde für den Geist geworden; die Welt ist umschifft und für die Europäer ein Rundes. Was noch nicht von ihnen beherrscht wird, ist entweder nicht der Mühe wert oder aber noch bestimmt, beherrscht zu werden. Das Verhältnis nach außen ist so nicht mehr das Bestimmende; die Revolutionen gehen im Innern vor.

Hieraus folgt, daß die Perioden in der Geschichte der germanischen Welt nicht wie bei den Griechen und Römern durch die doppelte Beziehung nach außen, rückwärts zu dem früheren welthistorischen Volke und vorwärts zu dem späteren, sich bestimmen. Ein ganz anderes Prinzip ist hier das entscheidende.

Der germanische Geist ist der Geist der neuen Welt, deren Zweck die Realisierung der absoluten Wahrheit als der unendlichen Selbstbestimmung der Freiheit ist, der Freiheit, die ihre absolute Form selbst zum Inhalte hat. Diese Idee soll nun in Gegenwart des Selbstbewußtseins in die wirkliche Welt eingebildet werden. Das Prinzip des germanischen Reiches soll der christlichen Religion angemessen sein. Die Bestimmung der germanischen Völker ist, Träger des christlichen Prinzips abzugeben. Der Grundsatz der geistigen Freiheit sowohl in weltlicher als religiöser Hinsicht, das Prinzip der Versöhnung, wurde in die noch unbefangenen, ungebildeten Gemüter jener Völker gelegt, und es wurde diesen aufgegeben, im Dienste des Weltgeistes den Begriff der wahrhaften Freiheit nicht nur zur religiösen Substanz zu haben, sondern sich auch durch ihn zu gestalten, damit der wahrhafte Begriff in ihnen realisiert und in der Welt aus dem subjektiven Selbstbewußtsein frei produziert werde.

Dieser Aufgabe gemäß lassen sich die drei Perioden dieser Welt beschreiben und die Epochen angeben, mit denen sie eintreten.

Die erste Epoche bildet das Auftreten der germanischen Nationen im römischen Reiche; mit ihr beginnt die Periode der ersten Entwickelung dieser Völker, welche sich als christliche nun in den Besitz des Abendlandes gesetzt haben. Ihre Erscheinung bietet bei der Wildheit und Unbefangenheit dieser Völker kein großes Interesse dar. Es herrscht zuerst die rohe Einheit des Geistigen und Weltlichen, die unmittelbar und sehr verschieden von der aus dem Geiste hervorgebrachten ist. Es tritt dann die christliche Welt als Christentum auf, als eine Masse, woran das Geistliche und das Weltliche nur verschiedene Seiten sind. Diese Periode geht bis auf Karl den Großen.

Die zweite Periode entwickelt die beiden Seiten bis zur konsequenten Selbständigkeit und zum Gegensatze – der Kirche für sich als Theokratie und des Staates für sich als Feudalmonarchie. Den epochemachenden Anfang bildet Karls des Großen Herrschaft der Franken; im ganzen das allgemeine Reich über die Germanen, das dann im Zusammenhange römisches Kaisertum ist. Karl der Große hatte sich mit dem Heiligen Stuhl gegen die Langobarden und die Adelsparteien in Rom verbunden; es kam so eine Verbindung der geistlichen und weltlichen Macht zustande, und es sollte nun, nachdem die Versöhnung vollbracht war, sich ein Himmelreich auf Erden auftun. Aber gerade in dieser Zeit erscheint uns statt des geistigen Himmelreichs die Innerlichkeit des christlichen Prinzips schlechthin als nach außen gewendet und außer sich gekommen. Die christliche Freiheit ist zum Gegenteil ihrer selbst verkehrt, sowohl in religiöser als in weltlicher Hinsicht, einerseits zur härtesten Knechtschaft, anderseits zur unsittlichsten Ausschweifung und zur Roheit aller Leidenschaften. Dieser Durchgang durch die Unterscheidung ist zur Bildung notwendig: der Geist muß sich als ein anderes wissen, das außer ihm ist. In dieser Periode sind besonders zwei Gesichtspunkte hervorzuheben: der eine ist die Bildung der Staaten, die sich in einer Unterordnung des Gehorsams darstellen, so daß alles ein festes partikulares Recht wird, ohne den Sinn der Allgemeinheit. Diese Unterordnung des Gehorsams erscheint im Feudalsystem. Der zweite Gesichtspunkt ist der Gegensatz von Kirche und Staat. Dieser Gegensatz ist nur darum vorhanden, weil die Kirche, welche das Heilige zu verwalten hatte, selbst zu aller Weltlichkeit herabsinkt, und die Weltlichkeit nur um so verabscheuungswürdiger erscheint, als alle Leidenschaften sich die Berechtigung der Religion geben.

Das Ende der zweiten und zugleich den Anfang der dritten Periode, die dritte Epoche in dieser Entwicklung, macht die Zeit der Regierung Karls des Fünften, in der ersten Hälfte des 16. Jahrhunderts, die Zeit der großen spanischen Monarchie. Gegen die erste reale Einheit ist diese als die ideelle zu bestimmen. Es erscheint nun die Weltlichkeit als in sich zu dem Bewußtsein kommend, daß auch sie ein Recht habe in der Sittlichkeit, Rechtlichkeit, Rechtschaffenheit und Tätigkeit des Menschen. Hier ist alle Partikularität in den Privilegien und besonderen Rechten fest geworden, die verschiedenen Reiche, Staaten und darin die einzelnen Stände. Wie diese im Innern der Staaten nach ihren besonderen Berechtigungen isoliert sind, so stehen auch die Staaten einander isoliert gegenüber. Ihre Beziehung nach außen ist bloß politisch-diplomatisch; es tritt die Vorstellung von dem Gleichgewichte in Europa ein. Diese Einheit aber ist nur eine äußerliche oder in untergeordneter Bedeutung ideelle.

Die höhere ideelle Bedeutung ist die des Geistes, der aus der Dumpfheit des Bewußtseins in sich zurückgeht. Es tritt das Bewußtsein der Berechtigung seiner selbst durch die Wiederherstellung der christlichen Freiheit ein. Das christliche Prinzip hat nun die fürchterliche Zucht der Bildung durchgemacht, und durch die Reformation wird ihm seine Wahrheit und Wirklichkeit zuerst gegeben. Es ist die Zeit, wo die Welt sich noch in ihrem äußeren Umfange klar wird durch die Entdeckung von Amerika. Sie wird in sich auch innerhalb der übersinnlichen Welt klar; es ist reale Religion, die sich in der Kunst zur sinnlichen Klarheit macht, dann aber auch im Gegenteil, im Elemente des innersten Geistes durch die Reformation sich vollbringt. Diese dritte Periode der germanischen Welt geht von der Reformation bis auf unsere Zeiten. Das Prinzip des freien Geistes ist hier zum Panier der Welt gemacht, und aus diesem Prinzip entwickeln sich die allgemeinen Grundsätze der Vernunft. Das formelle Denken, der Verstand war schon ausgebildet worden, aber seinen wahren Gehalt erhielt das Denken erst durch die Reformation, durch das wiederauflebende konkrete Bewußtsein des freien Geistes. Der Gedanke fing erst von daher an, seine Bildung zu bekommen; aus ihm heraus wurden Grundsätze festgestellt, aus welchen die Staatsverfassung rekonstruiert werden mußte. Das Staatsleben soll nun mit Bewußtsein, der Vernunft gemäß, eingerichtet werden. Sitte, Herkommen gilt nicht mehr, die verschiedenen Rechte müssen sich legitimieren als auf vernünftigen Grundsätzen beruhend. So kommt die Freiheit des Geistes erst zur Realität.

Wir können diese Perioden als Reiche des Vaters, des Sohnes und des Geistes unterscheiden. Das Reich des Vaters ist die substantielle, ungeschiedene Masse, in bloßer Veränderung, wie die Herrschaft Saturns, der seine Kinder verschlingt. Das Reich des Sohnes ist die Erscheinung Gottes nur in Beziehung auf die weltliche Existenz, auf sie als auf ein Fremdes scheinend. Das Reich des Geistes ist die Versöhnung.

Es lassen sich diese Perioden auch mit den früheren Weltreichen vergleichen; insofern nämlich das germanische Reich als das der Totalität anzusehen ist, so zeigt sich darin auch die bestimmte Wiederholung der früheren Epochen. Karls des Großen Zeit ist mit dem Perserreiche zu vergleichen; es ist das Reich der Herrschaft überhaupt und näher das der substantiellen Einheit, hier aber nicht mehr in der orientalischen Bedeutung, sondern so, daß diese Einheit auf dem Innern, dem Gemüte beruht als eine unbefangene Einheit des Geistigen (als innerlich Geistigen) und des kirchlich Weltlichen. Die Epoche der Reformation kann man mit der griechischen Welt zur Zeit des Perikles vergleichen. Wie Luther dem Sokrates, so könnte Leo X. dem Perikles verglichen werden; aber freilich fehlt dieser Epoche in Wahrheit ein Perikles. Karl V. hat die ungeheure Möglichkeit an äußeren Mitteln und scheint in seiner Macht absolut, aber ihm fehlt der innere Geist, das absolute Mittel freier Herrschaft. Dies ist die Epoche des sich selbst klarwerdenden Geistes in der realen Trennung; jetzt kommen die Unterschiede der germanischen Welt hervor und zeigen sich wesentlich.

Die dritte Periode, die der neuesten Zeit, unserer Zeit, ist zu vergleichen mit der römischen Welt. Sie ist ebenso Einheit des Allgemeinen, aber nicht Einheit der abstrakten Weltherrschaft, sondern die Hegemonie des selbstbewußten Gedankens, der das Allgemeine will und weiß und die Welt regiert. Der verständige Zweck des Staates ist jetzt vorhanden; Privilegien und Partikularitäten zerschmelzen, und so haben die Völker das Recht, nicht Vorrechte, sondern das Recht zu wollen. Das Bindende für die Völker sind hiermit nicht Traktate, sondern Grundsätze, das Recht an und für sich. Ebenso kann die Religion es aushalten, den Gedanken, das absolute Wesen, zu begreifen oder sich, wenn sie das nicht hat, aus der Äußerlichkeit des reflektierenden Verstandes zurückzuziehen in den Glauben, ja, aus Verzweiflung über den Gedanken, indem sie ganz von ihm zurückflieht, auch in den Aberglauben: eben dies aber ist auch durch den Gedanken hervorgebracht.

EUROPA UM 1820: HEGELS GEGENWART

Die Erneuerung der Monarchie hat Frankreich die Ruhe nicht bringen können. Wieder erschien hier der Gegensatz der Gesinnung und des Mißtrauens. Die Franzosen waren in der Lüge gegeneinander, wenn sie Adressen voll Ergebenheit und Liebe zur Monarchie, voll des Segens derselben erließen. Es wurde eine fünfzehnjährige Farce gespielt. Wenn nämlich auch die Charte das allgemeine Panier war und beide Teile sie beschworen hatten, so war doch die Gesinnung auf der einen Seite eine katholische, die es sich zur Gewissenssache machte, die vorhandenen Institutionen zu vernichten. Es ist so wieder ein Bruch geschehen, und die Regierung ist gestürzt worden. Endlich nach vierzig Jahren von Kriegen und unermeßlicher Verwirrung könnte ein altes Herz sich freuen, ein Ende derselben und eine Befriedigung eintreten zu sehen; man könnte sich die Hoffnung machen, daß eine dauernde Versöhnung zustande kommen würde. Allein, wenn auch jetzt ein Hauptpunkt ausgeglichen worden, so bleibt einerseits immer noch dieser Bruch von seiten des katholischen Prinzips, anderseits der der subjektiven Willen. In der letzteren

Beziehung besteht die Haupteinseitigkeit noch, daß der allgemeine Wille auch der empirisch allgemeine sein soll, d. h. daß die einzelnen als solche regieren oder am Regiment teilnehmen sollen. Die subjektiven Willen der Vielen sollen gelten: diese Abstraktion wird festgehalten und befindet sich immer im Gegensatz gegen das Vorhandene. Nicht zufrieden, daß vernünftige Rechte, Freiheit der Person und des Eigentums gelten, daß eine Organisation des Staates und in ihr Kreise des bürgerlichen Lebens sind, die selbst Geschäfte auszuführen haben, daß die Verständigen Einfluß haben im Volke und Zutrauen in diesem herrscht, setzt der Liberalismus allem diesem das Prinzip der Atome, der Einzelwillen entgegen: alles soll durch ihre ausdrückliche Macht und ausdrückliche Einwilligung geschehen. Mit diesem Formellen der Freiheit, mit dieser Abstraktion lassen sie nichts Festes von Organisation aufkommen. Den besonderen Verfügungen der Regierung stellt sich sogleich die Freiheit entgegen; denn sie sind besonderer Wille, also Willkür. Der Wille der Vielen stürzt das Ministerium, und die bisherige Opposition tritt nunmehr ein; aber diese, insofern sie jetzt Regierung ist, hat wieder die Vielen gegen sich. So geht die Bewegung und Unruhe fort. Diese Kollision, dieser Knoten, dieses Problem ist es, an dem die Geschichte steht und das sie in künftigen Zeiten zu lösen hat.

In den Ländern der evangelischen Kirche ist die Revolution vorbei, weil das Prinzip vorhanden ist, daß durch Einsicht und Bildung zu geschehen hat, was geschehen soll. Es ist hier kein absoluter Widerstand gegen den Gedanken des Staatszwecks. In den andern Ländern aber ist, was den Bestimmungen des Staatszweckes zuwider ist, dennoch auch absolut berechtigt, die Sittlichkeit der Kirche, so daß es dem Staate Widerstand leistet. Nach ihrer äußern Verfassung sind die protestantischen Länder sehr verschieden, z. B. Dänemark, die Niederlande, England, Preußen; aber das wesentliche Prinzip ist vorhanden, daß alles, was im Staate gelten soll, von der Einsicht ausgehen muß und dadurch berechtigt ist.

Den romanischen Nationen stehen also die andern und besonders die protestantischen gegenüber. Österreich und England sind aus dem Kreise der inneren Bewegung herausgeblieben und haben große, ungeheure Beweise ihrer Festigkeit in sich gegeben. Österreich ist nicht ein Königtum, sondern ein Kaisertum, d. h. ein Aggregat von vielen Staatsorganisationen, die selbst königliche sind. Diese Staaten sind wenig berühmt und stehen hinter dem zivilisierten Europa sehr weit an Bildung zurück. Die hauptsächlichsten dieser Länder sind nicht germanischer Natur und unberührt von neuen Ideen geblieben. Weder durch Bildung noch durch Religion gehoben, sind teils die Untertanen in der

Leibeigenschaft und die Großen deprimiert geblieben wie in Böhmen, teils setzen bei demselben Zustand der Untertanen die Großen ihre Freiheit in eine Gewaltherrschaft wie in Ungarn. Österreich hat die engere Verbindung mit Deutschland durch die kaiserliche Würde aufgegeben und sich der vielen Besitzungen und Rechte in Deutschland und in den Niederlanden entschlagen. Es ist nun in Europa als eine politische Macht für sich.

England hat sich ebenso mit großen Anstrengungen auf seinen alten Grundlagen erhalten; die englische Verfassung ist im ganzen seit der Feudalherrschaft dieselbe geblieben und beruht fast nur auf alten Privilegien. Die formelle Freiheit in dem Besprechen aller Staatsangelegenheiten ist daselbst im höchsten Grade vorhanden. Doch steht gegen jenes Besprechen die Partikularität der Rechte durch alle Klassen und Stände hindurch fest. Die Verfassung hat sich bei der allgemeinen Erschütterung behauptet, obwohl diese ihr um so näher lag, als in ihr selbst schon, durch das öffentliche Parlament, durch die Gewohnheit öffentlicher Versammlungen von allen Ständen, durch die freie Presse die Möglichkeit leicht war, den französischen Grundsätzen der Freiheit und Gleichheit bei allen Klassen des Volkes Eingang zu verschaffen. Ist die englische Nation in ihrer Bildung zu stumpf gewesen, um diese allgemeinen Grundsätze zu fassen? Aber in keinem Lande hat mehr Reflexion und öffentliches Besprechen über Freiheit stattgefunden. Oder ist die englische Verfassung so ganz eine Verfassung der Freiheit schon gewesen, waren jene Grundsätze in ihr schon realisiert, daß sie keinen Widerstand, ja selbst kein Interesse mehr erregen konnten? Die englische Nation hat der Befreiung Frankreichs wohl Beifall gegeben, war aber ihrer eigenen Verfassung und ihrer Freiheit mit Stolz gewiß, und statt das Fremde nachzuahmen, hat sie die eingewohnte feindselige Haltung dagegen behauptet und ist bald in einen populären Krieg mit Frankreich verwickelt worden.

Englands Verfassung ist aus lauter partikulären Rechten und besonderen Privilegien zusammengesetzt: die Regierung ist wesentlich verwaltend, das ist, das Interesse aller besonderen Stände und Klassen wahrnehmend, und diese besonderen Kirchen, Gemeinden, Grafschaften, Gesellschaften sorgen für sich selbst, so daß die Regierung eigentlich nirgend weniger zu tun hat als in England. Aber auf diesem Zustande der Partikularität beruht es allein, daß England eine Regierung besitzt, wie Frankreich sie nicht hat. Denn dieser Zustand ist hauptsächlich das, was die Engländer ihre Freiheit nennen; und er ist das Gegenteil der Zentralisation der Verwaltung, wie sie in Frankreich ist, wo bis auf das kleinste Dorf herunter der Maire vom Ministerium oder dessen Unterbeamten ernannt wird. Nirgend weniger als in Frankreich kann man es ertragen, andere etwas tun zu lassen: das Ministerium vereinigt dort alle Verwaltungsgewalt in sich, welche wieder die Deputiertenkammer in Anspruch nimmt. In England dagegen hat jede Gemeinde, jeder untergeordnete Kreis und Assoziation das Ihrige zu tun. Das allgemeine Interesse ist auf diese Weise konkret, und das partikuläre wird darin gewußt und gewollt. Diese Einrichtungen des partikulären Interesses lassen durchaus kein allgemeines System zu. Daher auch abstrakte und allgemeine Prinzipien den Engländern nichts sagen und ihnen leer in den Ohren liegen.

Diese partikulären Interessen haben ihre positiven Rechte, die aus den alten Zeiten des Feudalrechts herstammen und sich in England mehr als in irgendeinem Lande erhalten haben. Sie sind, mit der höchsten Inkonsequenz, zugleich das höchste Unrecht, und von Institutionen der reellen Freiheit ist nirgends weniger als gerade in England. Im Privatrecht sind sie auf unglaubliche Weise zurück; das Eigentum spielt eine große, ja eine fast absolute Rolle. Man denke nur an die Majorate, wobei den jüngeren Söhnen Offiziers- oder geistliche Stellen gekauft und verschafft werden; sogar bei den Parlamentswahlen verkaufen die Wähler ihre Stimmen. Es ist die Frage, ob, wenn die jetzt eingebrachte Reformbill passiert, diese Partikularitäten noch lange werden aushalten können, zugleich aber ob die vorgeschlagene Reform, falls sie konsequent durchgeführt werden sollte, die Möglichkeit einer Regierung überhaupt noch zulassen wird.

Das Parlament regiert, wenn es auch die Engländer nicht dafür ansehen wollen. Nun ist zu bemerken, daß, was man zu allen Zeiten für die Periode der Verdorbenheit eines republikanischen Volkes gehalten hat, hier der Fall ist, nämlich, daß die Wahlen ins Parlament durch Bestechung erlangt werden. Aber auch dies heißt Freiheit bei ihnen, daß man seine Stimme verkaufen und daß man seinen Sitz im Parlament sich kaufen könne. – Aber dieser ganz vollkommen inkonsequente und verdorbene Zustand hat doch den Vorteil, daß er die Möglichkeit einer Regierung begründet, d. i. eine Majorität von Männern im Parlament, die Staatsmänner sind, die von Jugend auf sich den Staatsgeschäften gewidmet und in ihnen gearbeitet und gelebt haben. Und die Nation hat den richtigen Sinn und Verstand, zu erkennen, daß eine Regierung sein müsse, und deshalb einem Verein von Männern ihr Zutrauen zu geben, die im Regieren erfahren sind; denn der Sinn der Partikularität erkennt auch die allgemeine Partikularität der Kenntnis, der Erfahrung, der Geübtheit an, welche die Aristokratie, die sich ausschließlich solchem Interesse widmet, besitzt. Dies ist dem Sinne der Prinzipien und der Abstraktion ganz entgegengesetzt, die jeder sogleich in Besitz nehmen kann, und die ohnehin in allen Konstitutionen und Charten stehen.

Englands materielle Existenz ist auf den Handel und die Industrie begründet, und die Engländer haben die große Bestimmung übernommen, die Missionarien der Zivilisation in der ganzen Welt zu sein; denn ihr Handelsgeist treibt sie, alle Meere und alle Länder zu durchsuchen, Verbindungen mit den barbarischen Völkern anzuknüpfen, in ihnen Bedürfnisse und Industrie zu erwecken und vor allem die Bedingungen des Verkehrs bei ihnen herzustellen, nämlich das Aufgeben von Gewalttätigkeiten, den Respekt vor dem Eigentum und die Gastfreundschaft. In Ansehung der wissenschaftlichen Bildung ist England gegen andere Staaten weit zurück, obgleich ihm die ungeheuren Mittel der industriellen Produktion zu Gebote stehen.

Deutschland wurde von den siegreichen französischen Heeren durchzogen, aber die deutsche Nationalität schüttelte diesen Druck ab. Ein Hauptmoment in Deutschland sind die Gesetze des Rechts, welche allerdings durch die französische Unterdrückung veranlaßt wurden, indem die Mängel früherer Einrichtungen dadurch besonders ans Licht kamen. Die Lüge eines Reichs ist vollends verschwunden. Es ist in souveräne Staaten auseinandergefallen. Die Lehnsverbindlichkeiten sind aufgehoben, die Prinzipien der Freiheit des Eigentums und der Person sind zu Grundprinzipien gemacht worden. Jeder Bürger hat Zutritt zu den Staatsämtern; doch ist Geschicklichkeit und Brauchbarkeit notwendige Bedingung. Die Regierung ruht in der Beamtenwelt, und die persönliche Entscheidung des Monarchen steht an der Spitze; denn eine letzte Entscheidung ist, wie früher bemerkt worden, schlechthin notwendig. Doch bei feststehenden Gesetzen und bestimmter Organisation des Staates ist das, was der alleinigen Entscheidung des Monarchen anheimgestellt worden, in Ansehung des Substantiellen für wenig zu achten. Allerdings ist es für ein großes Glück zu halten, wenn einem Volk ein edler Monarch zugeteilt ist. Doch auch das hat in einem großen Staat weniger auf sich; denn dieser hat die Stärke in seiner Vernunft. Kleine Staaten sind in ihrer Existenz und Ruhe mehr oder weniger durch die andern garantiert; sie sind deshalb keine wahrhaft selbständigen Staaten und haben nicht die Feuerprobe des Krieges zu bestehen. – Teilhaben an der Regierung kann, wie gesagt, jeder, der die Kenntnis, Geübtheit und den moralischen Willen dazu hat. Es sollen die Wissenden regieren, *οι αριστοι*, nicht die Ignoranz und die Eitelkeit des Besserwissens. – Was endlich die Gesinnung betrifft, so ist schon gesagt worden, daß durch die protestantische Kirche die Versöhnung der Religion mit dem Rechte zustande gekommen ist. Es gibt kein heiliges, kein religiöses Gewissen, das vom weltlichen Rechte getrennt oder ihm gar entgegengesetzt wäre.

Das Streben unserer Tage ist die Würdigung der Vernunft, die Erkenntnis Gottes, dies, daß der Geist von sich weiß. Unser Bewußtsein ist um so höher zu schätzen, wenn wir denken, wieviel Arbeit es gekostet hat, dies hervorzubringen. Wir haben in diesen Vorlesungen beobachtet, wie das Bewußtsein bis hierher gekommen ist, und haben die Hauptmomente der Form aufgezeigt, in der das Prinzip der Freiheit sich verwirklicht hat. Die Absicht war, zu zeigen, daß die ganze Weltgeschichte nichts ist als die Verwirklichung des Geistes und damit die Entwickelung des Begriffs der Freiheit, und daß der Staat die weltliche Verwirklichung der Freiheit ist. Das Wahre muß einerseits vorhanden sein als objektives, entwickeltes System in der Reinheit des Gedankens, anderseits aber auch in der Wirklichkeit. Aber diese Wirklichkeit muß nicht äußerlich objektiv, sondern jener selbstdenkende Geist muß dabei frei sein und also drittens diesen objektiven Inhalt des Weltgeistes als den seinigen anerkennen. So ist er der Geist, der dem Geiste Zeugnis gibt, und ist in der Wirklichkeit bei sich und also frei.

Wichtig ist die Einsicht, daß der Geist nur darin sich befreien kann. Die objektive Freiheit, die Gesetze der reellen Freiheit fordern die Unterwerfung des zufälligen Willens; denn dieser ist überhaupt formell. Wenn das Objektive an sich vernünftig ist, so muß die Einsicht dieser Vernunft entsprechend sein, und dann ist auch das wesentliche Moment der subjektiven Freiheit vorhanden. Wir haben diesen Fortgang des Begriffs allein betrachtet und haben dem Reize entsagen müssen, das Glück, die Perioden der Blüte der Völker, die Schönheit und Größe der Individuen, das Interesse ihres Schicksals in Leid und Freud näher zu schildern. Die Philosophie hat es nur mit dem Glanze der Idee zu tun, die sich in der Weltgeschichte spiegelt. Aus dem Überdruß an den Bewegungen der unmittelbaren Leidenschaften in der Wirklichkeit macht sich die Philosophie zur Betrachtung heraus; ihr Interesse ist, den Entwicklungsgang der sich verwirklichenden Idee zu erkennen, und zwar der Idee der Freiheit, welche nur ist als Bewußtsein der Freiheit. Daß die Weltgeschichte dieser Entwicklungsgang und das wirkliche Werden des Geistes ist, unter dem wechselnden Schauspiel ihrer Geschichten – dies ist die wahrhafte Theodizee, die Rechtfertigung Gottes in der Geschichte. Diesen Gang des Weltgeistes Ihnen zu entwickeln, ist mein Bestreben gewesen.

Der Geist ist nur, wozu er sich macht; dazu ist es notwendig, daß er sich voraussetzt. Nur die Einsicht kann den Geist mit der Weltgeschichte und der Wirklichkeit versöhnen, daß das, was geschehen ist und alle Tage geschieht, nicht nur von Gott kommt und nicht ohne Gott, sondern wesentlich das Werk Gottes selbst ist.

PHILOSOPHIE DER RELIGION

VORBEMERKUNG

M. H.!

Ich habe es für nötig erachtet, der Betrachtung der Religion einen eigenen Teil der Philosophie zu widmen. »Der Gegenstand dieser Vorlesungen ist die Religionsphilosophie, und der Gegenstand der Religion selbst ist der höchste, der absolute«; er ist auch der Gegenstand der Religionsphilosophie, ihr Inhalt der absolute Inhalt selber. »Gegenstand und Zweck der Religionsphilosophie müssen wir uns zuerst klarmachen; über beide will ich vorläufig in dieser ersten Stunde mich explizieren.«

»Unser Gegenstand ist das, was schlechthin wahrhaft, was die Wahrheit selbst ist, die Region, in der alle Rätsel der Welt, alle Widersprüche des« tiefer sinnenden »Gedankens, alle Schmerzen des Gefühls gelöst sind, die Region der ewigen Wahrheit und der ewigen Ruhe, die absolute Wahrheit selbst, die absolute Befriedigung. Das, wodurch der Mensch« Mensch ist, wodurch er »sich vom Tier unterscheidet, ist das Bewußtsein, der Gedanke« überhaupt, näher dies, daß er Geist ist. Der Mensch ist ewiges Bewußtsein, weil er denkt, Geist ist. Der Punkt des Geistes entfaltet sich zu vielfachen Gebilden, »und alle davon ausgehenden Unterschiede der Wissenschaften, Künste und der unendlichen Verschlingungen der menschlichen Verhältnisse«, die Interessen seines politischen Lebens, »Gewohnheiten und Sitten, Tätigkeiten und Geschicklichkeiten, Genüsse« und alles, »was Wert und Achtung hat bei uns«, was uns Ehre, Befriedigung gibt, »alles, worin der Mensch seine Bestimmung«, seine Tugenden »und sein Glück« sucht, »worin seine Kunst und Wissenschaft ihren Stolz und Ruhm hat«, Verhältnisse, die sich auf seine Freiheit, auf seinen Willen beziehen – sie alle »finden ihren letzten Mittelpunkt« in der Religion, »in dem einen Gedanken«, Bewußtsein, Gefühle »Gottes. Er ist der Ausgangspunkt von allem und das Ende von allem; von ihm nimmt alles seinen Anfang, und in ihn geht alles zurück.« Er ist das Beseelende aller dieser Gestaltungen in ihrer Existenz, die erhaltende Mitte, die alles belebt, beseelt, begeistet.

»Dieser Gegenstand ist allein durch sich selbst und um seiner selbst willen«; er hat keine Beziehung auf ein absolut anderes. »Er ist dies sich schlechthin Genügende, Unbedingte, Unabhängige, Freie, so wie der höchste Endzweck für sich.« In diesen Endzweck laufen alle andern Zwecke zurück, vor ihm verschwinden sie, die bis dahin gegolten haben; gegen ihn hält kein andres Interesse aus, sie finden alle ihre wahrhafte Bedeutung und Erledigung in ihm; er ist die Befriedigung durch sich selber und bedarf keines Weiteren. »Die Beschäftigung mit ihm«, die Religion, »kann keinen andern Endzweck weiter haben als ihn selbst; sie ist selbst die freieste, in ihr ist der Geist entbunden.« Sie ist die Befreiung, das absolut Freie, ja die Freiheit selbst, und deshalb Zweck für sich. Sie ist das absolut freie Bewußtsein, das Bewußtsein der absoluten Wahrheit. Daher gibt sie Befriedigung. »Sie ist es, in der der Geist aller Endlichkeit entladen und über alles versichert und bewährt ist, die Beschäftigung mit dem Ewigen. Wir müssen und dürfen eben darum selbst ein Leben mit und in dem Ewigen betrachten, und insofern wir dies Leben empfinden, ein Gefühl desselben zugleich haben, so ist die Empfindung Auflösung alles Mangelhaften und Endlichen – sie ist Seligkeit und nichts anderes unter Seligkeit zu verstehen.« Wird also die Religion als Empfindung bestimmt, so ist sie der absolute Genuß, den wir Seligkeit nennen; insofern sie Tätigkeit ist, hat sie das Geschäft und tut sie nichts anderes als die Ehre Gottes zu manifestieren, seine Herrlichkeit zu offenbaren.

»Weil Gott so das Prinzip und der Endpunkt von allem und jedem Tun, Beginnen und Wollen ist, so haben alle Menschen« und Völker »von Gott ein Bewußtsein, von der absoluten Substanz als der Wahrheit«, die die Wahrheit »wie von allem so von ihnen selbst, von allem ihrem Sein und Tun« ist. Die Völker überhaupt haben dann wie die einzelnen von jeher »diese Beschäftigung«, das religiöse Bewußtsein, dies »Wissen und Fühlen von Gott als ihr höheres Leben«, ihren wahrhaften Zweck, als »ihre wahre Würde« und »als den Sonntag ihres Lebens« angesehen, worin die irdischen endlichen Sorgen, Beschäftigungen der Welt verschwinden und, es sei im gegenwärtigen Gefühle der Andacht oder in ihrer Hoffnung, in Gott der Geist sich befriedigt. »Die endlichen Zwecke, der Ekel an den beschränkten Interessen, der Schmerz dieses Lebens, der Kummer und die Sorgen dieser Sandbank der Zeitlichkeit, das Bedauern, Mühen, Mitleiden, alles dieses fühlt sich« in diesem Äther »wie ein Traumbild verschweben zu einer Vergangenheit.« In dieser Region des Geistes strömen die Fluten der Vergessenheit, aus denen Psyche trinkt, worein sie allen Schmerz und alle Sorgen versenkt, worin sie ihr vergängliches Sein abstreift, worin alle Härten und Dunkelheiten verschwimmen, »ihr anderes, zeitliches Wesen« ihr »zu einem Scheine verfließt, der ihr weder mehr bange macht, noch von dem sie weiter abhängig ist«, und worin alle irdischen Gestalten nur Umrisse ausmachen zur Lichtgestalt der Versöhnung, der Andacht und der Liebe, die ganze Zeitlichkeit zur ewigen Harmonie, zum Festglanze des Ewigen, verklärt wird. »Wie wir auf der höchsten Spitze eines Gebirges, von allem bestimmten Anblick des Irdischen entfernt, in den blauen Himmel uns hineinsehen und mit Ruhe und

Entfernung alle Beschränkungen der Landschaften und der Welt überblicken, so ist es, daß der Mensch in der Religion mit dem geistigen Auge, enthoben der Härte dieser Wirklichkeit, sie nur als einen fließenden Schein betrachtet, der in dieser reinen Region nur im Strahle der Befriedigung und der Liebe seine Schattierungen, Unterschiede und Lichter zur ewigen Ruhe gemildert abspiegelt. Es ist dem Menschen in diesem Anschauen und Gefühle nicht um sich selbst zu tun, nicht um sein Interesse, seine Eitelkeit, den Stolz seines Wissens und Ergehens, sondern um diesen seinen Inhalt«, um den absoluten Zweck »allein, die Ehre Gottes kundzutun und seine Herrlichkeit zu offenbaren.«

Dies Bild des Absoluten in der religiösen Andacht ist kein Ideal, kein Jenseits. Es kann mehr oder weniger gegenwärtige Lebendigkeit, Gewißheit, Genuß haben oder auch als ein Ersehntes, Erhofftes vorgestellt, in ein Jenseits gesetzt werden. Dennoch aber ist es nie isoliert hingestellt; es strahlt in das Dunkel der zeitlichen Gegenwart hinein als die konkrete, gegenwärtig wirksame Substanz. Der Glaube erkennt das göttliche Wesen als die Wahrheit des Existierenden, als die Substanz der vorhandenen akzidentellen Existenzen, und dieser Inhalt der Andacht ist das Beseligende der gegenwärtigen Welt, macht sich wirksam im Leben des Individuums, regiert sein Wollen und Lassen.

»Dies ist die allgemeine Anschauung, Empfindung, Bewußtsein oder wie wir es nennen wollen, der Religion«, die Vorstellung von dem, für was die Religion bei den Menschen gilt. »Ihre Natur zu untersuchen und zu erkennen, ist es, was die Absicht dieser Vorlesungen ist. Ich habe diese Erkenntnis zum Gegenstande meiner Vorlesungen machen wollen, weil ich zuerst es zu keiner Zeit für so wichtig und so sehr für Bedürfnis halte. Das nähere Interesse und die Wichtigkeit der Religionsphilosophie in unserer Zeit liegt aber darin, daß mit dieser Erkenntnis wieder Ernst gemacht werde. Denn die Lehre, daß wir von Gott nichts wissen können, daß wir ihn nicht erkennen können, ist in unseren Zeiten zur ganz anerkannten Wahrheit, zur ausgemachten Sache geworden – eine Art von Vorurteil –, und wer es versucht, den Gedanken faßt, mit der Erkenntnis Gottes sich einzulassen, die Natur desselben denkend zu begreifen, der kann gewärtig sein, daß man gar nicht einmal acht darauf hat und ihn einfach mit der Behauptung stehenläßt, daß ein solcher Gedanke ein längst widerlegter Irrtum, daß darauf gar nicht mehr zu achten sei. Je mehr sich die Erkenntnis der endlichen Dinge ausgebreitet hat, indem die Ausdehnung der Wissenschaften beinahe ganz grenzenlos geworden ist, alle Gebiete des Wissens zum Unübersehbaren erweitert sind, um so mehr hat sich der Kreis des Wissens von Gott verengt. Es hat eine Zeit gegeben, wo alle

Wissenschaft eine Wissenschaft von Gott gewesen ist; unsere Zeit dagegen hat das Ausgezeichnete, von allem und jedem, und zwar einer unendlichen Menge von Gegenständen zu wissen, nur nichts von Gott. Es hat eine Zeit gegeben, wo man das Interesse hatte, den Drang, von Gott zu wissen, seine Natur zu ergründen, wo der Geist keine Ruhe hatte und fand als in dieser Beschäftigung, wo er sich unglücklich fühlte, dies Bedürfnis nicht befriedigen zu können, und alles andere Interesse seiner Erkenntnis für geringer achtete«; die geistigen Kämpfe, die das Erkennen Gottes im Innern hervorruft, waren die höchsten, die der Geist kannte und in sich erfuhr. »Unsere Zeit hat sich dies Bedürfnis und die Mühe desselben abgetan, wir sind damit fertig geworden. Was Tacitus von den alten Deutschen prädiziert, daß sie *securi adversus deos* gewesen, das sind wir in Rücksicht des Erkennens wieder geworden, *securi adversus deum*. Es macht unserm Zeitalter keinen Kummer mehr, von Gott nichts zu erkennen; vielmehr gilt es für die höchste Einsicht, daß diese Erkenntnis sogar nicht möglich sei. Was die christliche Religion wie alle Religionen für das höchste, das absolute Gebot erklärt: ‚Ihr sollt Gott erkennen', dies gilt jetzt für eine Torheit. Christus sagt: ‚Ihr sollt vollkommen sein, wie euer Vater im Himmel vollkommen ist' – diese hohe Forderung ist der Weisheit unserer Zeit ein leerer Klang; sie hat ein unendliches Gespenst aus Gott gemacht, das fern von unserm Bewußtsein ist, und ebenso die menschliche Erkenntnis zu einem eitlen Schemen, Gespenste der Endlichkeit, Einbildungen der Erscheinung. Wie sollten wir noch dies Gebot achten, ihm einen Sinn beilegen: ‚Ihr sollt vollkommen sein, wie euer Vater im Himmel vollkommen ist', da wir von ihm, von seiner Vollkommenheit nichts erkennen? Wie soll es uns Gebot sein, deren Wissen und Wollen so beschränkt und durchaus nur an die Erscheinung angewiesen ist und denen die Wahrheit schlechthin ein Jenseits bleiben soll – und Gott ist die Wahrheit.« Und was, müssen wir weiter fragen, was wäre dann sonst der Mühe wert zu begreifen, wenn Gott unbegreiflich ist?

»Man muß solchen Standpunkt dem Inhalte nach für die letzte Stufe der Erniedrigung des Menschen betrachten, bei welcher er um so hochmütiger zugleich ist, als er sich diese Erniedrigung als das Höchste und als seine wahre Bestimmung bewiesen hat; und nur diese formale Seite, daß der Mensch selbst durch die Erkenntnis zu dem Resultate kommt, seine Erkenntnis fasse alles andere auf, nur das Wahre nicht, ist noch, was ein Interesse hat. Von diesem nachher. Ich erkläre solchen Standpunkt und solches Resultat für schnurstracks entgegengesetzt der ganzen Natur der christlichen Religion. Nach ihr sollen wir Gott, seine Natur und sein Wesen erkennen und diese Erkenntnis als das Allerhöchste achten. Der Unterschied, ob durch Glauben, Autorität, Offenbarung oder, wie man es nennt, durch die Vernunft – dieser Unterschied ist hier gleichgiltig; denn jene Erkenntnis ist ebenso mit dem Inhalt, den die göttliche Offenbarung von Natur gibt, fertig geworden als mit dem Vernünftigen. Es ist aber hier im Interesse der Vernünftigkeit, daß wir diesen Standpunkt näher mit seiner Weisheit zu betrachten haben. Aber wir haben in bestimmterer Rücksicht und Betrachtung auf ihn zurückzukommen und ihn dann ausführlicher zu behandeln. Hier genüge, ihn bemerklich gemacht und erklärt zu haben, daß diese Vorlesungen vielmehr den Zweck haben, das Gegenteil von dem zu tun, was er für das Höchste hält, und zwar Gott zu erkennen, und dies ist das nähere Interesse der Wissenschaft der Religion in unserer Zeit, die uns aufgegeben ist.«

RELIGIONSPHILOSOPHIE

DER RHYTHMUS DES GEISTES

Der Geist, wenn er unmittelbar, einfach, ruhend gedacht ist, ist kein Geist; sondern der Geist ist wesentlich dies, tätig zu sein überhaupt. Näher ist er die Tätigkeit, sich zu manifestieren. Der Geist, der sich nicht manifestiert, offenbart, ist ein Totes. Manifestieren heißt für ein anderes werden. Als Werden für ein anderes tritt es in Gegensatz, Unterschied überhaupt, und so ist es Verendlichung des Geistes. Etwas, das für anderes ist, ist in dieser abstrakten Bestimmung eben ein Endliches; es hat ein anderes sich gegenüber, hat an diesem andern sein Ende, seine Schranke. So ist der Geist, der sich manifestiert, sich bestimmt, ins Dasein tritt, sich Endlichkeit gibt, das Zweite. Das Dritte aber ist, daß er sich seinem Begriffe nach manifestiert, jene seine erste Manifestation in sich zurücknimmt, sie aufhebt, zu sich selbst kommt, für sich wird und ist, wie er an sich ist. Die Manifestation, Entwicklung und das Bestimmen geht nämlich nicht ins Unendliche fort und hört nicht zufällig auf; der wahrhafte Fortgang besteht vielmehr darin, daß diese Reflexion des Begriffs in sich abbricht, indem sie wirklich in sich zurückgeht.

Der Geist ist, sich zum Gegenstande zu haben. Darin besteht seine Manifestation, Verhältnis der Gegenständlichkeit, Endliches zu sein. Das Dritte ist, daß er sich Gegenstand ist, in dem Gegenstande versöhnt bei sich selbst, zur Freiheit gekommen ist; denn Freiheit ist, bei sich selbst zu sein. Dies ist der Rhythmus, das reine, ewige Leben des Geistes selbst.

Dieser Rhythmus, in dem sich das Ganze unserer Wissenschaft und die gesamte Entwicklung des Begriffes bewegt, kehrt aber auch in jedem der angegebenen drei Momente wieder, da jedes derselben in seiner Bestimmtheit an sich die Totalität ist, bis sie im letzten Moment als solche gesetzt ist. Wenn daher der Begriff zuerst in der Form der Einzelheit erscheint oder wenn die Gesamtbewegung unserer Wissenschaft die ist, daß der Begriff zum Urteil wird und sich im Schluß vollendet, so wird in jeder Sphäre dieser Bewegung dieselbe Entwicklung der Momente auftreten, nur daß sie in der ersten Sphäre in der Bestimmtheit der Allgemeinheit zusammengehalten wird, in der zweiten, der Sphäre der Besonderheit, die Momente selbständig erscheinen läßt und erst in der dritten, der Sphäre der Einzelheit, zum wirklichen, sich in der Totalität der Bestimmungen vermittelnden Schluß zurückkehrt.

Diese Einteilung ist so die Bewegung, Natur, das Tun des Geistes selbst, dem wir sozusagen nur zusehen; sie ist durch den Begriff notwendig. Aber erst in der Entwicklung selbst hat die Notwendigkeit dieses Fortganges sich darzustellen, sich zu explizieren und zu beweisen. Die Einteilung, wie wir sie vorausschicken und deren unterschiedene Teile und Inhalt wir nun bestimmter angeben wollen, ist daher nur historisch; sie wird aber nur deshalb angenommen, weil sie auch nach dem Begriffe notwendig ist.

BEGRIFF DER RELIGION

In dem einfachen Begriffe der Religion ist das, was als Inhalt erscheint, die Inhaltsbestimmung, nur das Allgemeine. Die Bestimmtheit, Besonderheit als solche ist noch nicht vorhanden. Die Grundbestimmung, der Charakter dieses ersten Teiles der Philosophie der Religion ist daher die Bestimmung der Allgemeinheit.

Die Religion in ihrem Begriff ist die Beziehung des Subjekts, des subjektiven Bewußtseins auf Gott, der Geist ist; oder ihren Begriff spekulativ genommen, so ist sie der Geist, der seines Wesens, seiner selbst bewußt ist. Der Geist ist bewußt, und das, dessen er bewußt ist, ist der wahrhafte, wesentliche Geist; dieser ist sein Wesen, nicht das Wesen eines anderen. Insofern ist die Religion sogleich für sich Idee, und der Begriff der Religion ist der Begriff dieser Idee. Die Idee ist die Wahrheit, die Realität des Begriffes, so daß diese Realität mit dem Begriff identisch, durchaus nur durch den Begriff bestimmt ist. Nennt man den Begriff Geist, so ist die Realität des Begriffs das Bewußtsein. Der Geist als Begriff, der allgemeine Geist, realisiert sich im Bewußtsein, das selbst geistig ist, für welches allein der Geist sein kann.

Die Art und Weise, wie der Geist sich gegenständlich ist, für sich ist, ist die Vorstellung; dies Element ist die Form für das absolute Bewußtsein als Religion. Philosophie dagegen ist dies Bewußtsein, insofern der Geist seiner nicht in der Weise der Vorstellung, sondern des Gedankens bewußt ist. Indem die Religion das Wissen und näher die Vorstellung des Geistes von sich selber, seiner absoluten Natur nach, ist, so haben wir hier den seiner selbst bewußten Geist näher zu betrachten. Folgende Momente sind darin enthalten: erstens der metaphysische Inhalt, der reine Gedanke selber, der aber zweitens, weil er Bewußtsein ist, nicht so bleibt, sondern es tritt der Unterschied des Bewußtseins ein. Es sind zwei Seiten, der Gegenstand und das Subjekt, für welches er ist, oder der wissende Geist und der Geist als Gegenstand des Wissens. Dies ist der Standpunkt des endlichen Geistes in der Religion. Seinem Begriffe nach ist er unendlich; aber als der sich in sich unterscheidende Geist, der sich Bewußtsein gibt, als der Geist in seinem Unterschiede, in Beziehung auf anderes, wird er sich selbst ein Beschränktes, Endliches, und auf diesem Standpunkte des endlichen Geistes ist die Gestalt zu betrachten, in der ihm sein Wesen Gegenstand ist, nämlich die Religion. Da aber der Begriff des Geistes das Wissen seiner von sich selber ist, so hebt drittens der Geist seine Gegenständlichkeit gegen sich als ein Anderssein auf und wird im Kultus Versöhnung der früher genannten Seiten, des endlichen Geistes nämlich als des wissenden, und des absoluten als seines Gegenstandes. Die Stufe der Trennung sowohl ist für das Bewußtsein wirklich als auch die Versöhnung im Kultus; beide Stufen werden nicht nur im Begriffe für uns hervorgebracht. Jener Standpunkt des endlichen Bewußtseins ist der untergeordnete der Differenz; hier im Kultus ist der Begriff der Religion, das Substantielle, das eins ist, vorhanden, vollzieht sich die Rückkehr zum substantiellen Standpunkt. Der Begriff aber ist nur für uns; in der Wirklichkeit bleibt er das Innere.

Zuerst also sehen wir diese zwei Seiten: die Erhebung zu Gott, das Bewußtsein, das sich Gottes, des Geistes, bewußt ist, und den Geist, der sich im Bewußtsein realisiert. Diese zwei Seiten sind in Beziehung aufeinander. Das Erste in der Idee ist diese ihre Beziehung, das, worin die Seiten identisch sind, das heißt aber nicht etwa das Gemeinsame, die oberflächliche Allgemeinheit, in der wir mehreres miteinander vergleichen, sondern die innere Einheit beider. Dies Erste der Idee ist demnach die substantielle Einheit, das Allgemeine an und für sich, das rein Geistige ohne weitere Bestimmung.

Das Zweite zu diesem ersten Allgemeinen ist, was eigentlich Verhältnis genannt wird, das Auseinandertreten dieser Einheit. Da haben wir subjektives Bewußtsein, für das ist – und das sich bezieht auf – dies an und für sich Allgemeine, das Erhebung des Menschen zu Gott genannt werden kann, weil Mensch und Gott in Beziehung sind als Unterschiedene. Da tritt erst ein, was eigentlich Religion heißt. Wir haben diese Beziehung nach ihren besonderen Bestimmungen zu betrachten. Diese sind erstens das Gefühl; zu diesem ist die Gewißheit überhaupt, der Glaube, zu rechnen. Die zweite Bestimmung ist die Vorstellung, die dritte das Denken, die Form des Denkens. Wir werden also an dieser Stelle näher zu untersuchen haben, inwiefern die Religion Sache des Gefühls ist. Das Nächste ist die Form der Vorstellung, die zu betrachten ist, und das Dritte die Form des Denkens. Indem wir überhaupt über Religion philosophieren, denken wir die Religion. Davon haben wir jenes religiöse Denken zu unterscheiden, von dem wir hier als einer Bestimmung des abstrakten Begriffs der Religion zu handeln haben und das ein verständiges Denken ist. Dieses verständige Denken wird sich als das zeigen, was man sonst Beweise für das Dasein Gottes genannt hat. Der Sinn dieses Beweisens wird hier zu betrachten sein. Die Beweise sind heutigentages in Verfall, Verachtung gekommen; man ist, wie man meint, darüber hinaus. Sie verdienen aber schon deswegen, weil sie mehr als tausend Jahre Autorität gehabt haben, näher betrachtet zu werden. Wenn wir finden, daß sie Mängel haben, werden wir anderseits sehen, was in dem Gange, den sie ausdrücken, das Wahrhafte ist, nämlich daß sie eben den Gang der Erhebung des Menschen zu Gott zeigen, nur daß dieser Gang durch die Verstandesform getrübt ist. Wir werden zeigen, was ihnen mangelt, um Vernunftform zu sein. Wir haben so die Vernunftform im Gegensatze gegen die Verstandesform zu betrachten und zu sehen, was hier fehlt, um das auszudrücken, was in jedem menschlichen Geiste vorgeht. Wenn er an Gott denkt, enthält sein Geist eben die Momente, die in diesem Gange ausgedrückt sind.

Die Religion ist für alle Menschen; sie ist nicht Philosophie, die nicht für alle Menschen ist. Religion ist die Art und Weise, wie alle Menschen der Wahrheit bewußt werden, und die Weisen sind vorzüglich Gefühl, Vorstellung und dann auch verständiges Denken. In dieser allgemeinen Weise, wie die Wahrheit an die Menschen kommt, ist der Begriff der Religion zu betrachten, und so ist das Zweite in dieser Betrachtung das Verhältnis des Subjekts als des fühlenden, vorstellenden, denkenden.

Haben wir als das Erste den Geist überhaupt, die absolute Einheit, als das Zweite das Verhältnis des Subjekts zum Gegenstande, zu Gott (noch nicht zu einem bestimmten Gott, einem Gott mit bestimmtem Inhalt, ebenso noch keine bestimmten Empfindungen, Vorstellungen, Gedanken, sondern nur Gefühl, Vorstellung, Denken überhaupt), erkannt, so ist das Dritte das

Aufheben dieses Gegensatzes, dieser Trennung, dieser Entfernung des Subjekts von Gott, die Bewirkung, daß der Mensch Gott in sich, in seiner Subjektivität fühlt und weiß, daß er als dieses Subjekt sich zu Gott erhebt, sich die Gewißheit, den Genuß, die Freudigkeit gibt, Gott in seinem Herzen zu haben, mit Gott vereint, von Gott in Gnaden aufgenommen zu sein. Dies ist der Kultus. Er ist nicht nur Verhältnis, Wissen, sondern Tun, Handeln, sich diese Vergewisserung zu geben, daß der Mensch von Gott aufgenommen, zu Gnaden angenommen ist. Die einfache Form des Kultus, der innere Kultus, ist die Andacht, dies Mystische, *unio mystica.*

DIE BESTIMMTE RELIGION

Der Gang überhaupt vom Abstrakten zum Konkreten gründet sich auf unsere Methode oder vielmehr auf die Natur des Begriffs. Aus dem Begriffe muß zur Bestimmtheit fortgegangen werden. Der Begriff als solcher ist der noch eingehüllte, worin die Bestimmungen, Momente enthalten, aber noch nicht ausgelegt sind, das Recht ihres Unterschiedes noch nicht erhalten haben. Dieser Unterschied ist das Urteil, die Kategorie der Bestimmtheit, das Zweite überhaupt. Der Begriff, die nur innerliche Subjektivität entschließt sich zum objektiven Dasein; denn nur dadurch, daß der Begriff Resultat seiner ist, ist er sich selbst für sich Begriff. In Rücksicht auf den absoluten Geist ist dies so darzustellen: Der Geist ist; es kommt ihm das Sein zu, aber das höchste, innerlichste, konkreteste. Er ist nur, insofern er sich setzt, für sich ist, sich selbst hervorbringt – er ist nur als Tätigkeit. Gott, der Begriff, urteilt; erst innerhalb dieser Kategorie der Bestimmung haben wir existierende, zugleich bestimmt existierende Religion.

Es ist früher schon bemerkt worden, daß der Geist überhaupt nicht unmittelbar ist, nicht in Weise der Unmittelbarkeit. Unmittelbar sind die natürlichen Dinge; sie bleiben bei dem unmittelbaren Sein stehen. Der Geist aber ist nur, indem er sein unmittelbares Sein aufhebt. Ist er nur, so ist er nicht Geist; denn eben sein Sein besteht darin, durch sich selbst vermittelt für sich zu sein als fürsichseiender Geist. Der Stein ist unmittelbar, ist fertig. Aber schon das Lebendige ist diese Tätigkeit der Vermittlung mit sich; die Pflanze ist noch nicht fertig, wie der Keim da ist, sondern ihre abstrakte, erste Existenz ist diese schwache des Keimes; sie muß sich entwickeln, sich erst hervorbringen. Zuletzt resümiert sich die Pflanze in ihrer Entfaltung in den Samen; dieser ihr Anfang ist auch ihr letztes Produkt. Ebenso durchläuft das Tier seinen Kreis, ein anderes zu erzeugen, und auch der Mensch ist zuerst Kind und als Natürliches durchläuft er denselben Kreis. Bei der Pflanze sind es zweierlei Individuen: dies Samenkorn, das anfängt, ist ein anderes als das, das die Vollendung seines Lebens ist, in das diese Entfaltung reift. Ebenso ist es bei dem Lebendigen überhaupt; die Frucht ist ein anderes als der erste Samen. Der Geist aber ist eben dies, weil er lebendig überhaupt ist, zuerst nur an sich oder in seinem Begriffe zu sein, dann in die Existenz zu treten, sich zu entfalten, sich hervorzubringen, reif zu werden, den Begriff seiner selbst, was er an sich ist, hervorzubringen, so daß das, was an sich ist, sein Begriff jetzt für sich sei. Das Kind ist noch kein vernünftiger Mensch, es hat nur Anlagen, ist nur erst Vernunft, Geist an sich; durch seine Bildung, Entwicklung erst ist es Geist.

Das Sein des Geistes also ist nicht so unmittelbar, sondern nur als sich selbst produzierend, sich für sich machend. In dieser seiner Tätigkeit ist er aber wissend, und er ist das, was er ist, nur als wissend. Indem er seine Unmittelbarkeit aufhebt, muß er sich als Ansich voraussetzen, sich selbst gegenübertreten, alle seine Bestimmtheiten aus sich entwickeln, ihnen Dasein geben, um zu sich selber zu kommen. Es sind in dieser Bewegung, Tätigkeit, Vermittlung Unterschiede, Richtungen, und der Verlauf dieser Richtungen ist nun der Weg des Geistes zu sich selbst. Das absolute Ziel ist, daß er sich erkennt, für sich ist, sich auffaßt, sich Gegenstand ist, wie er an sich ist – zur vollkommenen Erkenntnis seiner kommt. Aber der Weg ist noch nicht das Ziel. Dieser Prozeß des sich produzierenden Geistes enthält unterschiedene Momente; in den einzelnen Stationen seines Prozesses ist der Geist noch nicht vollkommen, sein Bewußtsein über sich nicht das wahrhafte; er ist sich noch nicht offenbar. Indem nun der Geist wesentlich diese Tätigkeit des Hervorbringens seiner ist, so sind diese Stationen Stufen seines Bewußtseins; aber er ist sich seiner immer nur nach diesen Stufen bewußt.

So ist es der Religion wesentlich, nicht in ihrem Begriffe nur zu sein, sondern das Bewußtsein dessen zu sein, was der Begriff ist. Das Material nun, worin sich der Begriff gleichsam als der Plan ausführt, das er sich zu eigen macht und sich gemäß bildet, ist das menschliche Bewußtsein. Ebenso ist z. B. auch das Recht nur, indem es im Geiste existiert, den Willen der Menschen einnimmt und sie von ihm als der Bestimmung ihres Willens wissen. So erst realisiert sich die Idee, während sie vorher selbst nur als Form des Begriffes gesetzt ist.

Es ist also der Begriff überhaupt nur das Erste; das Zweite ist seine Tätigkeit, sich zu bestimmen, in Existenz zu treten, für anderes zu sein, seine Momente in Unterschied zu bringen und sich auszulegen. Diese Unterschiede sind keine andern Bestimmungen, als die der Begriff selbst in sich erhält. In Ansehung des

seiner Entfaltung nicht mehr einzelne Formen, Bestimmungen seiner vor sich und weiß nicht mehr von sich als endlichem Geiste, Geiste in irgendeiner Bestimmtheit, Beschränktheit, sondern er hat jene Beschränkungen überwunden und ist für sich, was er an sich ist. Daß der Geist wie in allem, so in der Religion seine Bahn durchlaufen muß, das ist im Begriff des Geistes notwendig; er ist nur dadurch Geist, daß er für sich ist als die Negation aller endlichen Formen, als diese absolute Idealität. Dieses Wissen des Geistes von sich, wie er an sich ist, ist das Anundfürsichsein des Geistes, die vollendete, absolute Religion, in der es offenbar ist, was der Geist, Gott ist. Es ist die offenbare, nicht nur die geoffenbarte Religion; denn jetzt ist sich der Geist selber klar, während er sich früher nur in einer von seinen Begriffsbestimmungen zu erfassen vermochte, so daß er sich als Geist verborgen blieb und die Religion immer noch verhüllt, nicht in ihrer Wahrheit war. So ist nun die Erscheinung selbst die unendliche, der Inhalt dem Begriffe des Geistes gemäß und die Erscheinung so, wie der Geist an und für sich selbst ist. Der Begriff der Religion ist in der Religion sich selbst gegenständlich geworden. Erst als die Zeit gekommen war, ist der Geist sich offenbar geworden; denn dieser Weg, durch den er erst zum Ziele kommt, fällt in die Zeit und muß in der Existenz zurückgelegt werden.

»Die vollendete Religion ist diese, wo der Begriff der Religion zu sich zurückgekehrt ist – wo die absolute Idee, Gott als Geist nach seiner Wahrheit und Offenbarkeit für das Bewußtsein der Gegenstand ist. Die früheren Religionen, in welchen die Bestimmtheit des Begriffs geringer, abstrakter, mangelhaft ist, sind bestimmte Religionen, welche die Durchgangsstufen des Begriffs der Religion zu ihrer Vollendung ausmachen.« Diese geoffenbarte Religion ist dann die christliche. »Die christliche Religion wird sich uns als die absolute Religion zeigen; von ihrem Inhalt ist es insofern, daß wir handeln werden.« In ihr ist das, was zunächst der Begriff der Religion war, zu ihrem Inhalt geworden; aber diesen Inhalt hat sie selber auf religiöse Weise, d. h. in der Form der Vorstellung. Vorstellung und begreifendes Denken sind wohl zu unterscheiden. Die Religion ist für das allgemeine Bewußtsein des Geistes überhaupt, und so ist in diesem Bewußtsein der Geist erst Gegenstand des sinnlichen, des vorstellenden Bewußtseins; erst in der Philosophie ist er als Begriff, nur sie bewegt sich in der Form des Gedankens.

Ich habe Vorstellungen, Anschauungen; das ist ein gewisser Inhalt: dieses Haus usf. Sie sind meine Anschauungen, stellen sich mir vor. Ich könnte sie mir aber nicht vorstellen, wenn ich nicht diesen Inhalt in mich faßte; dieser ganze Inhalt muß auf einfache, ideelle Weise in mich gesetzt sein. Idealität heißt, daß dies äußerliche Sein, Räumlichkeit, Zeitlichkeit, Materiatur, Außereinander aufgehoben ist; indem ich es weiß, sind es nicht außereinanderseiende Vorgestellte, sondern sie sind auf einfache Weise in mir. Der Geist ist Wissen; daß er das Wissen sei, muß der Inhalt dessen, was er weiß, diese ideelle Form erlangt haben, auf diese Weise negiert worden sein. Was der Geist ist, muß auf solche Weise das Seinige geworden, er muß erzogen worden sein, diesen Kreislauf durchgemacht haben. Diese Formen, Unterschiede, Bestimmungen, Endlichkeiten müssen gewesen sein, daß er sie zu dem Seinigen mache, daß er sie negiere, daß, was er an sich ist, ihm gegenständlich aus ihm herausgetreten, aber zugleich das Seinige sei. Hier ist alles dem Begriff angemessen; die geoffenbarte Religion ist die offenbare, weil Gott in ihr ganz offenbar geworden ist – es ist nichts Geheimes mehr an Gott. Es ist hier das Bewußtsein von dem entwickelten Begriff des Geistes, von dem Versöhntsein nicht in der Schönheit, Heiterkeit, sondern im Geiste.

Dies ist der Weg und das Ziel, daß der Geist seinen eigenen Begriff, den Begriff von ihm selbst, das, was er an sich ist, erreicht habe; und er erreicht es nur auf diese Weise, die in ihren abstrakten Momenten angedeutet worden ist. Darum ist die geoffenbarte Religion zu ihrer Zeit gekommen. Das ist nicht eine zufällige Zeit, ein Belieben, Einfall, sondern im wesentlichen, ewigen Ratschluß Gottes gegründet, d. h. es ist eine in der ewigen Vernunft, Weisheit Gottes bestimmte Zeit, und nicht auf zufällige Weise bestimmt, sondern es ist Begriff der Sache, göttlicher Begriff, Begriff Gottes selbst.

Dieser Gang der Religion ist die wahrhafte Theodizee; denn er zeigt alle Erzeugnisse des Geistes, jede Gestalt seiner Selbsterkenntnis als notwendig auf, weil der Geist lebendig, denkend und der Trieb ist, durch die Reihe seiner Erscheinungen zum Bewußtsein seiner selbst als aller Wahrheit hindurchzudringen.

Dies ist die vorläufige Angabe des Planes des Inhalts, den wir betrachten wollen.

DER BEGRIFF GOTTES

Dadurch nun zeigt sich das Endliche als ein wesentliches Moment des Unendlichen; und wenn wir Gott als das Unendliche setzen, so kann er, um Gott zu sein, des Endlichen nicht entbehren. Er verendlicht sich, er gibt sich Bestimmtheit. Dies könnte uns zunächst ungöttlich scheinen; aber wir haben es auch schon in den gewöhnlichen Vorstellungen von Gott. Denn wir sind z. B. gewöhnt, ihn als Schöpfer der Welt anzusehen. Gott schafft die Welt aus nichts; d. h. außer der Welt ist nichts Sinnliches, nichts Äußerliches da, denn sie ist die Äußerlichkeit selber. Gott bestimmt; außer ihm ist nichts zu Bestimmendes da; also bestimmt er sich, indem er sich denkt. Er setzt sich ein Anderes gegenüber; er und die Welt sind zwei. Nur Gott ist; Gott aber ist nur durch Vermittlung seiner mit sich; er will das Endliche, er setzt es sich als ein Anderes und wird dadurch selber zu einem Andern, da er ein Anderes sich gegenüber hat. Er ist so das Endliche gegen Endliches; die Wahrheit aber ist, daß dies Anderssein nur eine Erscheinung ist, daß er sich selber darin hat. Dies Anderssein ist der Widerspruch seiner selbst; es ist Gottes, denn es ist sein Anderes, und es ist dennoch in der Bestimmung des andern Gottes – es ist das Andere und nicht Andere, es löst sich selber auf. Es ist nicht es selbst, sondern ein Anderes; es richtet sich zugrunde. Das Schaffen ist die Tätigkeit; in ihr liegt der Unterschied und in diesem das Moment des Endlichen. Das Bestehen aber des Endlichen wird wieder aufgehoben. Nach dieser Betrachtung gibt es zwei Unendlichkeiten, die wahre, und die schlechte des Verstandes, und in der wahren zeigt sich das Endliche als Moment des göttlichen Lebens. Dadurch aber ist das Anderssein gegen Gott verschwunden, und Gott erkennt darin sich selber, wodurch er sich als Resultat seiner durch sich selbst erhält.

Gott ist diese Bewegung in sich selbst und nur dadurch allein lebendiger Gott. Daher aber muß das Bestehen der Endlichkeit nicht festgehalten, sondern ebenso aufgehoben werden: Gott ist die Bewegung zum Endlichen und dadurch als Aufhebung des Endlichen die Bewegung in sich selbst. Dies Gedoppelte läßt sich daher nicht in einfachen Sätzen aussprechen; hier gelten die Formen eines Satzes nicht mehr. Sagt man: »Gott ist unendlich, ich bin endlich«, so sind dies schlechte Ausdrücke, Formen, die dem nicht angemessen sind, was die Idee ist, was die Natur der Sache ist. Das Endliche ist nicht das Seiende; ebenso ist das Unendliche nicht fest: diese Bestimmungen sind nur Momente des Prozesses. Das »ist«, welches in solchen abstrakten Sätzen als ein Feststehendes betrachtet wird, hat, in seiner Wahrheit gefaßt, keinen andern Sinn als nur den der Tätigkeit, Lebendigkeit und Geistigkeit. Auch Prädikate reichen zur Bestimmung nicht aus, am wenigsten einseitige und nur vorübergehende. Sondern was wahr und die Idee ist, ist durchaus nur als die Bewegung. Gott ist ebenso auch das Endliche, und Ich bin ebenso das Unendliche; Gott kehrt im Ich als in dem sich als Endliches Aufhebenden zu sich zurück und ist Gott nur als diese Rückkehr. Ohne Welt ist Gott nicht Gott. Jene Abstraktionen sind Erzeugnisse des Beginnes des reflektierenden, abstrakten Denkens, und darum haben besonders die Alten solche Abstraktionen gehabt. Aber schon die Alten haben auch die Unwahrheit solcher Bestimmungen erkannt, und Plato hat das πεϱας, die sich in sich begrenzende Grenze für höher erklärt als das απειϱον, das Unbegrenzte.

Das Resultat ist, daß wir uns von dem Schreckbilde des Gegensatzes des Endlichen und Unendlichen freimachen müssen. Man läßt dieses Schreckbild gegen das Erkennenwollen des Göttlichen los und behauptet, das sei eine Anmaßung – ein Vorwurf übrigens, der die Philosophie und die Religion zugleich trifft. Denn ob ich den Inhalt, nämlich Gott, nachdenkend erkenne, oder ihn durch Autorität, durch Offenbarung empfange und für wahr halte, ist für diesen Standpunkt gleichgültig; gegen beides richtet sich das Schreckbild und der Vorwurf, daß es eine Anmaßung sei, Gott erkennen, Unendliches durch Endliches fassen zu wollen. Dieses Schreckbildes müssen wir uns ganz entschlagen, und zwar durch die Einsicht, was es mit solchem Gegensatz des Endlichen und Unendlichen für Bewandtnis habe. Wer sich dieses Schreckbildes nicht entschlägt, der versenkt sich in die Eitelkeit; denn er setzt das Göttliche als die Ohnmacht, nicht zu sich selber kommen zu können, während er seine eigne Subjektivität festhält und aus dieser die Möglichkeit des Erkennens leugnet. Damit ist die andere Form vorhanden, die dem affirmativen Wesen Gottes gegenübersteht, die subjektive Unwahrheit, die das Endliche für sich behält, seine Eitelkeit eingesteht, aber dies als eitel Bekannte und Zugestandene doch festhält und zum Absoluten macht. Wir dagegen entschlagen uns dieser eiteln Subjektivität und lassen dagegen die Sache walten, indem wir uns in sie versenken.

Dadurch gehen wir zur Betrachtung des spekulativen Begriffes der Religion über.

DIE RELIGIONEN DER GEISTIGEN INDIVIDUALITÄT

DIE RELIGION DER ERHABENHEIT

Die Erhabenheit ist die Form, die das Verhältnis Gottes zu den natürlichen Dingen ausdrückt. Das unendliche Subjekt in sich kann man nicht erhaben nennen; es ist das Absolute an und für sich, es ist heilig. Die Erhabenheit ist erst die Erscheinung, Beziehung dieses unendlichen Subjekts auf die Welt; es ist die Idee, die sich äußerlich zur Manifestation bringt. Die Welt wird als Manifestation dieses Subjekts gefaßt, aber als Manifestation, die nicht affirmativ ist oder die, indem sie zwar affirmativ ist, doch den Hauptcharakter hat, daß das Natürliche, Weltliche negiert wird als ein Unangemessenes, so daß die Manifestation an dieser Erscheinung sich auch über die Erscheinung, über die Realität erhaben zeigt und diese zugleich als negiert gesetzt ist. Die erscheinende Idee zeigt sich über das erhaben, woran sie erscheint, oder die Erscheinung wird ausgedrückt als unangemessen.

In der Religion der Schönheit ist Versöhnung der Bedeutung mit dem Material, mit der sinnlichen Weise, dem Sein für anderes; das Geistige offenbart sich ganz in dieser äußerlichen Weise: diese ist ein Zeichen des Innern, und dies Innere wird in der Gestalt seiner Äußerlichkeit ganz erkannt. Die Erhabenheit hingegen vertilgt zugleich den Stoff, das Material, an dem das Erhabene erscheint. Das Material wird ausdrücklich zugleich als unangemessen gewußt; es ist nicht bewußtlose Unangemessenheit. Denn zur Erhabenheit ist es nicht genug, daß das Substantielle an und für sich ein Höheres ist als seine Gestalt, sondern erst dies, daß in dieser die Unangemessenheit zugleich gesetzt ist. Es muß nur das, was sich manifestiert, die Macht sein über die Gestalt. Darum ist es auch nicht Erhabenheit, wenn die Gestalt übertrieben, über ihr Maß hinausgesetzt wird; diese bewußtlose Unangemessenheit ist im Grotesken, Wilden des Indischen. In der indischen Religion sind die Bilder grotesk, maßlos, aber nicht erhaben, sondern verzerrt; oder wenn sie nicht verzerrt sind, z. B. die Kuh, der Affe, welche die ganze Naturmacht ausdrücken sollen, so sind eben doch die Bedeutung und die Gestalt einander unangemessen; diese Unangemessenheit aber enthält nichts von Erhabenheit, sondern ist der größte Mangel. Es muß also in der Erscheinung zugleich das Negiertsein, die Macht über die Gestalt gesetzt sein.

Gott ist für sich das Eine, die eine Macht als in sich bestimmt. Er ist der Weise, d. h. er manifestiert sich in der Natur, aber auf erhabene Weise. Die natürliche Welt ist nur ein Gesetztes, Beschränktes, nur Manifestation des Einen so, daß Gott zugleich über dieser Manifestation ist, zugleich in ihr sich von ihr unterscheidet und nicht wie in der Religion der Schönheit von dieser Äußerlichkeit sein Fürsichsein, sein wesentliches Dasein hat. Die Natur ist gehorchend, manifestiert nur ihn, aber so, daß er zugleich aus dieser Manifestation heraus ist.

Der Mensch in seinem natürlichen Bewußtsein kann natürliche Dinge vor sich haben, aber sein Geist ist solchem Inhalt unangemessen. Nicht das Umherschauen ist etwas Erhabenes, sondern der Blick gen Himmel, der das Darüberhinaus ist. Diese Erhabenheit ist insbesondere der Charakter Gottes in Beziehung auf die natürlichen Dinge. Die heiligen Schriften der Juden werden wegen des Ausdrucks dieser Erhabenheit gerühmt.

»Die Erhabenheit hat daher ihre Darstellung und ihren Ausdruck an der Natur und Welt, so daß diese als Werden und Vergehen in jener Macht vorgestellt werden, als Äußerung.« Longin, der Grieche, führt aus Mose eine der erhabensten Stellen an; es ist die: »Er sprach: ‚Es werde Licht', und es ward Licht.« »Oder Psalm 104: ‚Von deinem Atem gehen Welten hervor, vor deinem Dräuen fliehen sie.' Die Macht, jene Weise der Äußerung als unendliche Macht in sich enthaltend – das ist erhaben. Die Äußerung ist Sprechen, Dräuen, Atmen. Solch eine Äußerung, Aussprechen ist die einfachste Äußerung, die leichteste, müheloseste, verschwebende – und Licht wird, ist geworden. Nur ein Hauch – und es ward Licht. So ist Licht nur ein Hauch.« Das Wort ist das müheloseste; dieser Hauch aber ist hier zugleich das Licht, die Lichtwelt, die unendliche Ausgießung des Lichts; so wird das Licht herabgesetzt zu einem Worte, zu etwas so Vorübergehendem. »Psalm 104: ‚Licht ist dein Kleid, das du anhast.' Zur Erhabenheit gesellt sich die Pracht. Natürliche Dinge sind nur Attribute, Akzidenzen, sein Schmuck, seine Diener und Boten. Psalm 104: ‚Du machst die Winde zu deinen Engeln und die Blitze – Feuerflammen – zu deinen Dienern.'« – Die Natur ist so gehorchend. Von den lebenden Wesen heißt es: »Wenn du deine Hand auftust, so werden sie mit Gut gesättigt; verbirgst du dein Angesicht, so erschrecken sie. Du nimmst weg ihren Odem, so vergehen sie und werden wieder Staub; lässest du deinen Odem aus, so werden sie geschaffen« (Psalm 104, 23–30). Dies ist die Erhabenheit, daß die Natur so ganz negiert, unterworfen, vorübergehend vorgestellt wird. »Die Äußerung ist schwach für sich; aber die Unendlichkeit der Macht, des Gedankens gibt ihr unendliche Elastizität.

Erhabenheit ist nicht Verzerrung einer natürlichen Gestalt, sondern (Gott, der in dem Schwachen mächtig) ist der Erhabene; die Gestalt, Äußerung ist unmittelbar selbst herabgesetzt zu einem Akzidens, das nicht für sich Bestimmung, keine Realität des Gedankens ist, sondern nur als eine äußere Weise. (Die Indische Kuh dagegen ist grotesk mit ihrer unendlichen Macht, weil sie selbst als Subjekt vorgestellt ist; dort gilt der Mensch, z. B. Mose, nur als Organ.)

Güte und Gerechtigkeit aber, weil sie zweitens einen Unterschied enthalten, werden Bestimmungen der Macht. Die Macht aber ist selbst das Unbestimmte, oder die Macht ist gegen diesen Unterschied selbstmächtig; ihre Güte setzt sich in Gerechtigkeit über und umgekehrt Jede für sich gesetzt schlösse die andere aus; durch ihre Bestimmung erhielte die Macht einen bestimmten Inhalt, würde Macht, die nach Zwecken wirkt. Aber die Macht als Macht ist eben dieses, daß sie die Bestimmtheit nur aufhebt, und Güte und Gerechtigkeit sind die Momente nur ihres Prozesses.

Die Macht Gottes erhält ihre bestimmte, konkrete Darstellung, hat in dem Dasein der Welt ihre Realität. Die Weisheit ist unendlich, aber unbestimmt, verschwindet gegen die Macht. Macht ist der Sinn des Verhältnisses der Welt. Gegen die Natur überhaupt gilt wesentlich Macht als solche; außer dem einen Zweck besteht kein an und für sich seiendes Recht, Inhalt, Geschichte, Begegnis, Zustand in der existierenden Welt, kein absoluter Zweck.

Diese Darstellung der Macht Gottes ist im Buche Hiob gegeben«, dem einzigen Buche, von dem man den Zusammenhang mit dem Boden des jüdischen Volkes nicht genau kennt, »eben als Darstellung der abstrakten Macht. Hiob wird unglücklich aus einem Glücklichen; dies ist der Hauptinhalt, der sehr unzusammenhängend und inkonsequent abgehandelt wird; es will mit dem Zusammenhalten der Gedanken noch gar nicht recht fort.« Hiobs Zustand ist eigentlich allgemein; die ganze Geschichte begibt sich außerhalb des jüdischen Volks, nicht auf dessen Boden. »Hiobs Geschichte, Begegnis, Zustand, Inhalt steht außer dem Volke Gottes, welches der wesentliche Zweck ist; hier also kommt von allgemeineren, weiteren Zwecken Gottes die Rede, und zwar vornehmlich kommt sie auf diesen, der in Beziehung auf das einzelne Individuum erscheinen kann, nämlich die Gerechtigkeit als Harmonie, Identität des Glücks mit seinem Verhalten, Tugend, Frömmigkeit. Zugegeben, Frömmigkeit wäre Zweck an und für sich – in der Tat ist es so, daß Furcht des Herrn, nur absolute Unterwerfung gilt; sie selbst ist der Zweck, das Giltige.« Die Gerechtigkeit des Individuums soll für Gott der Zweck sein; dieser Zweck soll durch die Macht realisiert und der Mensch soll glücklich werden. »Am Ende preist Hiob seine Unschuld, seinen unsträflichen Wandel (31,2): ‚Was gibt mir aber Gott zum Lohn von oben und was für ein Erbe der Allmächtige aus der Höhe? (3) Sollte nicht billiger der Ungerechte solch Unglück haben und ein Übeltäter so verstoßen werden? (6) So wäge man mich auf rechter Waage, so wird Gott erfahren meine Frömmigkeit.‘« Seine Freunde nehmen dasselbe Prinzip an. »Elihu erwidert 33, 12–13: ‚Siehe, eben daraus schließe ich wider dich, daß du nicht recht bist; denn Gott ist mehr als ein Mensch, warum willst du mit ihm rechten? (29–30) Gott tut solches, uns herumzuholen aus dem Verderben ein- und zweimal.‘« (17): Denn Gott tut dies, daß er den Menschen von seinem Vornehmen wende und beschirme ihn vor Hoffart. »Es handelt sich also um Gerechtigkeit, und zwar nach dem Zwecke des Wohls des einzelnen. Allerdings ist dieser Standpunkt beschränkt. – Gott tritt zuletzt auf und spricht nur seine Macht aus: Kap. 38: Und der Herr antwortete Hiob aus einem Wetter und sprach: ‚Wer ist der, der so fehlet in der Weisheit und redet so mit Unverstand! Gürte deine Lenden wie ein Mann; ich will dich fragen, lehre mich. Wo warest du, da ich die

Erde gründete? Sage mir's, bist du so klug. Weißt du, wer ihr das Maß gesetzet oder über sie die Richtschnur gezogen hat? Oder worauf stehen ihre Füße versenkt? Oder wer hat ihr den Eckstein gelegt, da mich die Morgensterne miteinander lobeten und jauchzeten alle Kinder Gottes? Bist du in den Grund des Meers kommen und hast in den Fußtapfen der Tiefen gewandelt? Kannst du deinen Donner in der Wolke hoch einherführen? Kannst du die Blitze auslassen, daß sie hinfahren und sprechen: hier sind wir? Wer ist so weise, daß er die Wolken erzählen könnte?' Dann schildert er die Pracht der Tiere, des Behemoth und Leviathan. Die Zuversicht wird gegründet auf Macht, bloß reine Macht.

Die Gottlosen heißen überhaupt ,die den Herrn nicht fürchten'. Hiob antwortet zuletzt (42,2 f.): ,Ich erkenne, daß du alles vermagst, und kein Gedanke ist dir verborgen. Es ist ein unbesonnener Mann, der seinen Rat meinet zu verbergen. Darum bekenne ich, daß ich habe unweislich geredet, das mir zu hoch ist und nicht verstehe. Da ich dich gesehen, so gebe ich mich schuldig und tue Buße in Staub und Asche.' Diese Unterwerfung ist es, die Hiob zu seinem vorigen Glück bringt, und von den andern, die verstehen wollten, Gott rechtfertigen, heißt es: ,Ihr habt nicht recht geredet wie mein Knecht Hiob; opfert für mich und lasset meinen Knecht Hiob für euch bitten. Und er gab ihm zweifältig so viel, als er gehabt hatte.'« Doch soll der Endliche dies Glück nicht als ein Recht gegen die Macht Gottes beanspruchen.

»Diese Macht, dieser Eine ist es also, der unsichtbar, Gott des Gedankens ist, weil er das Wesen ist und nur negatives Verhältnis zur Realität und positiv ein Verhältnis nur zu ihrem abstrakten Sein hat, noch nicht zu ihrem konkreten; denn er ist in sich selbst nicht weiter bestimmt.«

DIE RELIGION DER SCHÖNHEIT

Die Religion der Schönheit hat ihre Existenz in der griechischen Religion gehabt. Dies ist nach ihrer inneren Seite, nach ihrer Bedeutung, Begriff, Idee ein unendlicher, unerschöpflicher Stoff und so auch nach ihrer äußerlichen Äußerlichkeit, ein Stoff, bei dessen Freundlichkeit, Lieblichkeit, Schönheit man gern verweilt. Hier können wir jedoch nicht auf die Einzelheiten eingehen und haben uns nur an die Grundbestimmungen zu halten.

Was uns zuerst unmittelbar in dieser Religion anspricht im Gegensatz gegen die früheren Religionen, ist, daß sie eine Religion der Menschlichkeit ist, daß in ihr der Mensch zu seinem Rechte kommt, in seiner Affirmation sich erhält, daß der konkrete Mensch hier nach seiner Affirmation gilt, vorgestellt ist nach seinem Wesen, seinen Bedürfnissen, Neigungen, Leidenschaften, Pflichten, Rechten, Gewohnheiten, nach seinen sittlichen, politischen Bestimmungen, und daß er nach allem, was darin gilt, was wesentlich ist, nach seinem Hoffen und Fürchten in seinen Göttern sich gegenwärtig ist. In dem Wesentlichen dieser Religion ist uns nichts unverständlich, unbegreiflich; es ist kein Inhalt in den Göttern, der dem Menschen nicht bekannt wäre, den er nicht in sich selber fände und wüßte.

Wir haben nun in der Vorstellung Gottes zweierlei zu betrachten: den Inhalt, den bestimmten Inhalt selbst, die Bestimmtheit, Besonderung als Inhalt des Gottes, als seine Bedeutung, als das, was er ist, seine Qualität überhaupt, und zweitens die Bestimmtheit, insofern sie gegen das einzelne Selbstbewußtsein Gegenstand des Selbstbewußtseins ist, d. h. die Gestalt des Gottes.

Erstens, der Inhalt des Gottes ist dieser eben angegebene, daß der Gott hier den Inhalt hat, der zugleich der des konkreten Menschen ist. Diese Menschlichkeit der Götter ist das, was nach einer Seite, nach seinem äußerlichen Extrem das Mangelhafte, aber zugleich auch das Bestechende dieser Religion ist. Wir haben aber hier wieder mehrere Bestimmungen zu unterscheiden, nämlich erstens den besonderen Inhalt, das Gehaltvolle und die Besonderheit dieses Inhalts. Zweitens ist über diesem besonderen Inhalt, über den Göttern, das eine, das das Beziehungslose und darum bloße Notwendigkeit ist, das über dieser Besonderung steht und sie zu Beschränktem macht. Dies eine steht darüber, die einfache Notwendigkeit, das Fatum, die unabwendbare, unnahbare Notwendigkeit. Wie in dem Gott der Mensch sich selbst hat, so ist über beiden die Notwendigkeit. Das Dritte dagegen ist die Vereinzelung, die ganz zufällige Vereinzelung, das Hinabdrücken der Gestalt in einen Inhalt, der ganz zufällig, äußerlich, willkürlich erscheint.

Das Erste ist also die Vorstellung des Gottes in dieser Sphäre.

Der Inhalt ist zunächst ein besonderer Inhalt. Der Eine, diese Macht, diese Weisheit muß sich auftun, aufschließen, bestimmen; dies ist das wesentliche Moment, bei dem wir stehen: es ist eine innere Bestimmung dieses Einen. Die Besonderung muß dann selbst die Weise der Subjektivität erhalten; die Besonderheiten müssen zu selbständigen Göttern werden. Denn die Besonderung des Begriffs, die Subjektivität ist die reale Besonderung, deren Momente zu Ganzen der Subjektivität werden. Sie bestehen nicht in Eigenschaften, vielen Bestimmtheiten; diese sind nicht der eigentliche Inhalt, sie drücken teils Beziehung auf anderes aus und gehören teils der Stufe der äußeren Reflexion an. Jene Momente aber sind die Realisierung der Subjektivität. Die Besonderung ist hier die Totalität; so in sich reflektiert wird sie zu selbständigen Göttern.

Die nächste Frage ist nun: wo kommt der Inhalt her, von welcher Art kann er sein? Er kann kein anderer sein, als der dem Bewußtsein überhaupt vorliegt, der Stoff der natürlichen und der geistigen Welt, nicht der ganz zufällige, momentane und empirische Inhalt, sondern der Inhalt nach seiner Wesenhaftigkeit. Er soll Inhalt nach dem Begriffe sein, und so muß er, obgleich besondert, doch in seiner Allgemeinheit und Wesentlichkeit aufgefaßt werden. Dieser Inhalt sind so die allgemeinen Mächte, die Elemente des physischen und geistigen Lebens, die allgemeinen Mächte des sittlichen Lebens. Alle Mächte treten als dieser wesentliche Inhalt auf, und so sind es, wie wir schon früher bemerkt haben, Himmel, Erde, Sonne, Ozean, Flüsse, Berge, Tag und Nacht, Zeitperioden, ferner das Sittliche: die Gerechtigkeit, der Eid, die Familie, Ehe, Tapferkeit, Wissenschaft, Kunst, Ackerbau, politisches und Staatsleben. Die Tapferkeit besteht vorzüglich darin, die wilden Tiere auszurotten; Artemis hat so nicht vorzugsweise den Sinn, die Bedeutung der Jagd überhaupt, sondern wesentlich der Jagd auf reißende Tiere. Diese Tiere, die in andern Sphären wie bei den Indern, Ägyptern usf. als absolut geltend respektiert werden, werden hier durch die Tapferkeit der geistigen Subjektivität erlegt, zum Gebrauch getötet.

Aus dem Geist ist dieser Inhalt entnommen, aus dem, was mächtig als Leidenschaft, als wesentliches Interesse, als Recht sich zeigt. Der Inhalt ist, wie gesagt, zweierlei Art, natürlicher und geistiger. Die Grundbestimmung aber ist hier geistige Subjektivität überhaupt, und insofern ist es nun nicht das Naturelement oder die Naturmacht, was für sich als selbständiger Gott angesehen werden kann, sondern wesentlich nur die geistige Subjektivität. Wenn zwar die Naturmacht auch als Subjektivität, als Naturgötter vorgestellt wird, so ist doch die Gestalt dieses natürlichen Inhalts, diese Subjektivität nur ein Geliehenes, Phantastisches, nichts Wahrhaftes. So sehr dies Zerfallen stattfindet, worin die natürlichen Mächte als für sich, als selbständig erscheinen, ebenso tritt die Einheit des Geistigen und Natürlichen immer mehr hervor, und dies ist das Wesentliche; sie ist aber nicht die Neutralisation beider, sondern in ihr ist das Geistige nicht nur das Überwiegende, sondern auch das Herrschende, Bestimmende, das Natürliche dagegen ideell, unterworfen. Die Subjektivität als solche, die hier Grundbestimmung ist, ist nicht etwas, das in sich eine bloße Naturgewalt hätte. Die griechische Phantasie hat nicht die Natur mit Göttern bevölkert, wie den Indern aus allen natürlichen Gestalten, aus diesem Vogel, Berg, Fluß die Gestalt des Gottes hervorgeht. Das griechische Prinzip ist vielmehr die subjektive Freiheit des Geistes; das Natürliche ist nicht mehr würdig, den Inhalt eines solchen Gottes auszumachen. Zweitens aber ist diese freie Subjektivität noch nicht die absolut freie, nicht die Idee, die sich als Geist wahrhaft in sich realisiert hätte; wir sind hier nur auf der Stufe dazu. Der Inhalt, den die freie Subjektivität gibt, ist als besonderer überhaupt, aber zugleich geistig; am besonderen Geist aber ist die Besonderheit eine natürliche Seite. In dem Gott der besonderen Subjektivität sind so zwei Bestimmungen vorhanden, die eine, daß er geistiger Art ist, die andere, daß wegen der Besonderheit der Geistigkeit die Bestimmung der Natürlichkeit gesetzt ist. Das Subjekt ist so Einheit einer geistigen und einer natürlichen Macht, hat einen geistigen und einen natürlichen Inhalt, aber so, daß jener der herrschende ist und das Natürliche unterworfen hat. Dies ist die Grundbestimmung des Gottes.

In Ansehung des Prinzips finden nun zwei Verhältnisse statt, das eine Mal das Unterschiedensein des Natürlichen und Geistigen, das zweite Mal ihre wahrhafte Vereinigung. Die geistige Subjektivität ist nur als der Triumph über das Natürliche, als das Resultat, das sich hervorgebracht hat, als das, was das Natürliche überwältigt. Insofern das Natürliche als ein Unterschiedenes erscheint, als selbständig und nur unterworfen, sind zweierlei Götter. Dies ist der wichtigste Punkt in der griechischen Mythologie.

PROMETHEUS UND HERAKLES

Prometheus, der auch zu den Titanen gerechnet wird, ist eine wichtige, interessante Figur; er hat den Menschen das Feuer gebracht. Das Feueranzünden gehört schon einer gewissen Bildung an; es ist der Mensch schon aus der ersten Roheit herausgetreten. Die ersten Anfänge der Bildung sind so in den Mythen in dankbarem Gedächtnis aufbewahrt worden. Prometheus hat die Menschen das Opfern gelehrt, so daß sie auch selbst etwas vom Opfer haben. Es heißt, nicht dem Menschen, sondern einer geistigen Macht hätten die Tiere gehört, d. h. die Menschen haben kein Fleisch gegessen. Prometheus nun habe dem Zeus das ganze Opfer genommen; er habe zwei Figuren gemacht, eine, indem er Knochen und Eingeweide mit Haut überzog, und eine Figur ganz von Fleisch, Zeus aber habe nach der ersten gegriffen. Opfern also heißt nun ein Gastmahl halten, und die Eingeweide, die Knochen bekommen die Götter. Man betrügt Zeus, indem man ihm die Knochen in Fett eingehüllt opfert, während man das Fleisch selbst genießt. Dieser Prometheus hat die Menschen gelehrt, zuzugreifen und die Tiere zu ihren Nahrungsmitteln zu machen, wohingegen es bei den Indern, Ägyptern verpönt ist, Tiere zu schlachten. Das ist ein großer Schritt. Die Tiere durften sonst von dem Menschen nicht angerührt werden; sie waren ein von ihm zu Respektierendes; noch im Homer werden Sonnenrinder des Helios erwähnt, die von den Menschen nicht berührt werden durften. Artemis ist die menschliche Macht, Tiere zu jagen. Hieher gehören einzelne Mythen, die sich auf diesen Überschritt in Rücksicht auf das Verhältnis des Menschen zu den Tieren beziehen. Prometheus also hat die Menschen Fleisch essen gelehrt und ihnen ferner noch andere Künste beigebracht; es wird dankbar erwähnt, daß er den Menschen das Leben erleichtert habe. Ohnerachtet aber darin menschliche Verstandesmächte sich bekunden, gehört er doch zu den Titanen; denn seine Künste und Erfindungen, die zur Bildung des Menschen gehören, beziehen sich nur auf die Bedürfnisse des Menschen, sind nur für das Leben überhaupt – es sind keine sittlichen Gewalten, Gesetze usf. Diese kommen dem Zeus zu; das Sittliche ist nicht titanisch, es gehört den neuen Göttern an. In einer Vorstellung bei Plato, wo er von Prometheus spricht, heißt es, er habe zwar das Feuer aus der Akropolis geholt, aber die *πολιτεια*, das Sittliche unter den Menschen, habe er nicht bringen können; sie sei in der Burg des Zeus aufbewahrt gewesen, Zeus habe sie sich vorbehalten. Prometheus wird an den Kaukasus geschmiedet, und ein Geier nagt beständig an seiner immer wachsenden Leber – ein Schmerz, der nie aufhört. Was Prometheus die Menschen gelehrt, sind nur solche Geschicklichkeiten, welche die Befriedigung natürlicher Bedürfnisse angehen. In der bloßen Befriedigung dieser Bedürfnisse ist nie eine Sättigung, sondern das Bedürfnis wächst immer fort und die Sorge ist immer neu – das ist durch jenen Mythus angedeutet.

Sind die Götter die geistige Besonderheit von seiten der Substanz aus, welche in sie sich auseinanderreißt, so ist eben damit anderseits die Beschränktheit des Besonderen der substantiellen Allgemeinheit entgegengehoben. Dadurch erhalten wir die Einheit von beidem, den göttlichen Zweck vermenschlicht, den menschlichen zum göttlichen erhoben. Dies gibt die Heroen, die Halbgötter. Die Heroen sind also nicht unmittelbar Götter, sie müssen erst durch Arbeit sich in das Göttliche setzen. Die Götter geistiger Individualität, obgleich jetzt ruhend, sind doch nur durch den Kampf mit den Titanen; dies ihr Ansich nun ist in den Heroen gesetzt. Ihre geistige Individualität steht höher als die der Götter selbst; sie sind wirklich die Betätigungen des Ansich, was die Götter an sich sind, und wenn sie auch in der Arbeit ringen müssen, so ist dies eine Abarbeitung der Natürlichkeit, welche die Götter noch an sich haben. Die Götter kommen von der Naturmacht her, die Heroen aber von den Göttern.

Unter den Göttern ist deswegen Herakles noch besonders zu bemerken. Er ist der einzige Gott, der vorgestellt ist als Mensch, der unter die Götter versetzt wird. Er ist ein menschliches Individuum, das es sich hat sauer werden lassen: er hat im Dienste gestanden und sich durch Arbeit den Himmel errungen. Er ist rein geistige Individualität als solche, als Mensch. Diese geistige Individualität des Menschen steht höher als Zeus und Apollo; denn die menschliche Geistigkeit ist freie, reine, abstrakte Subjektivität ohne Naturbestimmtheit. Er ist dieses Subjekt und hat natürliches Leben, und darin eben sind die Arbeiten und Tugenden. Aber diese Abhängigkeit vom natürlichen Leben ist Endlichkeit überhaupt; diese ist zugleich abstrakte Endlichkeit, Punkt der Einzelheit, der alle Natürlichkeit in sich gefaßt hat, sich aber darin befreien kann, befreit ist. Die andern geistigen Götter haben, indem sie zwar das Resultat, aber dies erst durch Überwindung der Naturmacht sind, ihr Werden an ihnen selbst und zeigen sich als konkrete Einheit. Die Naturmächte sind noch in ihnen als ihre Grundlage enthalten, wenn auch dies Ansich in ihnen verklärt ist; sie sind nicht so frei; sie haben noch Natur in ihrem Wesen, ohne sich davon reinigen zu können; es ist in ihnen dieser Nachklang der Naturelemente, ein Nachklang, den Herakles nicht hat. Daß die Griechen auch diesen Unterschied machten, worin sich ihr Geist zeigt, davon sind viele Spuren. Herakles wird von ihnen sehr hochgestellt. Bei Aischylos sagt Prometheus, er habe in seinem Trotze seinen Trost, Satisfaktion darin, daß dem Zeus ein Sohn werde geboren werden, der ihn vom Throne werfen würde: Herakles. Ebenso ist es auf lustige Weise bei Aristophanes; da preist Bakchos den Herakles als den Erben des Zeus, wenn dieser mit Tod abgehen werde. Damit ist gesagt, daß Herakles die Herrschaft des Zeus erlangen werde, was als Prophezeiung angesehen werden kann, die eingetroffen ist.

DIE GESINNUNG DER NOTWENDIGKEIT
DAS TRAGISCHE UND DIE VERSÖHNUNG

Die Gesinnung der Notwendigkeit ist diese Ruhe, die sich in der Stille hält, in dieser Freiheit, die aber noch eine abstrakte ist. Insofern ist es eine Flucht; aber es ist zugleich die Freiheit, insofern der Mensch von dem Schicksal als äußerlichem nicht überwunden, nicht gebeugt wird. Wer dies Bewußtsein der Unabhängigkeit hat, ist, wenn er stirbt, äußerlich wohl unterlegen, aber nicht besiegt, nicht überwunden. Die Notwendigkeit hat ihre eigene Sphäre; sie bezieht sich nur auf das Besondere der Individualität, sofern sie in ihrem äußerlichen, gegenwärtigen Dasein der Zufälligkeit, den Begebenheiten unterworfen ist und eine Kollision zwischen ihr und der geistigen Macht möglich ist, sofern die Besonderheit, die einzelnen Begebenheiten eben der Zufälligkeit unterworfen sind. Nach dieser Seite werden sie von der Notwendigkeit berührt und sind ihr unterworfen.

Beim Homer weint Achill über seinen frühen Tod, auch sein Pferd weint darüber; bei uns wäre das von einem Dichter töricht. Homer konnte dem Achill ein solches Bewußtsein beilegen. In unserer Vorstellung wäre es etwas Schlechtes; aber einen Griechen, einen Achill kann es wohl traurig machen, doch nur momentan in dem Bewußtsein: es ist so; aber weiter berührt es ihn nicht. Er kann darüber wohl traurig, aber nicht verdrießlich werden. Verdruß ist die Empfindung der modernen Welt. Die Verdrießlichkeit, Unzufriedenheit der Menschen ist eben, daß sie an einem bestimmten Zweck festhalten, diesen nicht aufgeben, und wenn es im Laufe der Dinge nun diesem nicht angemessen oder gar zuwider geht, sind sie unzufrieden. Verdrießlichkeit setzt also einen Zweck, eine Forderung der modernen Willkür voraus, wozu sie sich ermächtigt hält; wenn ein solcher Zweck nicht erreicht wird, so nimmt der moderne Mensch leicht die Wendung, nun auch für das übrige den Mut sinken zu lassen und auch das andere nicht zu wollen, was er sich sonst zum Zwecke machen könnte. Er gibt seine übrige Bestimmung auf, zerstört, um sich zu rächen, seinen eigenen Mut, seine Tätigkeit, die Zwecke des Schicksals, die er sonst noch hätte erreichen können, und läßt seine Hand davon. Da ist keine Übereinstimmung zwischen dem, was man ist, und dem, was man sein will; denn die Menschen haben in sich das Sollen: das soll sein. So ist Entzweiung in sich, Unfrieden, Unzufriedenheit vorhanden. Dies ist die Verdrießlichkeit; den Charakter der Griechen, der Alten konnte sie nicht ausmachen. Deren Trauer über die Notwendigkeit ist nur einfach. Auf ihrem Standpunkt ist kein Zweck, kein Interesse festgehalten gegen die Verhältnisse, wie sie sich nun machen. Unglück, Unzufriedenheit ist nichts anderes als Widerspruch gegen das, was ich sein will. Die Griechen haben keinen Zweck als absolut, als wesentlich vorausgesetzt, der gewährt werden sollte; deshalb ist ihre Trauer ergebene Trauer, einfacher Schmerz, und hat in sich selbst die Heiterkeit. Dem Individuum geht kein absoluter Zweck verloren; es bleibt auch im Schmerz bei sich selbst. Auf das, was ihm nicht erfüllt wird, kann es renunzieren und sagen: es ist so. So hat es sich in die Abstraktion zurückgezogen und nicht sein Sein dem Schicksal entgegengestellt. Die Bestimmung ist die Identität des subjektiven Willens mit dem, was ist; das Subjekt ist frei, aber nur auf abstrakte Weise. Das ist hier der Charakter der Gesinnung. Außer diesem Verhältnis zur einfachen Notwendigkeit im Bewußtsein des Göttlichen und seiner Beziehung auf den Menschen ist umgekehrt noch eine andere Seite kurz zu erwähnen, nämlich diese, daß auch vom Göttlichen gewußt wird, daß es am Lose des Endlichen teilhat, an der abstrakten Notwendigkeit des Endlichen. Zur abstrakten Notwendigkeit des Endlichen gehört einmal der Tod, die natürliche Negation des Endlichen. Die Endlichkeit aber, wie sie am Göttlichen erscheint, ist die Untergeordnetheit der sittlichen Mächte. Weil sie besondere sind, haben sie an sich die Vergänglichkeit, einseitig zu sein und das Los der Einseitigkeit zu erfahren. Dies ist das Bewußtsein, das vornehmlich in Tragödien vorgestellt, zur Anschauung gebracht worden ist, die Notwendigkeit als eine sich erfüllende, Gehalt, Inhalt habende.

Das Fatum ist das Begrifflose, wo Gerechtigkeit und Ungerechtigkeit in der Abstraktion verschwinden; in der Tragödie dagegen ist das Schicksal innerhalb eines Kreises sittlicher Gerechtigkeit. Am erhabensten finden wir das in den Tragödien des Sophokles. Es wird daselbst vom Schicksal und von der Notwendigkeit gesprochen; das Schicksal der Individuen ist als etwas Unbegreifliches dargestellt, aber die Notwendigkeit ist als die wahrhafte Gerechtigkeit erkannt. Dadurch eben sind jene Tragödien die unsterblichen Geisteswerke des sittlichen Verstehens und Begreifens, die ewigen Muster des sittlichen Begriffs. Das blinde Schicksal ist etwas Unbefriedigendes. In diesen Tragödien wird die Gerechtigkeit begriffen.

Der eine Teil, der Chor, ist, wie wir schon bemerkt haben, dem tragischen Schicksal entnommen; er bleibt im ruhigen Gange der sittlichen Ordnung, im gewöhnlichen Lebenskreise beschränkt und erregt nicht das Sittliche selbst zu einer feindlichen Macht gegen sich. Der Chor, das Volk, hat auch eine Seite der Besonderheit; es ist dem gewöhnlichen Lose der Sterblichen ausgesetzt, Unglück zu haben, umzukommen, auf diese oder jene Weise zu sterben u. dgl. Aber solcher Ausgang ist das gemeine Los sterblicher Menschen und der Gang der Gerechtigkeit. Dieser allgemeine Gang ist selbst das Berechtigte, und daß das Individuum zufälliges Unglück hat und stirbt, ist ganz in der Ordnung. Die Heroen dagegen sind die Individuen, die besonders der Notwendigkeit unterworfen und tragisch sind. Denn sie sind es, die sich über den sittlichen Zustand erheben, die etwas Besonderes für sich ausführen wollen, die eigentümlich wollen und handeln. Sie sind von den übrigen durch eigentümliches Wollen unterschieden; sie nehmen sich ein Interesse, das über den ruhigen Zustand des Waltens, der Regierung des Gottes geht, und stehen über dem Chor, dem ruhigen, stetigen, unentzweiten sittlichen Verlauf. Sie handeln, bringen Ordnung hervor, und indem sie handeln, werden überhaupt Veränderungen hervorgebracht, und in weiterer Entwicklung tritt eine Entzweiung ein, und die höhere, eigentlich interessante Entzweiung für den Geist ist, daß es die sittlichen Mächte selbst sind, die als Entzweite in Kollision geratend erscheinen. Die Auflösung der Kollision ist, daß die sittlichen Mächte, die nach ihrer Einseitigkeit in Kollision sind, sich der Einseitigkeit des selbständigen Geltens abtun; und die Erscheinung dieses Abtuns der Einseitigkeit ist, daß die Individuen, die sich zur Verwirklichung der einen einzelnen sittlichen Macht aufgeworfen haben, zugrunde gehen. In dem für mich absoluten Exempel der Tragödie, in der Antigone, kommt die Familienliebe, das Heilige, Innere, der Empfindung Angehörige, weshalb es auch das Gesetz der unteren Götter heißt, mit dem Rechte des Staats in Kollision. Kreon ist nicht ein Tyrann, sondern vertritt etwas, das ebenso eine sittliche Macht ist. Kreon hat nicht unrecht; er behauptet, daß das Gesetz des Staates, die Autorität der Regierung gewahrt werden muß und Strafe aus der Verletzung folgt. Jede dieser beiden Seiten verwirklicht nur die eine der beiden, hat nur je eine zum Inhalt. Das ist die Einseitigkeit, und der Sinn der ewigen Gerechtigkeit ist, daß beide unrecht haben, weil sie einseitig sind, aber damit auch beide recht. Beide werden im ungetrübten Gange der Sittlichkeit anerkannt; hier haben sie beide ihr Gelten, aber ihr ausgeglichenes Gelten. Es ist nur die Einseitigkeit, gegen die die Gerechtigkeit auftritt. Eine andere Kollision ist z. B. im Ödipus dargestellt. Er hat seinen Vater erschlagen, ist scheinbar schuldig, aber schuldig, weil seine sittliche Macht einseitig ist. Er fällt nämlich bewußtlos in diese gräßliche Tat. Er ist aber der, der das Rätsel der Sphinx gelöst hat: dieser hohe Wissende. So stellt sich als Nemesis ein Gleichgewicht her: der so wissend war, steht in der Macht des Bewußtlosen, so daß er in tiefe Schuld fällt, als er hoch stand. Hier ist also der Gegensatz der beiden Mächte der des Bewußtseins und der Bewußtlosigkeit. Auf solche Weise ist der Schluß der Tragödie die Versöhnung, nicht die blinde Notwendigkeit, sondern die vernünftige, die Notwendigkeit, die hier anfängt sich zu erfüllen. Es ist die Gerechtigkeit, die auf solche Weise befriedigt wird mit dem Spruch: es ist nichts, was nicht Zeus ist, nämlich die ewige Gerechtigkeit. Hier ist eine rührende Notwendigkeit, die aber vollkommen sittlich ist; das erlittene Unglück ist vollkommen klar; hier ist nichts Blindes, Bewußtloses. Zu solcher Klarheit der Einsicht und der künstlerischen Darstellung ist Griechenland auf seiner höchsten Bildungsstufe gekommen; aber es bleibt allerdings auch ein Unaufgelöstes, indem das Höhere nicht als die unendliche geistige

Macht hervortritt: es bleibt eine unbefriedigte Trauer darin, indem ein Individuum untergeht. Die höhere Versöhnung wäre, daß im Subjekt die Gesinnung der Einseitigkeit aufgehoben würde, das Bewußtsein seines Unrechts ihm aufginge und daß es sich in seinem Gemüt seines Unrechts abtäte. Diese seine Schuld, seine Einseitigkeit zu erkennen und sich derselben abzutun, ist aber nicht in dieser Sphäre einheimisch. Dies Höhere macht die äußere Bestrafung, den natürlichen Tod überflüssig.

Anfänge, Anklänge solcher Versöhnung treten allerdings auch ein; aber diese innere Umkehr erscheint doch mehr als äußerliche Reinigung. Ein Sohn des Minos war in Athen erschlagen worden; daher ward eine Reinigung vollzogen, und jene Tat ist für ungeschehen erklärt worden. Es ist der Geist, der das Geschehene ungeschehen machen will. Orest in den Eumeniden wird vom Areopag losgesprochen. Hier ist einerseits der höchste Frevel gegen die Pietät; auf der anderen Seite hat er seinem Vater Recht verschafft. Er war Oberhaupt der Familie und auch des Staats. In ein und derselben Handlung hat er gefrevelt und ebenso vollkommene, wesentliche Notwendigkeit ausgeübt. Lossprechen heißt eben dies: ungeschehen machen. – Ödipus Koloneus spielt an die Versöhnung und näher an die christliche Vorstellung von der Versöhnung an: er kommt bei den Göttern zu Ehren, die Götter berufen ihn zu sich. Heutzutage fordern wir mehr, weil die Vorstellung der Versöhnung bei uns höher ist: das Bewußtsein, daß im Innern diese Umkehrung geschehen kann, wodurch das Geschehene ungeschehen gemacht wird. Der Mensch, der sich bekehrt, seine Einseitigkeit aufgibt, hat sie ausgerottet in sich, in seinem Willen, wo die bleibende Stätte, der Platz der Tat wäre, d. h. er hat die Tat in der Wurzel vernichtet. Es ist unserem Gefühl entsprechender, daß die Tragödien Ausgänge haben, die versöhnend sind.

Dies ist das Verhältnis der Notwendigkeit.

ROM: DIE RELIGION DER ZWECKMÄSSIGKEIT

Hier nun aber sind die objektiven Mächte praktische Götter; es ist praktische Religion, Nützlichkeitsreligion. Es ist die Selbstsucht der Verehrenden, die sich in ihnen als der Macht anschaut und die in und von ihnen die Befriedigung eines subjektiven Interesses sucht. Die Selbständigkeit des Menschen ist in sich bestimmt, er in seiner Besonderheit sich der unendliche Zweck. Sie hat das Gefühl ihrer Abhängigkeit, eben weil sie schlechthin endlich ist, und ihr ist dies Gefühl eigentümlich. Der Orientale, der im Lichte lebt, der Inder, der im Brahma sein Bewußtsein und Selbstbewußtsein versenkt, der Grieche, der in der Notwendigkeit seine besonderen Zwecke aufgibt und in den besonderen Mächten seine ihm freundlichen, ihn begeisternden, belebenden, mit ihm vereinten Mächte anschaut, lebt in seiner Religion ohne das Gefühl der Abhängigkeit. Er ist vielmehr frei darin, wirft seine Abhängigkeit hinweg und hat sie weggeworfen. Frei hat er sich versenkt. Gott ist in ihm, und er ist nur in ihm. Außer der Religion ist er abhängig; aber hier hat er seine Freiheit. Aber die Selbstsucht, die Not, das Bedürfnis, das subjektive Glück und Wohlleben, das sich will, an sich hält, fühlt sich gedrückt, geht vom Gefühl der Abhängigkeit seiner Interessen aus. Die Macht über diese Interessen hat eine positive Bedeutung, ein Interesse für dasselbe, in dem sie seine Zwecke erfüllen soll. Sie hat insofern nur die Bedeutung eines Mittels der Verwirklichung ihrer Zwecke. (Schleichen, Heucheln steckt in dieser Demut, denn seine Zwecke sind und sollen der Inhalt, der Zweck dieser Macht sein.) Dies Bewußtsein verhält sich in der Religion daher nicht theoretisch, d. h. nicht in freier Anschauung der Objektivität, des freien Ehrens der Mächte, sondern in praktischer Selbstsucht, der geforderten Erfüllung der Einzelheit dieses Lebens. Die Religion ist prosaisch, Religion des Verstandes; denn er ist es, der endliche Zwecke festhält – der Zweck ist ein durch ihn einseitig gesetzter, nur ihn interessierender – und diese Abstrakta, Vereinzelungen weder in der Notwendigkeit versenkt, noch sie in der Vernunft auflöst. Diese Gestaltungen der Religion sind daher nicht Werke der freien Phantasie, des freien Geistes, der Schönheit, nicht Gestaltungen, in denen objektiv der Gegensatz von einer Verstandesbestimmung, Zweckbestimmung und der Realität ausgetilgt ist.

In Ansehung ferner der abstrakten Gesinnung, der Richtung des Geistes ist das Erste die Ernsthaftigkeit der Römer. Sie ist ein Grundzug gegen die Heiterkeit der vorhergehenden Religion in der Anschauung des Wesenhaften; denn die Inhaltsbestimmung ist hier ein wesentlicher Zweck. Wo ein Zweck ist, ein wesentlich fester Zweck, der realisiert werden soll, da tritt der Verstand und damit die Ernsthaftigkeit ein, die an diesem Zwecke festhält gegen mannigfaches andere im Gemüt oder in äußerlichen Umständen. Bei den vorangehenden Göttern, der abstrakten Notwendigkeit und den besonderen, schönen, göttlichen Individuen, ist der Grundcharakter Freiheit, die zugleich diese Heiterkeit, Seligkeit ist; sie sind nicht an die einzelne Existenz gebunden, sondern sind wesentliche Mächte und zugleich die Ironie über das, was sie tun wollen – an dem niederen Empirischen ist ihnen nichts gelegen.

Die Heiterkeit der griechischen Religion, der Grundzug in Ansehung ihrer Gesinnung, hat darin ihren Grund, daß dort auch wohl ein Zweck ist, ein Verehrtes, Heiliges. Aber zugleich ist die Freiheit vom Zweck unmittelbar darin vorhanden, daß die griechischen Götter viele sind. Jeder griechische Gott hat eine mehr oder weniger substantielle Eigenschaft, sittliche Wesentlichkeit; aber eben weil es viele Besonderheiten sind, so steht das Bewußtsein, der Geist, zugleich über diesem Mannigfachen, ist aus seiner Besonderheit heraus. Das Bewußtsein verläßt das, was als wesentlich bestimmt ist und auch als Zweck behandelt werden kann, und ist selbst dies Ironisieren. Die ideale Schönheit dieser Götter und ihr Allgemeines selbst ist höher als ihr besonderer Charakter. Dagegen kann da, wo ein oberstes Prinzip, ein oberster Zweck ist, diese Heiterkeit nicht stattfinden. Ferner ist der griechische Gott eine konkrete Individualität; an ihm selbst hat jedes dieser vielen besonderen Individuen wieder viele unterschiedene Bestimmungen: es ist eine reiche Individualität, die notwendig den Widerspruch an ihr haben und zeigen muß deswegen, weil der Gegensatz noch nicht absolut versöhnt ist. Indem die Götter an ihnen selbst diesen Reichtum an äußerlichen Bestimmungen haben, ist die Gleichgültigkeit gegen diese Besonderheiten vorhanden, und der Leichtsinn kann mit ihnen spielen. Das Zufällige, das wir in den Göttergeschichten an diesen Göttern bemerken, gehört hieher.

Dagegen ist der Charakter der römischen Gesinnung diese Ernsthaftigkeit des Verstandes, die aus dem Zweck hervorgeht. Dionysios von Halikarnaß (Creuzers Symbolik, 2. Bd.) vergleicht die griechische und die römische Religion; er fixiert die religiösen Einrichtungen Roms und zeigt den großen Vorzug der altrömischen Religion vor der griechischen. Jene hat mit der griechischen die Tempel, Altäre, Gottesdienst, Opfer, Gottesfrieden, Feste, Symbole usf. gemein; aber ausgeschlossen sind die Mythen mit den blasphemischen Zügen, mit den Verstümmelungen, Gefangenschaften, Kriegen, Händeln usf. der Götter. Diese aber gehören zu der Gestaltung der Heiterkeit der Götter dazu: die griechischen Götter geben sich preis; es wird mit ihnen Komödie gespielt, aber eben darin haben sie ihr unbekümmertes, sicheres Dasein. Beim Ernst muß auch die Gestalt, müssen die Handlungen, Begebenheiten dem Prinzip gemäß heraustreten; hingegen sind in der freien Individualität noch keine solche festen Zwecke, solche Verstandesbestimmungen. Die Götter sind an sich und enthalten wohl das Sittliche; sie sind aber nicht eine einzelne sittliche Verstandesbestimmung, kein einseitiger sittlicher Grundsatz, sondern sie sind in ihrer Bestimmtheit zugleich reiche Individualität, haben einen Hauptzug und ihren Charakter; sie sind konkret. In dieser reichen Individualität ist die Ernsthaftigkeit keine notwendige Bestimmung; sie ist vielmehr frei in der Einzelheit ihrer Äußerung, kann sich auf leichtsinnige Weise in allem herumwerfen und bleibt doch, was sie ist. Jene Geschichten, die als unwürdig erscheinen, spielen auf allgemeine Ansichten der Natur der Dinge, auf Erschaffung der Welt usf. an; sie haben ihren Ursprung in alten Traditionen, in abstrakten Ansichten über den Prozeß der Elemente. Das Allgemeine der Ansicht ist verdunkelt, aber es wird darauf angespielt, und in dieser Äußerlichkeit, Unordnung wird der Blick in das Allgemeine der Intelligenz erweckt. In einer Religion dagegen, wo der bestimmte Zweck die Macht ist, verschwindet die Rücksicht auf alle theoretischen Gesichtspunkte der Intelligenz. Theorien, dergleichen Allgemeines findet sich nicht in der Religion der Zweckmäßigkeit. Hier hat der Gott einen bestimmten Inhalt, nämlich die Herrschaft über die Welt; es ist empirische, nicht sittliche, geistige, sondern reale Allgemeinheit. Der Gott ist hier das Herrschende der Welt, und er hat seine Realität an diesem Volke; dieses ist erfüllt und begeistert für diesen Gott. Der bestimmte Zweck ist eben der Zweck der Herrschaft, und der Gott ist die Macht, diesen Zweck zu realisieren, die oberste allgemeine Macht, diese Herrschaft über die Welt. Diese Herrschaft aber ist nur eine Abstraktion, das kalte Herrschen überhaupt; es ist nur Macht als solche. Was wir hier vor uns haben, ist die römische Religion in ihrem Geiste, und so ist diese Herrschaft nur die Roma überhaupt, der römische Gott als Fortuna publica; ihr war ein Tempel in Rom errichtet. Diese Herrschaft ist die Notwendigkeit und das Glück, für andere eine kalte Notwendigkeit. Die eigentliche, den römischen Zweck selbst enthaltende Notwendigkeit ist eben Roma selbst, das Herrschen, ein heiliges, göttliches Wesen. In der Form eines herrschenden Gottes ist es der Jupiter Capitolinus; er ist ein besonderer Jupiter, denn es gibt ihrer viele. Er hat eine andere Bedeutung als Zeus; er ist wesentlich der Capitolinus. Zeus ist Herrscher der Götter und Menschen; dieser Jupiter aber ist der reale Herrscher der existierenden Menschen, er ist also im realen Sinne der Herrscher, der Jupiter, der den Sinn des Herrschens und einen Zweck in der Welt hat, und das römische Volk ist es, durch und für das er diesen Zweck vollbringt.

EINE POLITISCHE RELIGION

Es enthält diese Religion daher die nähern Momente in sich, eine politische Religion zu sein; der Staat ist ein Hauptzweck derselben. Sie ist nicht so eine politische Religion, daß wie bei allen bisherigen eigentlich das Volk das höchste Bewußtsein seines Staats und seiner Sittlichkeit in der Religion hätte, so daß den Göttern als freien allgemeinen Mächten Verehrung zukäme, daß sie denselben die allgemeinen Einrichtungen des Staats, wie Ackerbau, Eigentum, Ehe, verdankten, sondern die Verehrung und Dankbarkeit gegen die Götter knüpft sich teils an bestimmte einzelne Fälle (Rettung aus Nöten) und wirkliche Begebenheiten prosaisch an, teils knüpft sich an alle öffentliche Autorität, öffentliche Verhandlungen, Staatshandlungen die Religiosität überhaupt an. Teils aber, indem ihr Tun für die endlichen Zwecke selbst so endlich vorgestellt wird, so sind es die einzelnen Beschlüsse, Vornehmungen usf., in denen die Götter mit beraten und angeben müssen, und der Aberglaube zieht sie auf endliche Weise in allem zu Rat, und da dieses Ratgeben nur vermittelt durch Menschen sein kann, so ist diese Seite der politischen Gewalt in den Händen der Priester. Römische Konsultationen der sibyllinischen Bücher, das Betrachten des Vogelfluges, Auspizien. Haruspizien u. dgl. haben ganz andere Gestalt und Bedeutung als die Konsultationen der Orakel durch die Griechen. Die Römer hatten keine Orakel, befragten sie zwar auch zuweilen; aber sie waren nicht eigentümlich einheimisch bei ihnen.

Eine zweite Bestimmung ist, daß der Verwirklichung dieser konkreten Zwecke unmittelbar ihr Fehlschlagen gegenübersteht und, da sie endliche sind, dasselbe zu befürchten steht. Das Mißlingen, Unglück, politisches und physisches, Mißwachs, Krankheit usf. steht auf gleicher Linie mit dem Gedeihen und Glücken. Es tritt die Bestimmung eines Feindseligen, Unglückbringenden ein, überhaupt die Furcht für die endlichen Zwecke. In der heiteren Religion der Kunst ist diese Seite zurückgedrängt; die unterirdischen Mächte, die für feindlich, furchtbar angesehen werden könnten, sind Eumeniden, Wohlgesinnte, wohlwollende innere Mächte.

»Ein merkwürdiger Umstand ist endlich, daß die Römer ihre Kaiser nahezu als einen Gott oder in der Tat als einen Gott verehrt haben. Indem ihnen göttlicher Inhalt endliche, menschliche Zwecke und die Macht solcher Zwecke und unmittelbarer, wirklicher äußerlicher Zustände das Glück des römischen Reichs war, so lag es unmittelbar nahe, die gegenwärtige Macht solcher Zwecke, die dies Glück in Händen hatte, die individuelle Gegenwart solchen Glücks als Gott zu verehren. Der Kaiser, dies ungeheure Individuum, war die rechtlose Macht über das Leben und Glück der Individuen, der Städte; er war eine weitreichendere Macht als der Robigo. Hungersnot und andere öffentliche Not lag in seiner Hand; die Fames lag in seiner Hand, und mehr als dies: Stand, Geburt, Adel, Reichtum (Bestand) – alles dies machte er, er war die Macht darüber. Das formale Recht des Eigentums, der Erbschaft usf., das der römische Verstand so fest ausbildete – über allen diesen strohernen Verstand war er die Obermacht, gegen jenes Recht der Einzelnen er die Realität; dieses war zwar das Recht, er aber die Staatsmacht in ihrem wirklichen Willen und Tun, die Fortuna des römischen Reichs. Bei seinem Namen schwören, ihm Weihrauch, Opfer, Frauen als einem Gotte bringen, dazu wurde freilich zum Teil erfordert, daß er gestorben war, *inter divos relatus,* Trajan, Titus. Die Form des Staates wurde beibehalten, Senat, Obrigkeit; der Kaiser war nur *princeps juv.*, zumeist Konsul. Er konnte 25 Konsuln in einem Jahre ernennen; Caligula machte sein Pferd zum Konsul. Der Kaiser war Censor, Aedilis, tribunus plebis auf mehrere Jahre oder ein Jahr. Aber er hatte seine Soldaten, ließ Jedem den Kopf abschlagen, alle Individuen plündern, wie ihm beliebte. Sein Wille mit seiner Garde war diese Fortuna; die Garde verkaufte das Reich: sie war die Fortuna, die über dem Leben, der Wohlfahrt aller und jedes schwebte, das Fatum.

Da kam es heraus, was das römische Wesen geworden war. Es gab für die Römer, in die Endlichkeit versunken, nichts Höheres als dieses Individuum, als diese Macht über alle ihre endlichen Zwecke. Sie waren ratlos; kein Grundsatz, keine Staatseinrichtung, nichts Heiliges war, das sie ihm entgegensetzen wollten. Die Welt vom äußersten Britannien bis an den Euphrat und Tigris wußte, hatte ihm nichts entgegenzusetzen, weder innerlich, noch äußerlich, keine Religion, Moral, Scham, Scheu, keine Hilfe, Recht, Gerichtsverfassung, keine Individualrechte, die unendlich in sich selbst gewesen wären. Wenn er es gar zu arg machte, ermordeten ihn zufällige Verschworene. Durch nichts war sein böser Wille begrenzt. Kein Despot christlicher Zeit, ebenso in der Türkei besitzt solche rechtlose Macht; er hat immer noch ein Unantastbares gegen sich: wenn er dieses berührt, ist er verloren.

So sehen wir: der endliche bestimmte Zweck und die Macht desselben faßt sich zusammen und bestimmt sich in dem gegenwärtigen, wirklichen Willen einer Individualität, eines Menschen; in der Tat hat der Wille eines Menschen Macht über endliche Zwecke. Über der Welt thront der Kaiser; er ist Herr der Welt, hat Gewalt, über die Tugend der Individuen, ihr Leben, den Inbegriff aller ihrer endlichen Zwecke. Aber sie sind ans Leben gebunden; solange er Werkzeuge dieser Individualität hat, Garden, ist er Herr; – er braucht nur diese zu beleidigen, so ist er verloren. Es ist ein Herabsteigen der Individualität zur Gegenwart, aber so, daß es der Verlust ihrer in sich seienden Allgemeinheit, Wahrheit, ihres Anundfürsichseins, somit ihrer Göttlichkeit ist. Die Göttlichkeit, das göttliche Wesen, das

Innere, Allgemeine ist zur Einzelheit dieser Individualität herausgetreten, geoffenbart, daseiend; es ist die zur Einzelheit vollendete Bestimmung der Macht. Aber das Allgemeine ist entflohen; es ist nur die Welt des äußerlichen Glückes und die Macht desselben gegenwärtig – das ungeheure Unglück. Es fehlt jene Vollendung der Bestimmung zur bestimmten Bestimmtheit, daß das Individuum Subjekt, wirklich gegenwärtiges Inneres, Substantialität in sich werde.«

Cicero rühmt die Römer als die frömmste Nation, die überall an die Götter denke, alles mit Religion tue, den Göttern für alles danke. Dies ist in der Tat vorhanden. Diese abstrakte Innerlichkeit, diese Allgemeinheit des Zwecks, die das Schicksal ist, in dem das besondere Individuum, seine Sittlichkeit, Menschlichkeit erdrückt wird, nicht konkret vorhanden sein, sich nicht entwickeln darf, ist die Grundlage, und damit, daß alles auf diese Innerlichkeit bezogen wird, ist in allem Religion. So leitet auch Cicero vollkommen im Sinne des römischen Geistes die Religion von *religare* ab, denn in der Tat ist für diesen die Religion in allen Verhältnissen ein Bindendes und Beherrschendes gewesen. Zugleich aber ist diese Innerlichkeit, dieses Höhere, Allgemeine nur Form; der Inhalt, der Zweck dieser Macht ist der menschliche, durch den Menschen angegeben. Es ist ein eigentümlicher Hauptzug dieser Religion, daß die Götter in Rücksicht auf die Zwecke anerkannt und verehrt werden, die erreicht werden sollen. Die Römer verehren die Götter, weil und wann sie sie brauchen, also wesentlich in der Not, Angst, d. h. wenn sie bornierte Zwecke wesentlich erhalten haben wollen, besonders also in der Not des Krieges. So sehen wir auch die Einführung neuer Götter zur Zeit besonderer Nöte und in der Angst auf Grund besonderer Gelübde, z. B. diesen neuen Tempel jenem neuen Gotte zu weihen. Es ist so eine fortgehende Theogonie; es sind gleichsam die besonderen Nöte, die besondere Götter brauchen und hervorbringen. Die Götter sind Kinder der Notwendigkeit, und die Not ist die allgemeine Theogonie. Diese allgemeine Notwendigkeit der Götter ist real bei einzelnen Vorfällen, Begebenheiten, bei Siegen, Triumphen usf. Das Göttliche ist hier nicht die wahrhafte, ewige, notwendige und sittliche Macht; das Glück ist das Unbestimmte. Die Herrschaft der Macht existiert nur durch besondere Siege als Folge besonderer Begebenheiten, als Zustandebringung besonderer Zwecke. Hieher gehört dann auch, daß das Orakel, die sibyllinischen Bücher, ein Höheres ist, das im Dienste des realen Zweckes der Herrschaft steht und wodurch dem Volke kundgetan wird, was zu tun ist oder was geschehen soll, um Nutzen zu haben. Dergleichen Anstalten sind in den Händen des Staats, der Magistrate. Das Individuum geht so einerseits im Allgemeinen, in der Herrschaft, in der Fortuna publica unter; anderseits aber gelten die menschlichen Zwecke, hat das menschliche Subjekt ein selbständiges, wesentliches Gelten. Diese Extreme und ihr Widerspruch sind es, worin sich das römische Leben herumwirft.

Was wir in dieser Religion haben, sind, wie gesagt, empirische, vorhandene Zwecke: der eine große Zweck ist die Herrschaft der Welt. Das Pathos im Subjekt für diese Herrschaft ist das, was die Römer *virtus* genannt haben. Es ist das einzige Interesse; alle Eigentümlichkeit des sittlichen Lebens steht dieser einen Herrschaft, dieser Notwendigkeit nach. Alles Lebendige, alles sittliche Leben muß dieser Notwendigkeit aufgeopfert werden, und das Subjekt hat nur Wert, insofern es sich darauf konzentriert, sich diesem, der Erhaltung des Staates, widmet. Dies ist die Tugend, die Größe der Römer; sie sind darin frei. Es ist ihr wahrer Wille, das Subjekt findet sich darin. Aber diese Gesinnung ist sozusagen politisch, das Höchste der Gesinnung der Wirklichkeit, nicht unmittelbar religiös. Religiöse Gesinnung als solche ist, daß das Allgemeine überhaupt, die Herrschaft dem Gotte verdankt wird, der Fortuna, dem Jupiter, einer an und für sich seienden Macht angehört, darin anerkannt und verehrt ist.

Das zweite Moment in der Gesinnung ist, daß außer dieser einen Herrschaft der Mensch als Konkretes noch viele andere Zwecke, Interessen, Wünsche hat, und hier, wo der reale weltliche Zweck in das Individuum eingebildet ist, wo die Macht als zweckmäßig wirkend, die realen Zwecke wollend vorgestellt wird, sich diese auch nach dieser Seite des konkreten Besondern wendet. Die Gesinnung hat bedingte äußere Zwecke; diese haben eine Macht hinter sich, die den Menschen in den einzelnen Fällen jene ihre bedingten Zwecke gewähren kann. Daher finden Bitten, Anrufungen an die Götter und in Fällen der Gewährung Beweise der Dankbarkeit gegen sie statt. Es ist so, wie schon oben bemerkt, eine Religion der Abhängigkeit; das Gefühl der Abhängigkeit, der Unfreiheit ist das Herrschende. In jener Herrschaft weiß der Mensch sich wohl frei; aber es ist doch so ein dem Individuum äußerlich bleibender Zweck. Noch mehr aber sind dies die besondern Zwecke, und in Ansehung dieser findet dann das Gefühl der Abhängigkeit statt. Es beginnt hier die Art von Frömmigkeit, die die Götter anruft, ihnen dankt, aber darin nicht frei ist, weil der Inhalt, den sie anerkennt, endlich und beschränkt ist. Es ist hier der Boden des Aberglaubens. Wenn der Inhalt beschränkt, endlich ist, so befindet sich das Selbstbewußtsein, das ihn aufnehmen will, ihn zum wesentlichen Gegenstande macht, in der Sphäre der Abhängigkeit, auf dem Boden der Unfreiheit. Religion als Religion ist Anschauung des Bewußtseins des unendlichen Wesens, das unbeschränkt in sich ist und in dessen Anschauung der Mensch sich seiner nur insofern bewußt ist, als er beschränkte, endliche Interessen, Wünsche, Hoffnungen aufgibt. Seine Religion ist nur insofern abhängig, als er nicht rein theoretisch die Idee, das Substantielle, das unbeschränkt ist, zu seinem Gegenstande hat. Hier in der römischen Religion also ist wesentlich das Gefühl der Abhängigkeit, wesentlich Aberglauben, weil es sich um beschränkte, endliche Zwecke handelt und diese als absolute Zwecke, Gegenstände behandelt werden, während sie doch ihrem Inhalte nach beschränkt sind. So ist diese Religion eine Religion der Unfreiheit.

DIE ABSOLUTE RELIGION

DIE DREIEINIGKEIT

Das Erste ist also, daß wir Gott betrachten in seiner ewigen Idee, wie er an und für sich, aber noch sozusagen vor oder außer Erschaffung der Welt ist. Insofern er so in sich ist, ist dies die ewige Idee, die noch nicht in ihre Realität gesetzt ist, selbst noch nur die abstrakte Idee. Gott ist Schöpfer der Welt; es gehört zu seinem Sein, zu seinem Wesen, Schöpfer zu sein, – insofern er nicht Schöpfer ist, wird er mangelhaft aufgefaßt. Daß er Schöpfer ist, ist nicht ein *actus,* der einmal vorgekommen wäre –; was in der Idee ist, ist ewiges Moment, ewiges Bestimmen derselben.

Gott in seiner ewigen Idee ist so noch im abstrakten Elemente des Denkens überhaupt, abstrakte Idee des Denkens, nicht des Begreifens. Diese reine Idee ist das, was wir schon kennen und wobei wir uns darum nur kurz aufzuhalten brauchen.

Diese ewige Idee nämlich ist dann ausgesprochen als das, was die heilige Dreieinigkeit heißt; das ist Gott selbst, ewig dreieinig. Der Geist ist dieser Prozeß, Bewegung, Leben. Dies Leben ist, sich zu unterscheiden, sich zu bestimmen, und die erste Unterscheidung ist, daß er ist als diese allgemeine Idee selbst. Dies Allgemeine enthält die ganze Idee, aber enthält sie auch nur, ist nur Idee an sich. In diesem Urteil ist das Andere, das dem Allgemeinen Gegenüberstehende, das Besondere Gott als das von ihm Unterschiedene, aber so, daß dies Unterschiedene seine ganze Idee ist an und für sich, so daß diese zwei Bestimmungen auch füreinander dasselbige, diese Identität, das Eine sind, daß dieser Unterschied nicht nur an sich aufgehoben ist, daß nicht nur wir dies wissen, sondern daß es gesetzt ist, daß sie, diese zwei Unterschiedenen, dasselbe sind, daß diese Unterschiede sich aufheben, insofern als dies Unterscheiden ebenso ist, den Unterschied als keinen zu setzen, und das eine in dem andern bei sich selber ist. Dies, daß es so ist, ist der Geist selbst oder, nach der Weise der Empfindung ausgedrückt, die ewige Liebe: der heilige Geist ist die ewige Liebe.

Wenn man sagt: »Gott ist die Liebe«, so ist das sehr groß und wahrhaft gesagt. Aber es wäre sinnlos, dies nur so einfach als einfache Bestimmung aufzufassen, ohne es zu analysieren, was Liebe ist. Liebe ist ein Unterscheiden zweier, die doch füreinander schlechthin nicht unterschieden sind. Das Bewußtsein, Gefühl dieser Identität, dieses, außer mir und in dem Andern zu sein, ist die Liebe: ich habe mein Selbstbewußtsein nicht in mir, sondern im Andern, aber dies Andere, in dem nur ich befriedigt bin, meinen Frieden mit mir habe, – und ich bin nur, indem ich Frieden mit mir habe; habe ich den nicht, so bin ich der Widerspruch, der auseinanderfällt, – dies Andere, indem es ebenso außer sich ist, hat sein Selbstbewußtsein nur in mir, und beide sind nur dies Bewußtsein ihres Außersichseins und ihrer Identität, dies Anschauen, dies Fühlen, dies Wissen der Einheit. Das ist die Liebe, und es ist ein leeres Reden, das Reden von Liebe, ohne zu wissen, daß sie das Unterscheiden und das Aufheben des Unterschiedes ist.

Gott ist die Liebe, d. i. dies Unterscheiden und die Nichtigkeit dieses Unterschieds, ein Spiel des Unterscheidens, mit dem es kein Ernst ist, der Unterschied ebenso als aufgehoben gesetzt, d. i. die einfache, ewige Idee. Wir betrachten die einfache Idee Gottes, daß sie im einfachen Elemente des Denkens ist, die Idee in ihrer Allgemeinheit; es ist die wesentliche Bestimmung der Idee, die Bestimmung, durch die sie Wahrheit hat.

Wir machen über diese Idee, ihren Inhalt und ihre Form folgende Bemerkungen:

Erstens. Wenn von Gott gesprochen wird, was Gott ist, so werden zunächst die Eigenschaften angegeben: Gott ist das und das; er wird durch Prädikate bestimmt. Dies ist die Weise der Vorstellung, des Verstandes. Prädikate sind Bestimmtheiten, Besonderungen: Gerechtigkeit, Güte, Allmacht usf. Die Morgenländer, indem sie das Gefühl haben, daß dies nicht die wahrhafte Weise sei, die Natur Gottes auszusprechen, so sagen sie, er sei πολυώνυμος und lasse sich durch Prädikate nicht erschöpfen, – denn Namen sind in diesem Sinne dasselbe wie Prädikate. Das eigentlich Mangelhafte dieser Weise, durch Prädikate zu bestimmen, besteht darin, wodurch eben jene unendliche Menge von Prädikaten kommt, daß sie nur besondere Bestimmungen und daß es viele solcher Bestimmungen sind, deren aller Träger das Subjekt ist. Indem es besondere Bestimmungen sind und man diese Besonderheiten nach ihrer Bestimmtheit betrachtet, sie denkt, geraten sie in Entgegensetzung, Widerspruch, und diese Widersprüche bleiben dann unaufgelöst.

Dies erscheint auch so, daß es heißt, jene Prädikate sollen die Beziehung Gottes auf die Welt ausdrücken. Die Welt ist ein anderes als Gott. Die Prädikate als Besonderheiten sind der Natur Gottes nicht angemessen; darin liegt der Anlaß für die andere Weise, sie als Beziehungen Gottes auf die Welt zu betrachten: Allgegenwart, Allweisheit Gottes in der Welt. Die Prädikate enthalten demnach nicht die wahrhafte Beziehung Gottes auf sich selbst, sondern die Beziehung auf anderes, auf die Welt. So sind sie beschränkt; dadurch kommen sie in Widerspruch.

Wir haben das Bewußtsein, daß Gott so nicht lebendig vorgestellt wird, wenn so viele Besonderheiten nebeneinander aufgezählt werden. Dies ist, auf andere Weise ausgedrückt, dasselbe, was vorher gesagt worden ist: die Widersprüche der unterschiedenen Prädikate sind nicht aufgelöst. Die Auflösung des Widerspruchs ist in der Idee enthalten: das sich Bestimmen Gottes zum Unterschiedenen seiner von sich selbst, aber zugleich das ewige Aufheben dieses Unterschieds. Der belassene Unterschied wäre Widerspruch. Wenn der Unterschied fest bliebe, so bestünde die Endlichkeit. Beide sind selbständig gegeneinander und auch in Beziehung; dadurch entstünde der unaufgelöste Widerspruch. Die Idee ist nicht dies, den Unterschied zu belassen, sondern ihn ebenso aufzulösen. Gott setzt sich in diesen Unterschied und hebt ihn ebenso auch auf.

Wenn wir nun von Gott Prädikate angeben so, daß sie besondere sind, so sind wir zunächst bemüht, ihren Widerspruch aufzulösen. Das ist ein äußerliches Tun, ist unsere Reflexion, und damit, daß es äußerlich ist und in uns fällt, aber nicht Inhalt der göttlichen Idee ist, so ist darin enthalten, daß die Widersprüche tatsächlich nicht aufgelöst werden können. Die Idee aber ist selbst dies, den Widerspruch aufzuheben. Das ist ihr eigner Inhalt, ihre Bestimmung, diesen Unterschied zu setzen und absolut aufzuheben, und das ist die Lebendigkeit der Idee selbst.

Wenn wir sagen »Gott«, so haben wir nur sein Abstraktum gesagt; oder sagen wir »Gott der Vater«, so haben wir das Allgemeine, ihn nur abstrakt nach seiner Endlichkeit gesagt. Seine Unendlichkeit ist eben dies, daß er diese Form der abstrakten Allgemeinheit, der Unmittelbarkeit aufhebt, wodurch der Unterschied gesetzt ist; aber er ist eben dies, den Unterschied aufzuheben. Damit ist er erst wahrhafte Wirklichkeit, Wahrheit, Unendlichkeit.

Dies ist die spekulative Idee, d. h. das Vernünftige, insofern es gedacht wird, das Denken des Vernünftigen. Das nicht spekulative, das verständige Denken ist das, wo beim Unterschied als Unterschied stehengeblieben wird, z. B. beim Gegensatz des Endlichen und Unendlichen; es wird beiden Absolutheit zugeschrieben, doch auch Beziehung aufeinander und insofern Einheit; damit ist der Widerspruch gesetzt.

Die spekulative Idee ist nicht bloß dem Sinnlichen, sondern auch dem Verstand entgegengesetzt; sie ist daher ein Geheimnis für beide. Sie ist ein μυστήριον sowohl für die sinnliche Betrachtungsweise wie für den Verstand. μυστήριον nämlich ist das, was das Vernünftige ist; bei den Neuplatonikern heißt dieser Ausdruck auch schon nur spekulative Philosophie. Ein Geheimnis im gewöhnlichen Sinne ist die Natur Gottes nicht, in der christlichen Religion am wenigsten. In ihr hat sich Gott zu erkennen gegeben, was er ist; da ist er offenbar. Aber ein Geheimnis ist er für das sinnliche Wahrnehmen, Vorstellen, für die sinnliche Betrachtungsweise und ebenso für den Verstand.

Das Sinnliche überhaupt hat zu seiner Grundbestimmung die Äußerlichkeit, das Außereinander; Raum und Zeit ist die Äußerlichkeit, in der die Gegenstände neben- und nacheinander sind. Die sinnliche Betrachtungsweise ist so gewöhnt, Verschiedenes vor sich zu haben, das außereinander ist. Ihr liegt zugrunde, daß die Unterschiede so für sich und außereinander bleiben. Darum ist für sie das, was in der Idee ist, ein Geheimnis. Denn da ist eine ganz andere Weise, Verhältnis, Kategorie, als die Sinnlichkeit hat: eben die Idee, dies Unterscheiden, das ebenso kein Unterschied ist, bei diesem Unterschiede nicht beharrt. Gott schaut in dem Unterschiedenen sich an, ist in seinem Andern nur mit sich selbst verbunden, ist darin nur bei sich selbst, nur mit sich zusammengeschlossen und schaut sich im Andern an. Das ist dem Sinnlichen ganz zuwider; im Sinnlichen ist eines hier und das andere dort. Jedes gilt als ein Selbständiges; es gilt dafür, nicht so zu sein, daß es ist, indem es sich in einem andern hat. Im Sinnlichen können nicht zwei Dinge an ein und demselben Orte sein; sie schließen sich aus. In der Idee sind die Unterschiede sich nicht ausschließend gesetzt, sondern so, daß sie nur in diesem Sichzusammenschließen des einen mit dem andern sind. Das ist das wahrhaft Übersinnliche, nicht das des Verstandes, das drüben sein soll; denn dieses ist ebenso ein Sinnliches, nämlich ein Außereinander und gleichgültig in sich.

Ebenso ist für den Verstand diese Idee ein Geheimnis und geht über ihn. Denn der Verstand ist dies Festhalten der Denkbestimmungen, ein Perennieren bei ihnen als schlechthin selbständiger gegeneinander, verschieden, außereinander bleibender, feststehender. Das Positive ist nicht, was das Negative ist, die Ursache ist nicht die Wirkung usf. Aber für den Begriff ist es ebenso wahr, daß sich diese Unterschiede aufheben. Gerade weil sie Unterschiede sind, bleiben sie endlich, und der Verstand ist, beim Endlichen zu beharren. Ja, selbst beim Unendlichen hat er das Unendliche auf der einen Seite und auf der andern das Endliche. Das Wahre aber ist, daß sowohl das Endliche wie das Unendliche, das ihm gegenübersteht, keine Wahrheit haben, sondern selbst nur Vorübergehende sind. Insofern ist dies ein Geheimnis für die sinnliche Vorstellung und für den Verstand, und beide sträuben sich gegen das Vernünftige der Idee.

Übrigens kann der Verstand ebensowenig irgend etwas anderes, die Wahrheit von irgend etwas fassen. Das tierische Lebendige z. B. existiert auch als Idee, als Einheit des Begriffs, als Einheit der Seele und des Leibes. Für den Verstand dagegen ist jedes für sich. Nun sind sie ja allerdings unterschieden, aber ebenso sind sie dies, den Unterschied aufzuheben; die Lebendigkeit ist nur dieser perennierende Prozeß. Das Lebendige ist, und es hat Triebe, Bedürfnisse; damit hat es den Unterschied in ihm selber, daß er in ihm entsteht. So ist das Lebendige selbst ein Widerspruch, und der Verstand faßt solche Unterschiede so auf, daß er meint, der Widerspruch löse sich nicht auf; wenn sie in Beziehung gebracht werden, so sei eben nur der Widerspruch, der nicht zu lösen sei. Das ist so; er kann nicht aufhören, wenn die Unterschiedenen festgehalten werden als solche, die perennierend unterschieden sind, weil eben damit bei diesem Unterschiede verharrt wird. Das Lebendige hat Bedürfnisse und ist so Widerspruch, aber die Befriedigung ist Aufheben dieses Widerspruchs. Im Triebe, Bedürfnis bin ich mir selbst von mir unterschieden. Aber das Leben ist dies, den Widerspruch aufzulösen, das Bedürfnis zu befriedigen, es zum Frieden zu bringen, aber so, daß der Widerspruch auch wieder entsteht; es ist die Abwechslung des Unterscheidens, des Widerspruchs und seines Aufhebens. Der Zeit nach ist beides verschieden; es ist da das Nacheinander vorhanden, und deshalb ist der ganze Prozeß endlich. Aber für sich Trieb und Befriedigung betrachtet, faßt der Verstand auch dies nicht, daß im Affirmativen, im Selbstgefühl selbst zugleich die Negation des Selbstgefühls, die Schranke, der Mangel ist, ich aber als Selbstgefühl zugleich über diesen Mangel übergreife. Das ist also die bestimmte Vorstellung von *μυστηριον*; man nennt es unbegreiflich, aber was unbegreiflich scheint, ist eben der Begriff selbst, das Spekulative oder dies, daß das Vernünftige gedacht wird. Durch das Denken ist es eben, daß der Unterschied bestimmt auseinandertritt. Das Denken des Triebes ist nur die Analyse dessen, was der Trieb ist; sowie ich Trieb denke, habe ich die Affirmation und darin die Negation, das Selbstgefühl, die Befriedigung und den Trieb. Ihn denken, heißt das Unterschiedene erkennen, was darin ist. Wenn nun der Verstand dahingekommen ist, so sagt er: dies ist ein Widerspruch, und er bleibt dabei, bleibt bei dem Widerspruch stehen gegen die Erfahrung, daß das Leben selbst es ist, den Widerspruch aufzuheben. Wenn der Trieb analysiert wird, so erscheint der Widerspruch, und da kann der Verstand sagen: das ist das Unbegreifliche.

Die Natur Gottes ist so das Unbegreifliche; dieses aber ist, wie gesagt, nur der Begriff selbst, der in sich dies enthält, zu unterscheiden, und der Verstand bleibt bei diesem Unterschiede stehen. So sagt er: das ist nicht zu fassen. Denn das Prinzip des Verstandes ist die abstrakte Identität mit sich, nicht die konkrete, daß diese Unterschiede in einem sind. Nach der abstrakten Identität sind das eine und das andere selbständig für sich, und ebenso beziehen sie sich aufeinander. Das heißt das Unbegreifliche. – Das Auflösen des Widerspruchs ist der Begriff; der Verstand kommt nicht dazu, weil er von seiner Voraussetzung ausgeht, daß sie schlechthin selbständig gegeneinander seien und bleiben.

Dazu, daß man sagt, die göttliche Idee sei unbegreiflich, trägt nun auch der Umstand bei, daß, indem die Religion die Wahrheit für alle Menschen ist, in der Religion der Inhalt der Idee in sinnlicher Form oder in Form des Verständigen erscheint. So haben wir die Ausdrücke Vater und Sohn, eine Bezeichnung, die vom sinnlich Lebendigen, von einem Verhältnis hergenommen ist, das im Lebendigen stattfindet. Es ist in der Religion die Wahrheit dem Inhalt nach geoffenbart; aber ein anderes ist es, daß dieser Inhalt in der Form des Begriffs, des Denkens, des Begriffs in spekulativer Form vorhanden ist.

Eine weitere Form der Verständigkeit ist die folgende: Wenn wir sagen: »Gott in seiner ewigen Allgemeinheit ist dies, sich zu unterscheiden, zu bestimmen, ein anderes seiner zu setzen und den Unterschied ebenso aufzuheben, darin bei sich zu sein, und nur durch dies Hervorgebrachtsein ist er Geist«, so kommt der Verstand hervor und zählt 1, 2, 3. Eins ist zunächst ganz abstrakt. Die drei Einsen aber werden noch vertiefter ausgesprochen, indem sie als Personen bestimmt werden. Die Persönlichkeit ist dies, was sich auf die Freiheit gründet – die erste, tiefste, innerste Freiheit, aber auch die abstrakteste Weise, wie sich die Freiheit im Subjekt kundtut. Daß es weiß: ich bin Person, ich bin für mich, das ist das schlechthin Spröde. Indem also jene Unterschiede so bestimmt sind, jeder als eins oder gar als Person – durch die Bestimmung der Person scheint noch unüberwindlicher gemacht zu sein, was die Idee fordert, nämlich diese Unterschiede zu betrachten als solche, die nicht unterschieden, sondern schlechthin eins sind, das Aufheben dieses Unterschiedes. Zwei können nicht eins sein; jedes ist ein starres, sprödes, selbständiges Fürsichsein. Von der Kategorie des Eins zeigt die Logik, daß sie eine schlechte Kategorie ist, das ganz abstrakte Eins. Was aber die Persönlichkeit betrifft, so ist der Charakter der Person, des Subjekts, seine Isoliertheit aufzugeben. Sittlichkeit, Liebe ist eben dies, seine Besonderheit, besondere Persönlichkeit aufzugeben, sie zur Allgemeinheit zu erweitern – ebenso die Freundschaft. Indem ich gegen den andern recht handle, betrachte ich ihn als mit mir identisch. In der Freundschaft, in der Liebe gebe ich meine abstrakte Persönlichkeit auf und gewinne sie dadurch als konkrete. Das Wahre der Persönlichkeit ist eben dies, sie durch das Versenken, Versenktsein in das andere zu gewinnen. – Solche Formen des Verstandes zeigen sich unmittelbar in der Erfahrung als solche, die sich selbst aufheben.

Wir betrachten die Idee in ihrer Allgemeinheit, wie sie im reinen Denken durch das reine Denken bestimmt ist. Die Idee ist alle Wahrheit und die eine Wahrheit; eben darum muß alles Besondere, was als Wahrhaftes aufgefaßt wird, nach der Form dieser Idee aufgefaßt werden. Die Natur und der endliche Geist sind Produkte Gottes; es ist also Vernünftigkeit in ihnen. Daß etwas von Gott gemacht ist, enthält, daß es in sich Wahrheit, die göttliche Wahrheit überhaupt, d. i. die Bestimmtheit dieser Idee überhaupt, hat. Die Form dieser Idee ist nur in Gott als Geist; ist die göttliche Idee in Formen der Endlichkeit gefaßt, so ist sie nicht gesetzt, wie sie an und für sich ist – nur im Geist ist sie so gesetzt. Sie existiert da auf endliche Weise; aber die Welt ist ein von Gott Hervorgebrachtes, und also macht die göttliche Idee immer die Grundlage dessen aus, was sie überhaupt ist. Die Wahrheit von etwas erkennen heißt, es nach der Wahrheit, in der Form dieser Idee überhaupt erkennen, bestimmen.

DER MENSCH IST GUT UND BÖSE

Der Mensch ist von Natur gut. Mehr oder weniger ist das in unseren Zeiten das Überwiegende. Bei Behandlung der Gemeinde wird zu betrachten sein, wie sich in ihr die religiöse Anschauung, das religiöse Verhältnis ausbildet, bestimmt. Gilt nur der eine Satz, daß der Mensch von Natur gut, das Unentzweite ist, so hat der Mensch nicht das Bedürfnis der Versöhnung, und hat er keine Versöhnung nötig, so ist der ganze Gang überflüssig, den wir hier betrachten.

Es ist wesentlich, zu sagen, daß der Mensch gut ist; er ist Geist an sich, Vernünftigkeit, er ist mit, nach dem Ebenbilde Gottes geschaffen. Gott ist das Gute, und der Mensch ist als Geist der Spiegel Gottes; er ist an sich der Gute. Gerade auf diesen Satz gründet sich allein die Möglichkeit seiner Versöhnung. Die Schwierigkeit, Zweideutigkeit des Satzes liegt aber in der Bestimmung des »an sich«. Der Mensch ist gut an sich; man meint damit alles gesagt zu haben, aber dies Ansich ist eben die Einseitigkeit, womit gar nicht alles gesagt ist. Der Mensch ist gut an sich, das heißt, er ist gut nur auf innerliche Weise, seinem Begriff, und darum nicht seiner Wirklichkeit nach. Der Mensch, insofern er Geist ist, muß, was er wahrhaft ist, wirklich, d. h. für sich sein. Von Natur gut, das heißt unmittelbar gut, und der Geist ist eben dies, nicht ein Natürliches, Unmittelbares zu sein; sondern als Geist ist der Mensch dies, aus der Natürlichkeit herauszutreten, in diese Trennung seines Begriffs und seines unmittelbaren Daseins überzugehen. Die physikalische Natur bleibt beim Ansich stehen, ist an sich der Begriff. In ihr aber kommt der Begriff nicht zu seinem Fürsichsein; in ihr tritt diese Trennung eines Individuums von seinem Gesetz, seinem substantiellen Wesen nicht ein, eben weil jenes Individuum nicht frei ist. Das Ansich der Natur sind die Gesetze der Natur; sie bleibt ihren Gesetzen treu, tritt nicht aus ihnen heraus. Dies ist ihr Substantielles; sie ist eben damit in der Notwendigkeit. Der Mensch aber ist dies, daß er seinem Ansichsein, dieser seiner allgemeinen Natur sich gegenübersetzt und in diese Trennung tritt. Gerade dies, daß er an sich gut ist, enthält diesen Mangel. Es ist richtig, der Mensch ist von Natur gut; aber damit hat man nur ein Einseitiges gesagt. Die andere Seite ist, daß der Mensch für sich selbst sein soll, was er an sich ist, daß er das für sich werden soll. Er soll nicht bleiben, wie er unmittelbar ist; er soll über seine Unmittelbarkeit hinausgehen: das ist der Begriff des Geistes.

So entspringt unmittelbar aus dem, was gesagt worden, die andere Bestimmung. Jenes Hinausgehen über seine Natürlichkeit, über sein Ansichsein ist das, was zunächst die Entzweiung im Menschen begründet, das, womit die Entzweiung gesetzt ist. Diese ist das Heraustreten aus jener Natürlichkeit, Unmittelbarkeit; aber das ist nicht so zu nehmen, als ob nur erst das Heraustreten das Böse sei, sondern in der Natürlichkeit selber ist dies Heraustreten schon selbst enthalten. Das Ansich ist das Unmittelbare; weil aber das Ansich des Menschen der Geist ist, so ist der Mensch in seiner Unmittelbarkeit schon das Heraustreten aus dieser, der Abfall von ihr, von seinem Ansichsein. Darin liegt der zweite Satz begründet: der Mensch ist von Natur böse, sein Ansichsein, sein Natürlichsein ist das Böse. In seinem Natürlichsein ist zugleich der Mangel vorhanden; weil er Geist ist, so ist er von seinem Ansichsein unterschieden, ist er die Entzweiung. In der Natürlichkeit ist die Einseitigkeit unmittelbar vorhanden. Wenn der Mensch nur nach der Natur ist, so ist er böse. Wie der Mensch an sich, seinem Begriff nach, ist, das nennen wir wohl abstrakt den Menschen nach seiner Natur;

aber im konkreten Sinn ist der Mensch, der seinen Leidenschaften und Trieben folgt, der in der Begierde steht, dem seine natürliche Unmittelbarkeit das Gesetz ist, der natürliche Mensch. Der Mensch ist in seinem Natürlichsein zugleich ein Wollender, und indem der Inhalt des Wollens nur der Trieb, die Neigung ist, so ist er böse. Der Form nach, daß er Wille, Wollen ist, ist er nicht mehr Tier; aber der Inhalt, die Zwecke seines Wollens sind noch das Natürliche. Das ist dieser, und zwar der höhere Standpunkt, daß der Mensch von Natur böse ist, und zwar darum, weil er ein Natürliches ist.

Was man sich leererweise vorstellt, daß der erste Zustand des Menschen der Stand der Unschuld gewesen sei, ist der Stand der Natürlichkeit, des Tieres. Der Mensch soll schuldig sein; sofern er gut ist, soll er nicht sein, wie ein natürliches Ding gut ist, sondern es soll seine Schuld, sein Wille, er soll imputabel sein. Schuld heißt überhaupt Imputabilität. Der gute Mensch ist gut mit seinem Willen und durch seinen Willen, insofern mit seiner Schuld. Unschuld bedeutet willenlos sein, zwar ohne böse, aber eben damit auch, ohne gut zu sein. Die natürlichen Dinge, die Tiere sind alle gut; aber dies Gutsein kann dem Menschen nicht zukommen. Insofern er gut ist, soll er es mit seinem Willen sein.

Die absolute Anforderung ist, daß der Mensch nicht als Naturwesen beharre. Er ist zwar sogleich Bewußtsein, aber er kann als Mensch doch Naturwesen sein, insofern das Natürliche den Zweck, Inhalt, die Bestimmung seines Wollens ausmacht. Näher muß man diese Bestimmung im Auge haben: der Mensch ist Mensch als Subjekt, und als natürliches Subjekt ist er dieser Einzelne, und sein Wille ist dieser einzelne Wille, ist erfüllt mit dem Inhalte der Einzelheit. Das heißt, der natürliche Mensch ist selbstsüchtig. Von dem Menschen aber, der gut heißt, verlangen wir wenigstens, daß er sich nach allgemeinen Bestimmungen, Gesetzen richte. Die Natürlichkeit des Willens ist näher die Selbstsucht des Willens, unterschieden von der Allgemeinheit des Willens und entgegengesetzt der Vernünftigkeit des zur Allgemeinheit gebildeten Willens.

Wenn wir nun betrachten, was der Mensch an sich ist, so liegt darin sogleich die Mangelhaftigkeit des Ansichseins. Aber damit, daß der Mensch, insofern er natürlicher Wille ist, böse ist, ist die andere Seite nicht aufgehoben, daß er an sich gut ist; das bleibt er immer seinem Begriff nach. Aber der Mensch ist Bewußtsein, damit Unterscheiden überhaupt, damit ein wirklicher, ein Dieser, Subjekt, unterschieden von seinem Begriff, und indem zunächst dies Subjekt nur unterschieden und noch nicht zur Einheit, Identität der Subjektivität und des Begriffs, zu der Vernünftigkeit zurückgekehrt ist, so ist seine Wirklichkeit die natürliche Wirklichkeit, und diese ist die Selbstsucht. Das Bösesein setzt sogleich die Beziehung der Wirklichkeit auf den Begriff voraus; es ist damit nur gesetzt der Widerspruch des Ansichseins, des Begriffs, und der Einzelheit, des Guten und des Bösen. Es ist falsch, zu fragen: ist der Mensch von Natur gut oder nicht? Das ist eine falsche Stellung. Ebenso oberflächlich ist es, zu sagen, er sei ebensowohl gut wie böse. An sich, seinem Begriff nach, ist er gut; aber dies Ansich ist eine Einseitigkeit, und diese hat die Bestimmung, daß die Wirklichkeit, das Subjekt, das Dieses ein nur natürlicher Wille ist. Es ist somit das eine wie das andere gesetzt, aber wesentlich im Widerspruch, so daß eine der beiden Seiten die andere voraussetzt, nicht, daß die eine nur sei, sondern es sind beide in dieser Beziehung, daß sie entgegengesetzt sind.

Das ist die erste Grundbestimmung, die wesentliche Begriffsbestimmung.

Der zweite Punkt ist, daß die Ansicht, die wir als die wesentliche in Gedanken gefaßt haben, in dem Menschen überhaupt wirklich werden soll, d. h. daß der Mensch zu der Unendlichkeit dieses Gegensatzes von Gut und Böse in sich komme und daß er – er ist ein Natürliches – als Natürlichkeit sich böse wisse, daß er dieses Gegensatzes in sich bewußt werde, wisse, daß er der ist, der böse ist. Ebenso aber gehört dazu, daß sich das Böse zugleich auf das Gute bezieht, daß die Forderung des Guten, des Gutseins vorhanden ist, daß er zum Bewußtsein dieses Widerspruchs und zum Schmerz über ihn, über diese Entzweiung kommt. Die Form dieses Gegensatzes haben wir in allen Religionen gehabt. Aber der Gegensatz gegen die Macht der Natur, gegen das sittliche Gesetz, den sittlichen Willen, die Sittlichkeit oder gegen das Schicksal, alles das sind untergeordnete Gegensätze, die nur ein Besonderes enthalten. Es gilt da: der Mensch, der ein Gebot übertritt, ist böse, aber nur in diesem partikulären Falle, er steht im Gegensatze nur gegen dies besondere Gebot. In der parsischen Religion sahen wir das Gute und das Böse im allgemeinen Gegensatze gegeneinander stehen; dort aber ist der Gegensatz außer dem Menschen, und dieser selbst ist außer ihm – es ist nicht dieser abstrakte Gegensatz innerhalb seiner selbst vorhanden.

Darum ist die Forderung, der Mensch solle diesen abstrakten Gegensatz in sich erfassen. Nicht daß er nur dies oder jenes Gebot übertreten hat, sondern daß er böse ist an sich, daß er böse im allgemeinen, in seinem Innersten einfach böse ist, daß diese Bestimmung des Bösen Bestimmung seines Begriffs ist, das soll er sich zum Bewußtsein bringen. Daß das Bedürfnis der allgemeinen Versöhnung – und darin liegt: der göttlichen, der absoluten Versöhnung – im Menschen sei, dazu gehört, daß der Gegensatz diese Unendlichkeit gewonnen habe, daß diese Allgemeinheit das Innerste umfasse, daß nichts ist, was außer diesem Gegensatze wäre, daß also der Gegensatz kein Besonderes ist. Das ist die tiefste Tiefe. Um diese Tiefe ist es zu tun. Tiefe heißt die Abstraktion, die reine Verallgemeinerung des Gegensatzes, daß seine Seiten diese ganz allgemeine Bestimmung gegeneinander gewinnen.

Dieser Gegensatz hat nun überhaupt zwei Formen. Einerseits ist es der Gegensatz im Bösen als solchem, daß er selbst es ist, der böse ist; das ist der Gegensatz gegen Gott. Anderseits ist es der Gegensatz gegen die Welt, daß er in Entzweiung mit der Welt ist; das ist das Unglück, die Entzweiung nach der anderen Seite.

Zuerst betrachten wir das Verhältnis der Entzweiung zu dem einen Extrem, zu Gott. Der Mensch, der dies Bewußtsein in sich hat, daß er im Innersten dieser Widerspruch ist, hat darin den unendlichen Schmerz über sich selbst. Schmerz ist nur vorhanden im Gegensatze gegen ein Sollen, ein Affirmatives; was nicht mehr ein Affirmatives in sich ist, hat auch keinen Widerspruch, keinen Schmerz. Schmerz ist eben die Negativität im Affirmativen, daß dies Affirmative in sich selbst das sich Widersprechende, Verletzte ist. Dieser Schmerz ist das eine Moment des Bösen. Das Böse bloß für sich ist eine Abstraktion; es ist nur im Gegensatze gegen das Gute, und indem es in der Einheit des Subjekts ist, ist dieses entzweit, und diese Entzweiung ist der unendliche Schmerz. Wenn im Subjekte selbst, in seinem Innersten, nicht ebenso das Bewußtsein des Guten, die unendliche Forderung des Guten ist, so ist kein Schmerz da, so ist das Böse selbst nur ein leeres Nichts – denn es ist nur in diesem Gegensatze.

Das Böse und dieser Schmerz kann unendlich nur sein, indem das Gute, Gott, gewußt wird als ein Gott, als reiner, geistiger Gott; nur indem das Gute diese reine Einheit ist, beim Glauben an einen Gott und in Beziehung auf diesen, kann auch und muß das Negative fortgehen zu dieser Bestimmung des Bösen, kann die Negation fortgehen zu dieser Allgemeinheit. Die eine Seite dieser Entzweiung ist auf diese Weise vorhanden durch die Erhebung des Menschen zur reinen geistigen Einheit Gottes. Dieser Schmerz und dies Bewußtsein ist die Vertiefung des Menschen in sich, eben damit in das negative Moment der Entzweiung, des Bösen. Das ist die objektive, innerliche Vertiefung in das Böse; die innerliche Vertiefung affirmativ ist die Vertiefung in die reine Einheit Gottes.

Auf diesem Punkt ist vorhanden, daß der Mensch, Ich als natürlicher Mensch, unangemessen ist dem, was das Wahrhafte ist, und ebenso ist die Wahrheit des einen Guten unendlich fest in mir. Diese Unangemessenheit bestimmt sich so zu dem, was nicht sein soll. Die Aufgabe, Forderung ist unendlich. Man kann sagen: indem ich natürlicher Mensch bin, habe ich einerseits Bewußtsein über mich, aber die Natürlichkeit besteht vielmehr in der Bewußtlosigkeit in Ansehung meiner, in der Willenlosigkeit. Ich bin ein solches, das nach der Natur handelt, und insofern bin ich, sagt man oft, nach dieser Seite schuldlos, insofern ich nämlich kein Bewußtsein darüber habe, was ich tue, ohne eigenen Willen bin, es ohne Neigung tue, sondern mich durch Triebe überraschen lasse. Aber hier in diesem Gegensatze verschwindet die Schuldlosigkeit; denn eben das natürliche, bewußt- und willenlose Sein des Menschen ist das, was nicht sein soll, und es ist damit vor der reinen Einheit, vor der vollkommenen Reinheit, die ich als absolute Wahrheit weiß, zum Bösen erklärt. Es liegt in dem Gesagten, daß das Bewußtlose, Willenlose wesentlich selbst als das Böse zu betrachten ist. Und so bleibt der Widerspruch immer, mag man sich so wenden oder so. Indem sich jene sogenannte Schuldlosigkeit als das Böse bestimmt, bleibt die Unangemessenheit meiner gegen mein Wesen, gegen das Absolute, und nach der einen oder der anderen Seite weiß ich mich immer als das, was nicht sein soll.

Das ist das Verhältnis zu dem einen Extrem, und das Resultat, die bestimmtere Weise dieses Schmerzes ist die Demütigung meiner, die Zerknirschung; es ist Schmerz über mich, daß ich als Natürliches unangemessen bin demjenigen, was ich zugleich selbst als mein Wesen weiß, was in meinem Wissen und Wollen ist, daß ich es sei.

Was das Verhältnis zu dem andern Extrem betrifft, so erscheint die Trennung hier als Unglück, daß nämlich der Mensch in der Welt nicht befriedigt wird. Seine Naturbedürfnisse haben auf Befriedigung weiter kein Recht, keine Ansprüche. Als Naturwesen verhält sich der Mensch zu anderem und anderes verhält sich zu ihm als Mächte, und insofern ist er ebenso wie die andern zufällig. Aber seine höhern Forderungen, die Forderungen der Sittlichkeit, sind Forderungen und Bestimmungen der Freiheit. Insofern diese an sich, in seinem Begriffe berechtigten Forderungen – er weiß vom Guten, und das Gute ist in ihm – im Dasein, in der äußerlichen Welt nicht ihre Befriedigung finden, so ist er im Unglück.

Dies Unglück ist es nun, das den Menschen in sich zurücktreibt, zurückdrängt, und indem diese feste Forderung der Vernünftigkeit der Welt in ihm ist, die er nicht erfüllt findet, gibt er die Welt auf und sucht das Glück, die Befriedigung in der Zusammenstimmung seiner mit sich selbst. Daß er die Zusammenstimmung seiner affirmativen Seite mit dem Dasein erlange, gibt er die äußerliche Welt auf, verlegt sein Glück in sich und befriedigt sich in sich selber.

»Gott selbst ist tot« heißt es in einem lutherischen Liede; damit ist das Bewußtsein ausgedrückt, daß das Menschliche, Endliche, Gebrechliche, die Schwäche, das Negative göttliches Moment selbst sind, daß es in Gott selbst ist, daß die Endlichkeit, das Negative, das Anderssein nicht außer Gott ist und als Anderssein die Einheit mit Gott nicht hindert. Es ist das Anderssein, das Negative gewußt als Moment der göttlichen Natur selbst. Die höchste Idee des Geistes ist hierin enthalten. Das Äußerliche, Negative schlägt auf diese Weise in das Innere um. Der Tod hat einerseits diesen Sinn, diese Bedeutung, daß damit das Menschliche abgestreift wird und die göttliche Herrlichkeit wieder hervortritt – er ist ein Abstreifen des Menschlichen, des Negativen. Aber zugleich ist der Tod selbst auch das Negative, diese höchste Spitze dessen, dem die Menschen als natürliches Dasein ausgesetzt sind: dies ist hiemit Gott selbst.

Die Wahrheit, zu der die Menschen vermittelst dieser Geschichte gelangt sind, das, was in dieser ganzen Geschichte ihnen zum Bewußtsein gekommen ist, ist dies, daß die Idee Gottes für sie Gewißheit hat, daß der Mensch die Gewißheit der Einheit mit Gott erlangt hat, daß das Menschliche unmittelbar präsenter Geist ist, und zwar so, daß in dieser Geschichte, wie sie der Geist auffaßt, selbst die Darstellung des Prozesses ist, was der Mensch, der Geist ist: an sich Gott und tot – diese Vermittlung, wodurch das Menschliche abgestreift wird, anderseits das Ansichseiende zu sich zurückkehrt und so erst Geist ist.

Das Leiden und Sterben in solchem Sinne ist gegen die Lehre von der moralischen Imputation, wonach jedes Individuum nur für sich zu stehen hat, jeder der Täter seiner Taten ist. Das Schicksal Christi scheint dieser Imputation zu widersprechen; aber diese hat nur ihre Stelle auf dem Felde der Endlichkeit, wo das Subjekt als einzelne Person steht, nicht auf dem Felde des freien Geistes. In dem Felde der Endlichkeit ist die Bestimmung, daß jeder bleibt, was er ist; hat er Böses getan, so ist er böse: das Böse ist in ihm als seine Qualität. Aber schon in der Moralität, noch mehr in der Sphäre der Religion wird der Geist als frei gewußt, als affirmativ in sich selbst, so daß diese Schranke an ihm, die bis zum Bösen fortgeht, für die Unendlichkeit des Geistes ein Nichtiges ist: der Geist kann das Geschehene ungeschehen machen; die Handlung bleibt wohl in der Erinnerung, aber der Geist streift sie ab. Die Imputation reicht also nicht an diese Sphäre hinan. – In dem Tode Christi ist für das wahrhafte Bewußtsein des Geistes die Endlichkeit des Menschen getötet worden. Dieser Tod des Natürlichen hat auf diese Weise allgemeine Bedeutung; das Endliche, Böse überhaupt ist vernichtet. Die Welt ist so versöhnt worden; der Welt ist durch diesen Tod ihr Böses an sich abgenommen worden. In dem wahrhaften Verstehen des Todes tritt auf diese Weise die Beziehung des Subjektes als solchen ein. Das bloße Betrachten der Geschichte hört hier auf; das Subjekt selbst wird in den Verlauf hineingezogen. Es fühlt den Schmerz des Bösen und seiner eigenen Entfremdung, welche Christus auf sich genommen, indem er die Menschlichkeit angezogen, aber durch seinen Tod vernichtet hat.

Das Bewußtsein der Gemeinde, das so den Übergang vom bloßen Menschen zum Gottmenschen macht – zum Anschauen, zum Bewußtsein, zur Gewißheit der Vereinigung, der Einheit der göttlichen und menschlichen Natur –, ist es, womit die Gemeinde beginnt, und was die Wahrheit ausmacht, auf der die Gemeinde gegründet ist. Es ist dies die Explikation der Versöhnung, daß Gott versöhnt ist mit der Welt, oder vielmehr, daß Gott sich gezeigt hat als mit der Welt versöhnt zu sein, daß eben das Menschliche ihm nicht ein Fremdes ist, sondern daß dies Anderssein, dies Sichunterscheiden, die Endlichkeit, wie es ausgedrückt wird, ein Moment an ihm selbst ist, aber allerdings ein verschwindendes. Aber er hat in diesem Momente sich der Gemeinde gezeigt.

Dies ist für die Gemeinde die Geschichte der Erscheinung Gottes. Diese Geschichte ist göttliche Geschichte, wodurch die Gemeinde zum Bewußtsein der Wahrheit gekommen ist. Daraus bildete sich das Bewußtsein, daß gewußt wird, daß Gott der Dreieinige ist. Die Versöhnung in Christo, an die geglaubt wird, hat keinen Sinn, ohne daß Gott als der Dreieinige gewußt wird: daß er ist, aber auch als das andre ist, als das sich Unterscheidende, so daß dies andre Gott selbst ist, an sich die göttliche Natur an ihm hat, und daß das Aufheben dieses Unterschiedes, Andersseins, daß diese Rückkehr der Liebe der Geist ist. In diesem Bewußtsein ist, daß der Glaube nicht Verhältnis zu etwas Untergeordnetem, sondern zu Gott selbst ist.

Das sind die Momente, auf die es hier ankommt, daß dem Menschen die ewige Geschichte, die ewige Bewegung, die Gott selbst ist, zum Bewußtsein gekommen ist. Andere Formen, z. B. vom Opfertode, reduzieren sich von selbst auf das, was hier gesagt worden ist. Opfern heißt das Natürliche, das Anderssein aufheben. Es wird gesagt: Christus ist für alle gestorben. Das ist nicht etwas Einzelnes, sondern die ewige göttliche Geschichte; in der Natur Gottes selbst ist dies ein Moment, es ist in Gott selbst vorgegangen. Es heißt ebenso: in ihm sind alle gestorben. An Christo ist diese Versöhnung für alle vorgestellt worden, wie der Apostel auch den Glauben an den Gekreuzigten mit dem Anschauen der ehernen Schlange vergleicht.

Das ist die Darstellung der zweiten Idee, der Idee in der Erscheinung, wie die ewige Idee für die unmittelbare Gewißheit des Menschen geworden, d. h. wie sie erschienen ist. Daß sie Gewißheit für den Menschen werde, dazu ist notwendig sinnliche Gewißheit, die aber zugleich in das geistige Bewußtsein übergeht und ebenso in unmittelbar Sinnliches verkehrt ist, so aber, daß man darin sieht die Bewegung, Geschichte Gottes, das Leben, das Gott selbst ist.

STAAT, RELIGION, GEIST, FRÖMMIGKEIT, FREIHEIT

Die politische Gesinnung, der Patriotismus überhaupt, als die in Wahrheit stehende Gewißheit (bloß subjektive Gewißheit gehet nicht aus der Wahrheit hervor, und ist nur Meinung) und das zur Gewohnheit gewordene Wollen, ist nur Resultat der im Staate bestehenden Institutionen, als in welchem die Vernünftigkeit wirklich vorhanden ist, so wie sie durch das ihnen gemäße Handeln ihre Betätigung erhält. – Diese Gesinnung ist überhaupt das Zutrauen (das zu mehr oder weniger gebildeter Einsicht übergehen kann) – das Bewußtsein, daß mein substantielles und besonderes Interesse im Interesse und Zwecke eines andern (hier des Staats) als im Verhältnis zu mir als einzelnen bewahrt und enthalten ist –, womit eben dieser unmittelbar kein anderer für mich ist und ich in diesem Bewußtsein frei bin.

Unter Patriotismus wird häufig nur die Aufgelegtheit zu außerordentlichen Aufopferungen und Handlungen verstanden. Wesentlich aber ist er die Gesinnung, welche in dem gewöhnlichen Zustande und Lebensverhältnisse das Gemeinwesen für die substantielle Grundlage und Zweck zu wissen gewohnt ist. Dieses bei dem gewöhnlichen Lebensgange sich in allen Verhältnissen bewährende Bewußtsein ist es dann, aus dem sich auch die Aufgelegtheit zu außergewöhnlicher Anstrengung begründet. Wie aber die Menschen häufig lieber großmütig als rechtlich sind, so überreden sie sich leicht, jenen außerordentlichen Patriotismus zu besitzen, um sich diese wahrhafte Gesinnung zu ersparen, oder ihren Mangel zu entschuldigen. – Wenn ferner die Gesinnung als das angesehen wird, das für sich den Anfang machen und aus subjektiven Vorstellungen und Gedanken hervorgehen könne, so wird sie mit der Meinung verwechselt, da sie bei dieser Ansicht ihres wahrhaften Grundes, der objektiven Realität, entbehrt.

Zusatz. Ungebildete Menschen gefallen sich im Räsonieren und Tadeln, denn Tadel finden ist leicht, schwer aber, das Gute und die innere Notwendigkeit desselben zu kennen. Beginnende Bildung fängt immer mit dem Tadel an, vollendete aber sieht in jedem das Positive. In der Religion ist ebensobald gesagt, dies oder jenes sei Aberglauben, aber es ist unendlich schwerer, die Wahrheit davon zu begreifen. Die erscheinende politische Gesinnung ist also von dem zu unterscheiden, was die Menschen wahrhaft wollen, denn sie wollen eigentlich innerlich die Sache, aber sie halten sich an Einzelnheiten und gefallen sich in der Eitelkeit des Besserverstehenwollens. Das Zutrauen haben die Menschen, daß der Staat bestehen müsse und in ihm nur das besondere Interesse könne zustande kommen, aber die Gewohnheit macht das unsichtbar, worauf unsere ganze Existenz beruht. Geht jemand zur Nachtzeit sicher auf der Straße, so fällt es ihm nicht ein, daß dieses anders sein könne, denn diese Gewohnheit der Sicherheit ist zur andern Natur geworden, und man denkt nicht gerade nach, wie dies erst die Wirkung besonderer Institutionen sei. Durch die Gewalt, meint die Vorstellung oft, hänge der Staat zusammen, aber das Haltende ist allein das Grundgefühl der Ordnung, das alle haben.

Ihren besonders bestimmten Inhalt nimmt die Gesinnung aus den verschiedenen Seiten des Organismus des Staats. Dieser Organismus ist die Entwickelung der Idee zu ihren Unterschieden und zu deren objektiver Wirklichkeit. Diese unterschiedenen Seiten sind so die verschiedenen Gewalten, und deren Geschäfte und Wirksamkeiten, wodurch das Allgemeine sich fortwährend, und zwar indem sie durch die Natur des Begriffes bestimmt sind, auf notwendige Weise hervorbringt und, indem es ebenso seiner Produktion vorausgesetzt ist, sich erhält – dieser Organismus ist die politische Verfassung.

Zusatz. Der Staat ist Organismus, das heißt Entwickelung der Idee zu ihren Unterschieden. Diese unterschiedenen Seiten sind so die verschiedenen Gewalten und deren Geschäfte und Wirksamkeiten, wodurch das Allgemeine sich fortwährend auf notwendige Weise hervorbringt und, indem es eben in seiner Produktion vorausgesetzt ist, sich erhält. Dieser Organismus ist die politische Verfassung: sie geht ewig aus dem Staate hervor, wie er sich durch sie erhält; fallen beide auseinander, machen sich die unterschiedenen Seiten frei, so ist die Einheit nicht mehr gesetzt, die sie hervorbringt. Es paßt auf sie die Fabel vom Magen und den übrigen Gliedern. Es ist die Natur des Organismus, daß, wenn nicht alle Teile zur Identität übergehen, wenn sich einer als selbständig setzt, alle zugrunde gehen müssen. Mit Prädikaten, Grundsätzen usw. kommt man bei der Beurteilung des Staates nicht fort, der als Organismus gefaßt werden muß, ebensowenig wie durch Prädikate die Natur Gottes begriffen wird, dessen Leben ich vielmehr in sich selber anschauen muß.

Daß der Zweck des Staates das allgemeine Interesse als solches und darin als ihrer Substanz die Erhaltung der besonderen Interessen ist, ist seine 1. abstrakte Wirklichkeit oder Substantialität; aber sie ist 2. seine Notwendigkeit, als sie sich in die Begriffsunterschiede seiner Wirksamkeit dirimiert, welche durch jene Substantialität ebenso wirkliche feste Bestimmungen, Gewalten sind; 3. eben diese Substantialität ist aber der als durch die Form der Bildung hindurchgegangene sich wissende und wollende Geist. Der Staat weiß daher, was er will, und weiß es in seiner Allgemeinheit, als Gedachtes; er wirkt und handelt deswegen nach gewußten Zwecken, gekannten Grundsätzen, und nach Gesetzen, die es nicht nur an sich, sondern fürs Bewußtsein sind; und ebenso, insofern seine Handlungen sich auf vorhandene Umstände und Verhältnisse beziehen, nach der bestimmten Kenntnis derselben.

Es ist hier der Ort, das Verhältnis des Staates zur Religion zu berühren, da in neueren Zeiten so oft wiederholt worden ist, daß die Religion die Grundlage des Staates sei, und da diese Behauptung auch mit der Prätension gemacht wird, als ob mit ihr die Wissenschaft des Staats erschöpft sei – und keine Behauptung mehr geeignet ist, so viele Verwirrung hervorzubringen, ja die Verwirrung selbst zur Verfassung des Staates, zur Form, welche die Erkenntnis haben solle, zu erheben. – Es kann zunächst verdächtig scheinen, daß die Religion vornehmlich auch für die Zeiten öffentlichen Elends, der Zerrüttung und Unterdrückung empfohlen und gesucht, und an sie für Trost gegen das Unrecht und für Hoffnung zum Ersatz des Verlustes gewiesen wird. Wenn es dann ferner als eine Anweisung der Religion angesehen wird, gegen die weltlichen Interessen, den Gang und die Geschäfte der Wirklichkeit gleichgültig zu sein, der Staat aber der Geist ist, der in der Welt steht: so scheint die Hinweisung auf die Religion entweder nicht geeignet, das Interesse und Geschäft des Staates zum wesentlichen ernstlichen Zweck zu erheben, oder scheint andererseits im Staatsregiment alles für Sache gleichgültiger Willkür auszugeben, es sei, daß nur die Sprache geführt werde, als ob im Staate die Zwecke der Leidenschaften, unrechtlicher Gewalt usf. das Herrschende wären, oder daß solches Hinweisen auf die Religion weiter für sich allein gelten und das Bestimmen und Handhaben des Rechten in Anspruch nehmen will. Wie es für Hohn angesehen würde, wenn alle Empfindung gegen die Tyrannei damit abgewiesen würde, daß der Unterdrückte seinen Trost in der Religion finde, so ist ebenso nicht zu vergessen, daß die Religion eine Form annehmen kann, welche die härteste Knechtschaft unter den Fesseln des Aberglaubens und die Degradation des Menschen unter das Tier (wie bei den Ägyptern und Indern, welche Tiere als ihre höhere Wesen verehren) zur Folge hat. Diese Erscheinung kann wenigstens darauf aufmerksam machen, daß nicht von der Religion ganz überhaupt zu sprechen sei, und gegen sie, wie sie in gewissen Gestalten ist, vielmehr eine rettende Macht gefordert ist, die sich der Rechte der Vernunft und des Selbstbewußtseins annehme. – Die wesentliche Bestimmung aber über das Verhältnis von Religion und Staat ergibt sich nur, indem an ihren Begriff erinnert wird. Die Religion hat die absolute Wahrheit zu ihrem Inhalt, und damit fällt auch das Höchste der Gesinnung in sie. Als Anschauung, Gefühl, vorstellende Erkenntnis, die sich mit Gott, als der uneingeschränkten Grundlage und Ursache, an der alles hängt, beschäftigt, enthält sie die Forderung, daß alles auch in dieser Beziehung gefaßt werde und in ihr seine Bestätigung, Rechtfertigung, Vergewisserung erlange. Staat und Gesetze, wie die Pflichten, erhalten in diesem Verhältnis für das Bewußtsein die höchste Bewährung und die höchste Verbindlichkeit; denn selbst Staat, Gesetze und Pflichten sind in ihrer Wirklichkeit ein Bestimmtes, das in eine höhere Sphäre als in seine Grundlage übergeht. (S. Encyklop. der philos. Wissensch.) Deswegen enthält die Religion auch den Ort, der in aller Veränderung und in dem Verlust wirklicher Zwecke, Interessen und Besitztümer das Bewußtsein des Unwandelbaren und der höchsten Freiheit und Befriedigung gewährt[1]. Wenn nun die Religion so die Grundlage ausmacht, welche das Sittliche überhaupt und näher die Natur des Staats als den göttlichen Willen enthält, so ist es zugleich nur Grundlage, was sie ist, und hier ist es, worin beide auseinandergehen. Der Staat ist göttlicher Wille, als gegenwärtiger, sich zur wirklichen Gestalt und Organisation einer Welt entfaltender Geist. – Diejenigen, die bei der Form der Religion gegen den Staat stehenbleiben wollen, verhalten sich wie die, welche in der Erkenntnis das Rechte zu haben meinen, wenn sie nur immer beim Wesen bleiben und von diesem Abstraktum nicht zum Dasein fortgehen, oder wie die, welche nur das abstrakte Gute wollen, und der Willkür das, was gut ist, zu bestimmen vorbehalten. Die Religion ist das Verhältnis zum Absoluten in Form des Gefühls, der Vorstellung, des Glaubens, und in ihrem alles enthaltenden Zentrum ist alles nur als ein Akzidentelles, auch Verschwindendes. Wird an dieser Form auch in Beziehung auf den Staat so festgehalten, daß sie auch für ihn das wesentlich Bestimmende und Gültige sei, so ist er als der zu bestehenden Unterschieden, Gesetzen und Einrichtungen entwickelte Organismus dem Schwanken, der Unsicherheit und Zerrüttung preisgegeben. Das Objektive und Allgemeine, die Gesetze, anstatt als bestehend und gültig bestimmt zu sein, erhalten die Bestimmung eines Negativen gegen jene alles Bestimmte einhüllende und eben damit zum Subjektiven werdende Form, und für das Betragen der Menschen ergibt

1 Die Religion hat, wie die Erkenntnis und Wissenschaft, eine eigentümliche, von der des Staates verschiedene Form zu ihrem Prinzip; sie treten daher in den Staat ein, teils im Verhältnis von Mitteln der Bildung und Gesinnung, teils, insofern sie wesentlich Selbstzwecke sind, nach der Seite, daß sie äußerliches Dasein haben. In beiden Rücksichten verhalten sich die Prinzipien des Staates anwendend auf sie; in einer vollständig konkreten Abhandlung vom Staate müssen jene Sphären, so wie die Kunst, die bloß natürlichen Verhältnisse usf., gleichfalls in der Beziehung und Stellung, die sie im Staate haben, betrachtet werden; aber hier in dieser Abhandlung, wo es das Prinzip des Staats ist, das in seiner eigentümlichen Sphäre nach seiner Idee durchgeführt wird, kann von ihren Prinzipien und der Anwendung des Rechts des Staats auf sie nur beiläufig gesprochen werden.

sich die Folge: dem Gerechten ist kein Gesetz gegeben, seid fromm, so könnt ihr sonst treiben, was ihr wollt – ihr könnt der eigenen Willkür und Leidenschaft euch überlassen und die anderen, die Unrecht dadurch erleiden, an den Trost und die Hoffnung der Religion verweisen oder, noch schlimmer, sie als irreligiös verwerfen und verdammen. Insofern aber dies negative Verhalten nicht bloß eine innere Gesinnung und Ansicht bleibt, sondern sich an die Wirklichkeit wendet und in ihr sich geltend macht, entsteht der religiöse Fanatismus, der, wie der politische, alle Staatseinrichtung und gesetzliche Ordnung als beengende der innern, der Unendlichkeit des Gemüts unangemessene Schranken, und somit Privateigentum, Ehe, die Verhältnisse und Arbeiten der bürgerlichen Gesellschaft usf. als der Liebe und der Freiheit des Gefühls unwürdig verbannt. Da für wirkliches Dasein und Handeln jedoch entschieden werden muß, so tritt dasselbe ein wie bei der sich als das Absolute wissenden Subjektivität des Willens überhaupt, daß aus der subjektiven Vorstellung, d. i. dem Meinen und dem Belieben der Willkür, entschieden wird. – Das Wahre aber gegen dieses in die Subjektivität des Fühlens und Vorstellens sich einhüllende Wahre ist der ungeheure Überschritt des Innern in das Äußere, der Einbildung der Vernunft in die Realität, woran die ganze Weltgeschichte gearbeitet, und durch welche Arbeit die gebildete Menschheit die Wirklichkeit und das Bewußtsein des vernünftigen Daseins, der Staatseinrichtungen und der Gesetze gewonnen hat. Von denen, die den Herrn suchen, und in ihrer ungebildeten Meinung alles unmittelbar zu haben sich versichern, statt sich die Arbeit aufzulegen, ihre Subjektivität zur Erkenntnis der Wahrheit und zum Wissen des objektiven Rechts und der Pflicht zu erheben, kann nur Zertrümmerung aller sittlichen Verhältnisse, Albernheit und Abscheulichkeit ausgehen – notwendige Konsequenzen der auf ihrer Form ausschließend bestehenden und sich so gegen die Wirklichkeit und die in Form des Allgemeinen, der Gesetze, vorhandene Wahrheit wendenden Gesinnung der Religion. Doch ist nicht notwendig, daß diese Gesinnung so zur Verwirklichung fortgehe, sie kann mit ihrem negativen Standpunkt allerdings auch als ein Inneres bleiben, sich den Einrichtungen und Gesetzen fügen und es bei der Ergebung und dem Seufzen oder dem Verachten und Wünschen bewenden lassen. Es ist nicht die Kraft, sondern die Schwäche, welche in unseren Zeiten die Religiosität zu einer polemischen Art von Frömmigkeit gemacht hat, sie hänge nun mit einem wahren Bedürfnis oder auch bloß mit nicht befriedigter Eitelkeit zusammen. Statt sein Meinen mit der Arbeit des Studiums zu bezwingen und sein Wollen der Zucht zu unterwerfen und es dadurch zum freien Gehorsam zu erheben, ist es das wohlfeilste, auf die Erkenntnis objektiver Wahrheit Verzicht zu tun, ein Gefühl der Gedrücktheit und damit den Eigendünkel zu bewahren, und an der Gottseligkeit bereits alle Erfordernis zu haben, um die Natur der Gesetze und der Staatseinrichtungen zu durchschauen, über sie abzusprechen und, wie sie beschaffen sein sollten und müßten, anzugeben, und zwar, weil solches aus einem frommen Herzen komme, auf eine unfehlbare und unantastbare Weise; denn dadurch, daß Absichten und Behauptungen die Religion zur Grundlage machen, könne man ihnen weder nach ihrer Seichtigkeit noch nach ihrer Unrechtlichkeit etwas anhaben.

Insofern aber die Religion, wenn sie wahrhafter Art ist, ohne solche negative und polemische Richtung gegen den Staat ist, ihn vielmehr anerkennt und bestätigt, so hat sie ferner für sich ihren Zustand und ihre Äußerung. Das Geschäft ihres Kultus besteht in Handlungen und Lehre; sie bedarf dazu Besitztümer und Eigentums, sowie dem Dienste der Gemeinde gewidmeter Individuen. Es entsteht damit ein Verhältnis von Staat und Kirchengemeinde. Die Bestimmung dieses Verhältnisses ist einfach. Es ist in der Natur der Sache, daß der Staat eine Pflicht erfüllt, der Gemeinde für ihren religiösen Zweck allen Vorschub zu tun und Schutz zu gewähren, ja, indem die Religion das ihn für das Tiefste der Gesinnung integrierende Moment ist, von allen seinen Angehörigen zu fordern, daß sie sich zu einer Kirchengemeinde halten – übrigens zu irgendeiner, denn auf den Inhalt, insofern er sich auf das Innere der Vorstellung bezieht, kann sich der Staat nicht einlassen. Der in seiner Organisation ausgebildete und darum starke Staat kann sich hierin desto liberaler verhalten, Einzelnheiten, die ihn berührten, ganz übersehen und selbst Gemeinden (wobei es freilich auf die Anzahl ankommt) in sich aushalten, welche selbst die direkten Pflichten gegen ihn religiös nicht anerkennen, indem er nämlich die Mitglieder derselben der bürgerlichen Gesellschaft unter deren Gesetzen überläßt und mit passiver, etwa durch Verwandlung und Tausch vermittelter Erfüllung der direkten Pflichten gegen ihn zufrieden ist[1]. – Insofern aber die kirchliche Gemeinde Eigentum be-

[1] Von Quäkern, Wiedertäufern usf. kann man sagen, daß sie nur aktive Mitglieder der bürgerlichen Gesellschaft sind und als Privatpersonen nur im Privatverkehr mit anderen stehen, und selbst in diesem Verhältnis hat man ihnen den Eid erlassen; die direkten Pflichten gegen den Staat erfüllen sie auf eine passive Weise und von einer der wichtigsten Pflichten, ihn gegen Feinde zu verteidigen, die sie direkt verleugnen, wird etwa zugegeben, sie durch Tausch gegen andere Leistung zu erfüllen. Gegen solche Sekten ist es im eigentlichen Sinne der Fall, daß der Staat Toleranz ausübt; denn da sie die Pflichten gegen ihn nicht anerkennen, können sie auf das Recht, Mitglieder desselben zu sein, nicht Anspruch machen. Als einst im nordamerikanischen Kongreß die Abschaffung der Sklaverei der Neger mit größerm Nachdruck betrieben wurde, machte ein Deputierter aus den südlichen Provinzen die treffende Erwiderung: »Gebt uns die Neger zu, wir geben euch die Quäker zu.« – Nur durch seine sonstige

sitzt, sonstige Handlungen des Kultus ausübt und Individuen dafür im Dienste hat, tritt sie aus dem Innern in das Weltliche und damit in das Gebiet des Staats herüber und stellt sich dadurch unmittelbar unter seine Gesetze. Der Eid, das Sittliche überhaupt, wie das Verhältnis der Ehe führen zwar die innere Durchdringung und die Erhebung der Gesinnung mit sich, welche durch die Religion ihre tiefste Vergewisserung erhält; indem die sittlichen Verhältnisse wesentlich Verhältnisse der wirklichen Vernünftigkeit sind, so sind es die Rechte dieser, welche darin zuerst zu behaupten sind und zu welchem die kirchliche Vergewisserung als die nur innere, abstraktere Seite hinzutritt. – In Ansehung weiterer Äußerungen, die von der kirchlichen Vereinigung ausgehen, so ist bei der Lehre das Innere gegen das Äußere das Überwiegendere als bei den Handlungen des Kultus und anderen damit zusammenhängenden Benehmungen, wo die rechtliche Seite wenigstens sogleich für sich als Sache des Staats erscheint (wohl haben sich Kirchen auch die Exemtion ihrer Diener und ihres Eigentums von der Macht und Gerichtsbarkeit des Staates, sogar die Gerichtsbarkeit über weltliche Personen in Gegenständen, bei denen wie Ehescheidungssachen, Eidesangelegenheiten usf. die Religion konkurriert, genommen). – Die polizeiliche Seite in Rücksicht solcher Handlungen ist freilich unbestimmter, aber dies liegt in der Natur dieser Seite ebenso auch gegen andere ganz bürgerliche Handlungen. Insofern die religiöse Gemeinschaftlichkeit von Individuen sich zu einer Gemeinde, einer Korporation erhebt, steht sie überhaupt unter der oberpolizeilichen Oberaufsicht des Staats. – Die Lehre selbst aber hat ihr Gebiet in dem Gewissen, steht in dem Rechte der subjektiven Freiheit des Selbstbewußtseins – der Sphäre der Innerlichkeit, die als solche nicht das Gebiet des Staates ausmacht. Jedoch hat auch der Staat eine Lehre, da seine Einrich-

---

Stärke kann der Staat solche Anomalien übersehen und dulden, und sich dabei vornehmlich auf die Macht der Sitten und der innern Vernünftigkeit seiner Institutionen verlassen, daß diese, indem er seine Rechte hierin nicht strenge geltend macht, die Unterscheidung vermindern und überwinden werde. So formelles Recht man etwa gegen die Juden in Ansehung der Verleihung selbst von bürgerlichen Rechten gehabt hätte, indem sie sich nicht bloß als eine besondere Religionspartei, sondern als einem fremden Volke angehörig ansehen sollten, so sehr hat das aus diesen und andern Gesichtspunkten erhobene Geschrei übersehen, daß sie zu allererst Menschen sind und daß dies nicht nur eine flache, abstrakte Qualität ist, sondern daß darin liegt, daß durch die zugestandenen bürgerlichen Rechte vielmehr das Selbstgefühl, als rechtliche Personen in der bürgerlichen Gesellschaft zu gelten, und aus dieser unendlichen von allem andern freien Wurzel die verlangte Ausgleichung der Denkungsart und Gesinnung zustande kommt. Die den Juden vorgeworfene Trennung hätte sich vielmehr erhalten und wäre dem ausschließenden Staate mit Recht zur Schuld und Vorwurf geworden; denn er hätte damit sein Prinzip, die objektive Institution und deren Macht, verkannt. Die Behauptung dieser Ausschließung, indem sie aufs höchste recht zu haben vermeinte, hat sich auch in der Erfahrung am törichtsten, die Handlungsart der Regierungen hingegen als das Weise und Würdige erwiesen.

tungen und das ihm Geltende überhaupt über das Rechtliche, Verfassung usf. wesentlich in der Form des Gedankens als Gesetz ist, und indem er kein Mechanismus, sondern das vernünftige Leben der selbstbewußten Freiheit, das System der sittlichen Welt ist, so ist die Gesinnung, sodann das Bewußtsein derselben in Grundsätzen ein wesentliches Moment im wirklichen Staate. Hinwiederum ist die Lehre der Kirche nicht bloß ein Inneres des Gewissens, sondern als Lehre vielmehr Äußerung, und Äußerung zugleich über einen Inhalt, der mit den sittlichen Grundsätzen und Staatsgesetzen aufs innigste zusammenhängt oder sie unmittelbar selbst betrifft. Staat und Kirche treffen also hier direkt zusammen oder gegeneinander. Die Verschiedenheit beider Gebiete kann von der Kirche zu dem schroffen Gegensatz getrieben werden, daß sie als den absoluten Inhalt der Religion in sich enthaltend das Geistige überhaupt und damit auch das sittliche Element als ihren Teil betrachtet, den Staat aber als ein mechanisches Gerüste für die ungeistigen äußerlichen Zwecke, sich als das Reich Gottes oder wenigstens als den Weg und Vorplatz dazu, den Staat aber als das Reich der Welt, d. i. des Vergänglichen und Endlichen, sich damit als den Selbstzweck, den Staat aber nur als bloßes Mittel begreift. Mit dieser Prätension verbindet sich dann in Ansehung des Lehrens die Forderung, daß der Staat die Kirche darin nicht nur mit vollkommener Freiheit gewähren lasse, sondern unbedingten Respekt vor ihrem Lehren, wie es auch beschaffen sein möge, denn diese Bestimmung komme nur ihr zu, als Lehren habe. Wie die Kirche zu dieser Prätension aus dem ausgedehnten Grunde, daß das geistige Element überhaupt ihr Eigentum sei, kommt, die Wissenschaft und Erkenntnis überhaupt aber gleichfalls in diesem Gebiete steht, für sich wie eine Kirche sich zur Totalität von eigentümlichem Prinzipe ausbildet, welche sich auch als an die Stelle der Kirche selbst noch mit größerer Berechtigung tretend betrachten kann, so wird dann für die Wissenschaft dieselbe Unabhängigkeit vom Staate, der nur als ein Mittel für sie als einen Selbstzweck zu sorgen habe, verlangt. – Es ist für dieses Verhältnis übrigens gleichgültig, ob die dem Dienste der Gemeinde sich widmenden Individuen und Vorsteher es etwa zu einer vom Staate ausgeschiedenen Existenz getrieben haben, so daß nur die übrigen Mitglieder dem Staate unterworfen sind, oder sonst im Staate stehen und ihre kirchliche Bestimmung nur eine Seite ihres Standes sei, welche sie gegen den Staat getrennt halten. Zunächst ist zu bemerken, daß ein solches Verhältnis mit der Vorstellung vom Staat zusammenhängt, nach welcher er seine Bestimmung nur hat in Schutz und Sicherheit des Lebens, Eigentums und der Willkür eines jeden, insofern sie das Leben und Eigentum und die Willkür der anderen nicht verletzt und der Staat so nur als eine Veranstaltung der Not betrachtet wird. Das Element des höheren Geistigen, des an und für sich Wahren, ist auf diese Weise als subjektive Religiosität oder als theoretische Wissenschaft jenseits des Staates gestellt, der als der Laie an und für sich nur zu respektieren habe, und das eigentliche Sittliche fällt so bei ihm ganz aus. Daß es nun geschichtlich Zeiten und Zustände von Barbarei gegeben, wo alles höhere Geistige in der Kirche seinen Sitz hatte und der Staat nur ein weltliches Regiment der Gewalttätigkeit, der Willkür und Leidenschaft und jener abstrakte Gegensatz das Hauptprinzip der Wirklichkeit war, gehört in die Geschichte. Aber es ist ein zu blindes und seichtes Verfahren, diese Stellung als die wahrhaft der Idee gemäße anzugeben. Die Entwickelung dieser Idee hat vielmehr dies als die Wahrheit erwiesen, daß der Geist als frei und vernünftig an sich sittlich ist, und die wahrhafte Idee die wirkliche Vernünftigkeit, und diese es ist, welche als Staat existiert. Es ergab sich ferner aus dieser Idee ebensosehr, daß die sittliche Wahrheit in derselben für das denkende Bewußtsein, als in die Form der Allgemeinheit verarbeiteter Inhalt, als Gesetz, ist – der Staat überhaupt seine Zwecke weiß, sie mit bestimmtem Bewußtsein und nach Grundsätzen erkennt und betätigt. Wie oben bemerkt ist, hat nun die Religion das Wahre zu ihrem allgemeinen Gegenstande, jedoch als einen gegebenen Inhalt, der in seinen Grundbestimmungen nicht durch Denken und Begriffe erkannt ist; ebenso ist das Verhältnis des Individuums zu diesem Gegenstande eine auf Autorität gegründete Verpflichtung, und das Zeugnis des eigenen Geistes und Herzens, als worin das Moment der Freiheit enthalten ist, ist Glaube und Empfindung. Es ist die philosophische Einsicht, welche erkennt, daß Kirche und Staat nicht im Gegensatz des Inhalts der Wahrheit und Vernünftigkeit, aber im Unterschied der Form stehen. Wenn daher die Kirche in das Lehren übergeht (es gibt und gab auch Kirchen, die nur einen Kultus haben; andere, worin er die Hauptsache und das Lehren und das gebildetere Bewußtsein nur Nebensache ist) und ihr Lehren objektive Grundsätze, die Gedanken des Sittlichen und Vernünftigen betrifft, so geht sie in dieser Äußerung unmittelbar in das Gebiet des Staats herüber. Gegen ihren Glauben und ihre Autorität über das Sittliche, Recht, Gesetze, Institutionen, gegen ihre subjektive Überzeugung ist der Staat vielmehr das Wissende; in seinem Prinzip bleibt wesentlich der Inhalt nicht in der Form des Gefühls und Glaubens stehen, sondern gehört dem bestimmten Gedanken an. Wie der an und für sich seiende Inhalt in der Gestalt der Religion als besonderer Inhalt, als die der Kirche als religiöser Gemeinschaft eigentümlichen Lehren, erscheint, so bleiben sie außer dem Bereiche des Staats (im Protestantismus gibt es auch keine Geistlichkeit, welche ausschließender Depositär der kirchlichen Lehre wäre, weil es in ihm keine Laien gibt); indem sich die sittlichen Grundsätze und die Staatsordnung überhaupt in das Gebiet der Religion hinüberziehen und nicht nur in Beziehung darauf setzen lassen, sondern auch gesetzt werden sollen, so gibt diese Beziehung einerseits dem Staate selbst die religiöse Beglaubigung; andererseits bleibt ihm das Recht und die Form der selbstbewußten, objektiven Vernünftigkeit, das Recht, sie geltend zu machen und gegen Behauptungen, die aus der subjektiven Gestalt der Wahrheit entspringen, mit welcher Versicherung und Autorität sie sich auch umgebe, zu behaupten. Weil das Prinzip seiner Form als Allgemeines wesentlich der Gedanke ist, so ist es auch geschehen, daß von seiner Seite die Freiheit des Denkens und der Wissenschaft ausgegangen ist (und eine Kirche hat vielmehr den Jordanus Bruno verbrannt, den Galilei wegen der Darstellung des kopernikanischen Sonnensystems auf den Knien Abbitte tun lassen usf.)[1]. Auf seiner Seite hat darum auch die Wissenschaft ihre Stelle; denn sie hat dasselbe Element der Form, als der Staat, sie hat den Zweck des Erkennens, und zwar der

---

1 Laplace: »Darstellung des Weltsystems«, V. Buch, 4. Kap. »Da Galilei die Entdeckungen« (zu denen ihm das Teleskop verhalf, die Lichtgestalten der Venus usf.) »bekanntmachte, zeigte er zugleich, daß sie die Bewegungen der Erde unwidersprechlich bewiesen. Aber die Vorstellung dieser Bewegung wurde durch eine Versammlung der Kardinäle für ketzerisch erklärt, Galilei, ihr berühmtester Verteidiger, vor das Inquisitionsgericht gefordert und genötigt, sie zu widerrufen, um einem harten Gefängnis zu entgehen. Bei dem Manne von Geist ist die Leidenschaft für die Wahrheit eine der stärksten Leidenschaften. – Galilei, durch seine eigenen Beobachtungen von der Bewegung der Erde überzeugt, dachte lange Zeit auf ein neues Werk, worin er alle Beweise dafür zu entwickeln sich vorgenommen hatte. Aber um sich zugleich der Verfolgung zu entziehen, deren Opfer er hätte werden müssen, wählte er die Auskunft, sie in der Form von Dialogen zwischen drei Personen darzustellen; man sieht wohl, daß der Vorteil auf der Seite des Verteidigers des kopernikanischen Systems war; da aber Galilei nicht zwischen ihnen entschied und den Einwürfen der Anhänger des Ptolemäus so viel Gewicht gab, als nur möglich war, so durfte er wohl erwarten, im Genuß der Ruhe, die sein hohes Alter und seine Arbeiten verdienten, nicht gestört zu werden. Er wurde in seinem siebzigsten Jahre aufs neue vor das Inquisitions-Tribunal gefordert; man schloß ihn in ein Gefängnis ein, wo man eine zweite Widerrufung seiner Meinungen von ihm forderte, unter Androhung der für die wieder abgefallenen Ketzer bestimmten Strafe. Man ließ ihn folgende Abschwörungsformel unterschreiben: ‚Ich, Galilei, der ich in meinem siebzigsten Jahre mich persönlich vor dem Gerichte eingefunden, auf den Knien liegend, und die Augen auf die heiligen Evangelien, die ich mit meinen Händen berühre, gerichtet, schwöre ab, verfluche und verwünsche mit redlichem Herzen und wahrem Glauben die Ungereimtheit, Falschheit und Ketzerei der Lehre von der Bewegung der Erde usf.' Welch ein Anblick war das, einen ehrwürdigen Greis, berühmt durch ein langes, der Erforschung der Natur einzig gewidmetes Leben, gegen das Zeugnis seines eigenen Gewissens die Wahrheit, die er mit Überzeugungskraft erwiesen hatte, auf den Knien abschwören zu sehen! Ein Urteil der Inquisition verdammte ihn zu immerwährender Gefangenschaft. Ein Jahr hernach wurde er, auf die Verwendung des Großherzogs von Florenz, in Freiheit gesetzt. – Er starb 1642. Seinen Verlust betrauerte Europa, das durch seine Arbeiten erleuchtet und über das von einem verhaßten Tribunale gegen einen so großen Mann gefällte Urteil aufgebracht war.«

gedachten objektiven Wahrheit und Vernünftigkeit. Das denkende Erkennen kann zwar auch aus der Wissenschaft in das Meinen und in das Räsonieren aus Gründen herunterfallen, sich auf sittliche Gegenstände und die Staatsorganisation wendend, in Widerspruch gegen deren Grundsätze sich setzen, und dies etwa auch mit denselben Prätensionen, als die Kirche für ihr Eigentümliches macht, auf dies Meinen als auf Vernunft und das Recht des subjektiven Selbstbewußtseins, in seiner Meinung und Überzeugung frei zu sein. Das Prinzip dieser Subjektivität des Wissens ist oben betrachtet worden; hierher gehört nur die Bemerkung, daß nach einer Seite der Staat gegen das Meinen, eben insofern es nur Meinung, ein subjektiver Inhalt ist und darum, es spreize sich noch so hoch auf, keine wahre Kraft und Gewalt in sich hat, ebenso wie die Maler, die sich auf ihrer Palette an die drei Grundfarben halten, gegen die Schulweisheit von den sieben Grundfarben, eine unendliche Gleichgültigkeit ausüben kann. Nach der andern Seite aber hat der Staat gegen dies Meinen schlechter Grundsätze, indem es sich zu einem allgemeinen und die Wirklichkeit anfressenden Dasein macht, ohnehin insofern der Formalismus der unbedingten Subjektivität, der den wissenschaftlichen Ausgangspunkt zu seinem Grunde nehmen und die Lehrveranstaltungen des Staates selbst zu der Prätension einer Kirche gegen ihn erheben und kehren wollte, die objektive Wahrheit und die Grundsätze des sittlichen Lebens in Schutz zu nehmen, so wie er im ganzen gegen die eine unbeschränkte und unbedingte Autorität ansprechende Kirche umgekehrt das formelle Recht des Selbstbewußtseins an die eigene Einsicht, Überzeugung und überhaupt Denken dessen, was als objektive Wahrheit gelten soll, geltend zu machen hat.

Die Einheit des Staats und der Kirche, eine auch in neuen Zeiten viel besprochene und als höchstes Ideal aufgestellte Bestimmung, kann noch erwähnt werden. Wenn die wesentliche Einheit derselben ist die der Wahrheit der Grundsätze und Gesinnung, so ist ebenso wesentlich, daß mit dieser Einheit der Unterschied, den sie in der Form ihres Bewußtseins haben, zur besonderen Existenz gekommen sei. Im orientalischen Despotismus ist jene so oft gewünschte Einheit der Kirche und des Staats – aber damit ist der Staat nicht vorhanden – nicht die selbstbewußte, des Geistes allein würdige Gestaltung in Recht, freier Sittlichkeit und organischer Entwickelung. – Damit ferner der Staat als die sich wissende, sittliche Wirklichkeit des Geistes zum Dasein komme, ist eine Unterscheidung von der Form der Autorität und des Glaubens notwendig; diese Unterscheidung tritt aber nur hervor, insofern die kirchliche Seite in sich selbst zur Trennung kommt; nur so, über den besonderen Kirchen, hat der Staat die Allgemeinheit des Gedankens, das Prinzip seiner Form gewonnen und bringt sie zur Existenz; um dies zu erkennen, muß man wissen, nicht nur was die Allgemeinheit an sich, sondern was ihre Existenz ist. Es ist daher so weit gefehlt, daß für den Staat die kirchliche Trennung ein Unglück wäre oder gewesen wäre, daß er nur durch sie hat werden können, was seine Bestimmung ist, die selbstbewußte Vernünftigkeit und Sittlichkeit. Ebenso ist es das Glücklichste, was der Kirche für ihre eigene und was dem Gedanken für seine Freiheit und Vernünftigkeit hat widerfahren können.

Zusatz. Der Staat ist wirklich, und seine Wirklichkeit besteht darin, daß das Interesse des Ganzen sich in die besonderen Zwecke realisiert. Wirklichkeit ist immer Einheit der Allgemeinheit und Besonderheit, das Auseinandergelegtsein der Allgemeinheit in die Besonderheit, die eine selbstständige erscheint, obgleich sie nur im Ganzen getragen und gehalten wird. Insofern diese Einheit nicht vorhanden ist, ist etwas nicht wirklich, wenn auch Existenz angenommen werden dürfte. Ein schlechter Staat ist ein solcher, der bloß existiert, ein kranker Körper existiert auch, aber er hat keine wahrhafte Realität. Eine Hand, die abgehauen ist, sieht auch noch aus wie eine Hand, und existiert, doch ohne wirklich zu sein; die wahrhafte Wirklichkeit ist Notwendigkeit: was wirklich ist, ist in sich notwendig. Die Notwendigkeit besteht darin, daß das Ganze in die Begriffsunterschiede dirimiert sei und daß dieses Dirimierte eine feste und aushaltende Bestimmtheit abgebe, die nicht todfest ist, sondern in der Auflösung sich immer erzeugt. Zum vollendeten Staat gehört wesentlich das Bewußtsein, das Denken; der Staat weiß daher, was er will, und weiß es als ein Gedachtes. Indem das Wissen nun im Staate seinen Sitz hat, hat ihn auch die Wissenschaft hier, und nicht in der Kirche. Trotzdem ist in neueren Zeiten viel davon gesprochen worden, daß der Staat aus der Religion hervorzusteigen habe. Der Staat ist der entwickelte Geist und stellt seine Momente an den Tag des Bewußtseins heraus: dadurch, daß das, was in der Idee liegt, heraus in die Gegenständlichkeit tritt, erscheint der Staat als ein Endliches, und so zeigt sich derselbe als ein Gebiet der Weltlichkeit, während die Religion sich als ein Gebiet der Unendlichkeit darstellt. Der Staat scheint somit das Untergeordnete, und weil das Endliche nicht für sich bestehen kann, so, heißt es, brauche dasselbe die Basis der Kirche. Als Endliches habe es keine Berechtigung, und erst durch die Religion werde es heilig und dem Unendlichen angehörend. Aber diese Betrachtung der Sache ist nur höchst einseitig. Der Staat ist allerdings wesentlich weltlich und endlich, hat besondere Zwecke und besondere Gewalten, aber daß der Staat weltlich ist, ist nur die eine Seite, und nur der geistlosen Wahrnehmung ist der Staat bloß endlich. Denn der Staat hat eine belebende Seele, und dies Beseelende ist die Subjektivität, die eben Erschaffen der Unterschiede, aber andererseits das Erhalten in der Einheit ist. Im religiösen Reiche sind auch Unterschiede und Endlichkeiten. Gott, heißt es, sei dreieinig: da sind also drei Bestimmungen, deren Einheit erst der Geist ist. Wenn man daher die göttliche Natur konkret faßt, so ist dies auch nur durch Unterschiede der Fall. Im göttlichen Reiche kommen also Endlichkeiten wie im Weltlichen vor, und daß der weltliche Geist, das heißt der Staat, nur ein endlicher sei, ist eine einseitige Ansicht, denn die Wirklichkeit ist nichts Unvernünftiges. Ein schlechter Staat freilich ist nur weltlich und endlich, aber der vernünftige Staat ist unendlich in sich. Das Zweite ist, daß man sagt, der Staat habe seine Rechtfertigung in der Religion zu nehmen. Die Idee, als in der Religion, ist Geist im Innern des Gemüts, aber dieselbe Idee ist es, die sich in dem Staate Weltlichkeit gibt, und sich im Wissen und Wollen ein Dasein und eine Wirklichkeit verschafft. Sagt man nun, der Staat müsse auf Religion sich gründen, so kann dies heißen, derselbe solle auf Vernünftigkeit beruhen und aus ihr hervorgehen. Aber dieser Satz kann auch so mißverstanden werden, daß die Menschen, deren Geist durch eine unfreie Religion gebunden ist, dadurch zum Gehorsam am geschicktesten seien. Die christliche Religion aber ist die Religion der Freiheit. Diese kann freilich wieder eine Wendung bekommen, daß die freie zur unfreien verkehrt wird, indem sie vom Aberglauben behaftet ist. Meint man nun dies, daß die Individuen Religion haben müssen, damit ihr gebundener Geist im Staate desto mehr unterdrückt werden könne, so ist dies der schlimme Sinn des Satzes; meint man, daß die Menschen Achtung vor dem Staat, vor diesem Ganzen, dessen Zweige sie sind, haben sollen, so geschieht dies freilich am besten durch die philosophische Einsicht in das Wesen desselben; aber es kann in Ermangelung dieser auch die religiöse Gesinnung dahin führen. So kann der Staat der Religion und des Glaubens bedürfen. Wesentlich aber bleibt der Staat von der Religion dadurch unterschieden, daß, was er fordert, die Gestalt einer rechtlichen Pflicht hat, und daß es gleichgültig ist, in welcher Gemütsweise geleistet wird. Das Feld der Religion dagegen ist die Innerlichkeit, und so wie der Staat, wenn er auf religiöse Weise forderte, das Recht der Innerlichkeit gefährden würde, so artet die Kirche, die wie ein Staat handelt und Strafen auferlegt, in eine tyrannische Religion aus. Ein dritter Unterschied, der hiermit zusammenhängt, ist, daß der Inhalt der Religion ein eingehüllter ist und bleibt, und somit Gemüt, Empfindung und Vorstellung der Boden ist, worauf er seinen Platz hat. Auf diesem Boden hat alles die Form der Subjektivität, der Staat hingegen verwirklicht sich und gibt seinen Bestimmungen festes Dasein.

Wenn nun die Religiosität im Staate sich geltend machen wollte, wie sie gewohnt ist auf ihrem Boden zu sein, so würde sie die Organisation des Staates umwerfen, denn im Staate haben die Unterschiede eine Breite des Außereinander: in der Religion dagegen ist immer alles auf die Totalität bezogen. Wollte nun diese Totalität alle Beziehungen des Staates ergreifen, so wäre sie Fanatismus; sie wollte in jedem Besonderen das Ganze haben, und könnte es nicht anders als durch Zerstörung des Besonderen, denn der Fanatismus ist nur das, die besonderen Unterschiede nicht gewähren zu lassen. Wenn man sich so ausdrückt: »den Frommen sei kein Gesetz gegeben«, so ist dies weiter nichts als der Ausspruch jenes Fanatismus. Denn die Frömmigkeit, wo sie an die Stelle des Staates tritt, kann das Bestimmte nicht aushalten und zertrümmert es. Damit hängt ebenso zusammen, wenn die Frömmigkeit das Gewissen, die Innerlichkeit, entscheiden läßt und nicht von Gründen bestimmt wird. Diese Innerlichkeit entwickelt sich nicht zu Gründen und gibt sich keine Rechenschaft. Soll also die Frömmigkeit als Wirklichkeit des Staates gelten, so sind alle Gesetze über den Haufen geworfen, und das subjektive Gefühl ist das gesetzgebende. Dieses Gefühl kann bloße Willkür sein, und ob dies sei, muß lediglich aus den Handlungen erkannt werden: aber insofern sie Handlungen, Gebote werden, nehmen sie die Gestalt von Gesetzen an, was gerade jenem subjektivem Gefühl widerspricht. Gott, der der Gegenstand dieses Gefühls ist, könnte man auch zum Bestimmenden machen, aber Gott ist die allgemeine Idee, und in diesem Gefühl das Unbestimmte, das nicht dahin gereift ist, das zu bestimmen, was im Staate als entwickelt da ist. Gerade daß im Staate alles fest und gesichert ist, ist die Schanze gegen die Willkür und die positive Meinung. Die Religion als solche darf also nicht das Regierende sein.

Hegel, der Philosoph des siebenten Tages

Mehrfach zitierte Ausgaben Hegels, beziehungsweise Werke über Hegel:

Jubiläums-Ausgabe: G.W.F.Hegel, Jubiläums-Ausgabe, herausgegeben von Hermann Glockner, Stuttgart 1929–1940.

Lasson: G.W.F.Hegel, Sämtliche Werke, herausgegeben von Georg Lasson, Leipzig (Philosophische Bibliothek, Felix Meiner, 1905–1925).

Metzke: Hegels Vorreden. Mit Kommentar und Einführung in seine Philosophie herausgegeben von E. Metzke, Heidelberg 1949.

Glockner: Herm. Glockner: Hegel. 2 Bände, Stuttgart 1929–1940 (= Band 21 und 22 der Jubiläums-Ausgabe).

Hoffmeister: Dokumente zu Hegels Entwicklung, herausgegeben von Johannes Hoffmeister, Stuttgart 1936.

Hartmann: Nicolai Hartmann: Aristoteles und Hegel; 2. Aufl., Erfurt 1933.

Staiger: Emil Staiger: Der Geist der Liebe und das Schicksal. Schelling, Hegel und Hölderlin; Frauenfeld und Leipzig 1935.

Iljin: Iwan Iljin: Die Philosophie Hegels als kontemplative Gotteslehre; Bern 1946.

Bense: Max Bense: Hegel und Kierkegaard; Köln und Krefeld 1948.

Barth: Karl Barth: Die protestantische Theologie im 19. Jahrhundert; Zollikon-Zürich 1947.

Schmidt: Erik Schmidt: Hegels Lehre von Gott; Gütersloh 1952.

Litt: Theodor Litt: Hegel. Versuch einer kritischen Erneuerung; Heidelberg 1953.

Asveld: Paul Asveld: La Pensée religieuse du jeune Hegel. Liberté et aliénation; Louvain 1953.

Nink: Kaspar Nink: Kommentar zu den grundlegenden Abschnitten von Hegels Phänomenologie des Geistes; Regensburg 1948.

Löwith: Karl Löwith: Von Hegel zu Nietzsche; 2. Auflage, Stuttgart 1950.

Kuhn: H. Kuhn: Nichts – Sein – Gott (in: Deutscher Geist zwischen Gestern und Morgen; herausgegeben v. Joachim Moras und Hans Paeschke, Stuttgart 1954).

*

Hegels Philosophie als ein »europäisches Ereignis« . . .
Metzke 8; neue deutsche Hegelliteratur: Kuhn 221; französische Hegelliteratur: Asveld 227 f.

Die Verdrängung Hegels in Deutschland im 19. Jahrhundert: vgl. Barth 342 ff.

Deutsche Rache an Hegel:
Nietzsche über deutsche Philosophie – protestantische Theologie: Der Antichrist I Nr. 10; Werke X, Leipzig 1906, S. 367. – Hegels Anerkennung Luthers: z. B. Lasson VIII, 877 ff. – Hegels Begeisterung für Aristophanes: Glockner 417 ff. – Hegel gegen seine »christlichen« Ketzerrichter: Vorwort zur dritten Ausgabe der Encyclopädie. – Hegel als protestantischer Thomas von Aquino: Barth 343.

Die europäische Tradition seines Denkens:
Hegel unterscheidet nicht zwischen Heterothesis und Antithesis: Glockner 153. – Hegel und Aristoteles: Literatur bei Iljin 396. – Hegel als Platon-Benützer: W. Purpus, dazu Glockner a. a. O. – Pascal über die christliche Religion: Gedanken, ed. Wasmuth, Berlin 1937, 476. – Kierkegaard: Papirer, ed. v. Heiberg und Kuhr, Kopenhagen 1909; X, 5. Aufl. A 142; vgl. Bense 71. – Die ontische Logik des Aristoteles: Hartmann 17 ff. – Hegel über Anselm von Canterbury: Lasson XIV, 49. – Hegel über die Theologie des 12. Jahrhunderts: Lasson XII, 45. – Hegel als ehelicher Mensch: Glockner 283–294. – Hegel über den »Verdruß« der modernen Welt: Lasson XIII, 153. – Hegels Gattin über den Toten: Briefe II, 380. – Hegels Gott- und Selbstvertrauen: Barth 377. – Hegel – Eckhart – Böhme – Baader – Leibniz: Lasson XII, 257; dazu auch Litt 85; Schmidt 15; Glockner 43 und 198. – Hegels Kenntnis der Brüder vom Freien Geiste: ed. Nohl 367; vgl. Asveld 129 ff.

Der Schatten der Freunde über Hegel:
Hegels Titanismus: Barth 353. – Eschatologische Stimmung der Tübinger: Staiger 13. – Die Hybris Schellings: Staiger 36. – Karl Jaspers über das deutsche Vakuum: Foreign Affairs, Juli 1954. – Das Hochgefühl der Tübinger: Asveld 214 ff. – Hegels »Begriffspalast«: Litt 9 f. – Seine »fast mythologische Spekulation«: Litt 220. – Hegels Pansophie: Barth 360. – Hegels Panepistemie: Iljin 196 ff. – Hegel – Hölderlin: Hoffmeister 455 f.; dagegen Glockner 78. – Hölderlins Hymne über die Dichter: Werke, ed. Hellingrath, Seebaß und Pigenot, Berlin 1923, IV, 216 f.; dazu Staiger 117 f.

Gott ist die Dialektik:
Identifizierung Gottes mit der dialektischen Methode: Barth 376. – Hegels »Beurteilung der . . . Verhandlungen in der Versammlung

der Landstände des Königreichs Würtemberg...«: Heidelberger Jahrbücher der Literatur 1817, wieder abgedruckt Jubiläums-Ausgabe VI, 349 ff. – Die Logik als Selbstoffenbarung Gottes: vgl. Iljin 208/9. – Gott als Vernunft...: vgl. Iljin 348. – Der »Begriff« als die sich selbst bewegende Seele: vgl. Metzke 195 und 202.

Gottergriffene Logik:
Hegels Jugendaufsatz »Die Religion Jesu«: ed. Nohl, Hegels theologische Jugendschriften, 302 ff. – Vgl. Glockner 2. Band, 137. – Hegel über die Familie in seiner Rechtsphilosophie: Jubiläums-Ausgabe VII, § 158, S. 237 ff. – Das Geltenlassen des Widerspruches *in* der Person: Lasson XIV, 46. – Das Lebendige als Widerspruch: Lasson XIV, 79. – Gott ist Prozeß, Geist, Subjekt: Jubiläums-Ausgabe IX, 48. – Gott als das Spiel der Liebe mit sich selbst...: Lasson II, 20. – »Das Spekulative ist das Mystische«: Jubiläums-Ausgabe VIII, 197. – Das Mystische als das Vernünftige: vgl. Schmidt 92 f. – Gott als Ereignis: Barth 356 und 358. – Das Leben Gottes in der Welt: Lasson XII, 65 f. und 146 ff. – Gott als *der* Begriff: Lasson III, 42. – Gott als der ewige Prozeß des Sichunterscheidens...: Barth 371. – Das Sein geht in das Nichts über...: vgl. Schmidt 148 ff. – Zu den oftmaligen Vorwürfen gegen Hegel, er stelle niemals dar, wie das Werden faktisch vor sich gehe, vgl. jetzt den Vorwurf Leopold Schwarzschilds in seinem sehr einseitigen Marx-Buch »Der rote Preuße«, Stuttgart 1954, 151: Marx verweise zwar immer wieder auf seine ökonomistische Geschichtsphilosophie, stelle sie aber niemals dar, wenn man von den zwei Seiten im Vorwort zur »Kritik der politischen Ökonomie« absehe.

Die Kunst des Sterbens:
Schluß der »Phänomenologie«: nach Lasson, 2. Aufl. 1921, 520 f. – Die Notwendigkeit des Selbstopfers: Glockner, 2. Band, 566 f. – Der Tod Gottes: Lasson XIV, 156 ff. – Gott opfert sich in der Messe: Lasson VIII, 822 f. – Hegels Kritik an Calvin und am zeitgenössischen Protestantismus: Lasson XII, 35 ff.; 41 f. – Hegels Berufung auf eine englische Zeitung über den unitarischen Charakter des neueren Protestantismus: Metzke 97. – Hegels Auffassung des Sündenfalls: Lasson XIV, 121 ff.; Lasson XIII, 32. – Schmidt über Hegels Auflösung des Bösen: a. a. O. 211. – Böse sein heißt sich vereinzeln: Lasson XIV, 109 ff. – Das Zusammenspiel des Guten und des Bösen: Lasson XIV, 113 ff.

Die verlorene Geduld:
Das Ernstnehmen der Arbeit beim jungen Hegel: Heinrich Weinstock, Arbeit und Bildung, Heidelberg 1954. – Aristoteles und das Individuelle: Hartmann 21. – Hegels Denunzierung der

Natur, der sinnlichen Welt, der Materie: Encyclopädie § 247, Zusatz; Enc. § 193, Jubiläums-Ausgabe VI, 148; Logik II, 138; Phänomenologie 83; Logik I, 137 f.; Logik III, 175; Phänomenologie 82; Enc. I, 144; weitere Stellen bei Iljin 27 ff. – Ablehnung der »Spielarten« der Natur: Glockner II. Band, 560 f. – Aufhebung des Individuums: Rechtsphilosophie § 145; vgl. Litt 131 ff.

Die Weltgeschichte als Weltgericht:
Die Weltgeschichte, das Werk Gottes: Lasson VIII, 938. – Die Weltgeschichte ist die Theodizee: Lasson VIII, 24 f.; vgl. Lasson VIII, 55. – Die gegenwärtige Welt als Schale eines anderen Kerns: Lasson VIII, 75. – Die Ehre Gottes: Lasson VIII, 164 f. – Europa ist schlechthin das Ende der Weltgeschichte: Lasson VIII, 232. – Die Individuen als Mittel der Weltgeschichte: Lasson VIII, 53. – Das Leiden Gottes: vgl. Iljin 379 ff. – Hegels »Pantragismus«: Glockner II. Band, 331 ff. – Das Göttliche hat am Lose des Endlichen teil: Lasson XIII, 154. – Die Völkergeister, die den Thron des Weltgeistes umstehen: Rechtsphilosophie § 352, Jubiläums-Ausgabe VII, 451. – »Das Leben kann seine Wunden wieder heilen . . .«: Jugendschriften, ed. Nohl, vgl. Lassons Einleitung zur Phänomenologie, 2. Aufl. 1921, LIV. – Die Philosophie verklärt das Wirkliche, das unrecht scheint . . .: Lasson VIII, 55.

Kommunion und Kommunikation – oder Konformismus?
Die Vorwürfe Emil Staigers: a. a. O. 78. – Hegel gegen das »Sollen«: Nohl 264 f., 266; Phän. III, 140 ff.; Encyclopädie 472 f., 507 ff.; Rechtsphilosophie § 108, Zusatz zu § 133, 136. – Hegel und die Aufklärung: vgl. Glockner, Asveld, Barth, Metzke. – Das Volk ist verlassen von seinen geistlichen Lehrern . . .: Lasson XIV, 215 ff.

Die deutsche Misere:
Texte: Jubiläums-Ausgabe VI, 349 ff. – Zur »ungeheuren Anmaßung« der Theologen und Ideologen seiner Zeit: Vorrede zur dritten Ausgabe der Encyclopädie, 1830. – »Aller Anfang des Wissens ist Autorität . . .«: Lasson XIV, 204. – Ebenda 211 die Kritik an der calvinistischen und lutherischen Abendmahllehre. – Kritik an der römischen Staatsreligion: Lasson XIII, 213. – Das Rechtssystem als Reich der verwirklichten Freiheit: Jubiläums-Ausgabe VII, 50. – Die Zitate aus der Rechtsphilosophie über die Heiligkeit des Rechts usw.: Jubiläums-Ausgabe, VII, § 29, S. 79; § 30, S. 80; S. 86. – Der böse Wille will ein der Allgemeinheit des Willens Entgegengesetztes . . .: ebenda § 139, S. 202. – Gegen die Ichheit der Romantik: ebenda § 140, S. 222. – »Wie die Natur ihre Gesetze hat . . .«: ebenda § 151, S. 233.

Die Wiedergeburt der archaischen Gesellschaft:
Gegen Kants Eheauffassung: Rechtsphilosophie, Jubiläums-Ausgabe VII, § 160. – Gegen Friedrich Schlegels Libertinismus: ebenda 245. – Zur »bürgerlichen Gesellschaft«: ebenda § 181 ff. – Zum »Staat«: ebenda § 257 ff. – Die Pflicht der Einzelnen, Mitglieder des Staates zu sein: ebenda § 258, S. 329. – Kritik Hallers: ebenda S. 333. – Der Staat als der Geist, der in der Welt steht: ebenda § 270, S. 349. – Der Staat als Hieroglyphe der Vernunft: ebenda, Zusatz zu § 279, S. 386. – Die Armutsfrage in den modernen Gesellschaften: ebenda § 244, S. 319. – Ein Blick nach England: ebenda § 245, S. 320. – Der Staat als göttlicher Wille und Geist: ebenda § 270, S. 349. – Gegen die »protestantische« Trennung von Frömmigkeit und politischer Ordnung: ebenda S. 350 ff. – Gegen die »katholische« Übermachtung des Geistes: ebenda S. 359. – Gegen die »orientalische Einheit von Staat und Kirche«: ebenda S. 362. – Herbe ist es, den Staat zu fassen: ebenda S. 370. – Die Erhaltung der Gemeinde als ewige Wiederholung des Lebens, Leidens, der Auferstehung Christi: Lasson XIV, 208. – Die Gemeinde als Gott, Geist: Lasson XIV, 198. – Die Vernunft als die Rose im Kreuze der Gegenwart: Jubiläums-Ausgabe VII, 35. – Gegen dekadenten Rationalismus und gegen romantische Schwärmerei für Gemüt und Begeisterung: Rechtsphilosophie, § 272, S. 367 ff.

Versuchungen der Hegel-Nachfolge:
»Seine Grenze wissen, heißt sich aufzuopfern wissen« (Schlußteil der Phänomenologie, ed. Lasson, S. 520). – Die Monarchen und das Begnadigungsrecht: Rechtsphilosophie, § 281, S. 391 f.

Auswahl aus den Werken Hegels

Anrede an seine Zuhörer, Berlin 1818 (nach Metzke 109 ff.): Diese Rede ist ein einziger tragischer großer Appell an die Deutschen und ihr 19. Jahrhundert. Hegel ruft hier die Deutschen an, nicht an der Vernunft zu verzweifeln: der Glaube an die Vernunft und das Vertrauen auf eine gute Kraft im Menschen sind untrennbar aneinander gebunden. An ihnen hängt der »Glauben an die Macht des Geistes« – »Das Reich des Geistes ist Reich der Freiheit«. Hegel deckt hier bis in den Grund, in den deutschen Abgrund hinein die Motive auf, die dem deutschen Selbsthaß, der deutschen Verzweiflung zugrunde liegen, und die tiefsten Wurzeln der Flucht in äußere Aktivitäten, in Krieg und Selbstzerstörung sind bis zum heutigen Tage. Hegel erkennt, wie wohl nur Goethe in seiner Zeit, die ganze Gefährlichkeit eines deutschen Irrationalismus, der keine legitime Möglichkeit anerkennt,

Gott, Welt, Mensch und Gesellschaft durch die Vernunft zu begreifen. Damit »erledigt« dieser Irrationalismus den politischen Humanismus, den Glauben an die Menschenrechte, an die Verpflichtung des Gesellschaftsvertrages (dieser verstanden als die Verpflichtung aller Völker und Individuen auf gemeinsam zu achtende Verträge). Es ließe sich zwischen dieser Rede Hegels von 1818 und einigen staatspolitischen Reden 1918 und der Rede Schwerin-Krosigks 1945 (das deutsche Volk müsse zurückkehren zur Achtung von Verträgen) ein Bogen herstellen; unter diesem spielt das politische Drama der Deutschen im 19. Jahrhundert: es bleibt das noch viel verkannte Verdienst Hegels, die Wurzeln der politischen Impotenz aufgedeckt zu haben in einem Sichversagen, Sichweigern, *in* der Gesellschaft der Menschen (Hegel nennt sie »Gemeinde«, »Kirche«, »Staat«) mit diesen zu verantworten den Geist, die Vernunft, die »Philosophie« und »Wissenschaft«.

Die Vernunft in der Geschichte; Der Inhalt der Weltgeschichte; Der Prozeß des Weltgeistes; Der Endzweck; Der Staat als Material der Verwirklichung des Geistes; Geschichte als Gegenwart (Lasson VIII, Meiners Philos. Bibliothek, Band 171a–171d: S. 4–26, 39–56, 89–94, 159–166): Hier einige der großen Leitmotive des Hegelschen Denkens: Hegel versteht sein Werk als eine Theodizee, beruft sich dabei auf Leibniz; die Vernunft, Gott, beherrscht die Welt; der große Inhalt der Weltgeschichte ist vernünftig; das Christentum hat den Menschen mit Gott und mit dem Sinn der Weltgeschichte bekannt gemacht. – Die Weltgeschichte ist der Fortschritt im Bewußtsein der Freiheit; Substanz des Geistes ist die Freiheit. In verschiedenen Stufen, Stadien, Völkern erwacht der Geist zum Bewußtsein seiner selbst. – Das geschieht nicht in einem luftleeren Raum, nicht in einer Philosophenschule oder Ideologie, sondern in der harten Wirklichkeit der Polis, der religiösen und politischen Gesellschaft der Menschen, im »Staat«: »Im Staat allein hat der Mensch vernünftige Existenz.« Das Wesen des »Staates«, dieser *urbs diis hominibusque communis*, ist »die sittliche Lebendigkeit«, »die Vereinigung des Willens der Allgemeinheit und des subjektiven Willens«. Die Polis der Athener wird hier als ein Urbild dieser allumfassenden politischen Gesellschaft der Menschen dargestellt. – Die welthistorischen Völker: in ihnen realisiert sich der Geist, kommt in ihnen immer mehr zum Bewußtsein – die Gegenwart ist das Resultat der sechstausendjährigen Bemühungen des Geistes: ‚Der Geist hat alle Stufen der Vergangenheit noch an ihm'.
Die Einteilung der Weltgeschichte (ebenda 232–247): Die Weltgeschichte geht vom Osten nach Westen, Europa ist schlechthin

das Ende der Weltgeschichte, so wie Asien ihr Anfang ist. Hegel rezipiert die uralte Vier-Weltreich- und Weltalterlehre auf seine Weise: die orientalische, griechische, römische und germanische Welt gipfeln in letzterer in der Versöhnung von Geistigem und Weltlichem, Ewigem und Zeitlichem, »Staat« und »Kirche«.

Das Verderben der griechischen Sittlichkeit (Lasson VIII, Meiners philos. Bibliothek 171 c, 638–647): Sokrates zerbricht durch seine Innerlichkeit die griechische Welt, sein Tod ist höchste Gerechtigkeit und Ungerechtigkeit zugleich, er stirbt als Märtyrer für das Gewissen: »die früheren Griechen hatten kein Gewissen«. Selten ist es Hegel geglückt, die von ihm oft berufene »Härte« im Vollzug der »Versöhnung« so klar aufzuzeigen wie hier: das Zusammenspiel der Gegensätze, ihre »Aufhebung« fordert Opfer, Menschenopfer, ist nur durch Tode hindurch realisierbar.

Die römische Welt; Die Elemente des römischen Geistes (ebenda 661–675): Rom hat der Welt das Herz gebrochen. In Hegels Darstellung des römischen Dualismus und Herrschaftswillens kommt die tiefe deutsche Verwehrung gegen »Rom« und das »Römische« zum Ausdruck, die seit dem Mittelalter untergründig im deutschen Bewußtsein schwelt, und die, nach Meister Eckhart, Nikolaus von Cues, Luther, in der »hellenischen Renaissance« des deutschen Idealismus in eine neue Phase tritt. Hegel ringt hier sichtlich mit starken inneren Widerständen in seiner eigenen Brust: um so bedeutsamer sein Versuch, Rom anzuerkennen als eine notwendige weltgeschichtliche Erscheinung: ohne Rom kein Aufstieg des Christentums.

Das Christentum (ebenda 720–734): Die Dreieinigkeit ist die Angel der Weltgeschichte; »Wer von ihr nichts weiß, weiß nichts vom Christentum«. Hegels Auffassung des Christentums als große Versöhnung des »morgenländischen« und »römischen« Prinzips steht in einer großen Tradition des Geschichtsdenkens der Romantik, das wieder auf dem französischen und englischen Geschichtsdenken des frühen und hohen 18. Jahrhunderts basiert.

Die germanische Welt (ebenda 757–767) und *Europa um 1820: Hegels Gegenwart* (ebenda 932–938): Je näher Hegel an seine eigene Zeit herankommt, um so dünner wird das Gewebe seiner weltgeschichtlichen Betrachtungen, bis schließlich nur mehr wenige Fäden übrigbleiben: diese Reduktion ist nicht zuletzt mit schuld an der bekannten Tatsache, daß Hegels Denken allzu leicht in Dienst genommen werden konnte von politischen Reaktionären und Pseudokonservativen seiner Zeit.

Philosophie der Religion – Vorbemerkung; Religionsphilosophie (Lasson XII, Meiner, Band 59, S. 1–6, 65–76, 146–148): Hegel hat, in jeder Wiederaufnahme dieser Vorlesungen, sie immer wieder umgearbeitet; die von Lasson rekonstruierten Texte nach Heften Hegels und Nachschriften seiner Schüler lassen, wie oft hervorgehoben wurde, manche Wünsche offen. Hegels ständige Selbstkorrektur gerade seiner Vorlesungen zur Philosophie der Religion zeigen, wie ernst es ihm war: die hier ausgewählten Texte zeigen wohl zur Genüge, wie Hegel hier bemüht ist, eine Darstellung seines *gesamten* philosophischen Wollens, seiner ganzen Philosophie zu geben an dem ihm am geeignetsten Material, eben an Geschichte und Wesen der Religionen.

Die Religionen der geistigen Individualität (Lasson XIII, Meiner, Band 61): *Die Religion der Erhabenheit:* ebenda 71–76; Hegels Darstellung Hiobs verdient heute neues Interesse im Zusammenhang mit der Hiob-Diskussion um C. G. Jung und die neue Hiob-Übersetzung des Kösel-Verlages 1954. *Die Religion der Schönheit:* ebenda 122–125.

Prometheus und Herakles: ebenda 131–133.

Die Gesinnung der Notwendigkeit: ebenda 152–157.

Rom: die Religion der Zweckmäßigkeit: ebenda 209–213.

Eine politische Religion: ebenda 220–221 und 226–230.

Die absolute Religion (Lasson XIV, Meiner, Band 63, 74–81): Hegel entfaltet hier seine gesamte Logik aus der Trinität. Diese Stelle gehört zu den fundamentalsten Quellen; hier wird, von Hegel selbst, offen dargestellt, was in seinen systemphilosophischen Werken verklausuliert, verschleiert in der Sprache der Wissenschaft seiner Zeit zur Aussage gebracht wird. *Der Mensch ist gut und böse* (ebenda 113–119): Wer diese Ausführungen Hegels aufmerksam liest, sieht wohl ein, daß es sich Hegel keineswegs so leicht gemacht hat mit der Liquidierung des Bösen, wie zahlreiche seiner Freunde und Gegner meinen.

Der Tod Gottes: ebenda 172–174; in Gott selbst, so ist es die Überzeugung Hegels, ist die Schwäche, das Negative, Endliche, Gebrechliche als göttliches Moment; »Opfern heißt das Natürliche, das Anderssein aufheben«; Christi Sterben ist die ewige göttliche Geschichte. – Diese Ausführungen sind Hegels kühnster Vorstoß, den Platonismus und die idealistischen Systemburgen des europäischen Denkens aufzubrechen; wie das Ringen um »Hiob« heute zeigt, stellt sich nach jeder weltgeschichtlichen Katastrophe und in jeder echten Wendezeit dem Denken des Menschen dieses eine große unlösbare Problem: Wie hängen Gott und Teufel zusammen (der von Hegel hochgeschätzte Franz von Baader bekannte sich bekanntlich mit Böhme zu der Überzeugung: Gott und Teufel hätten sich schon längst versöhnt, wenn der Mensch, dieses kostbare Streitobjekt, nicht wäre)? Wie ist die übergroße Schwäche und Schuld des Menschen sinnvoll zu verstehen? Welche Rolle spielt das »Negative« wirklich im Haushalt des Kosmos – ist dieser vielleicht ein Chaos, das nur gelegentlich zu (Schein- und Zufalls-) Ordnungen vorstößt, wie es heute zahlreiche Irrationalisten und andererseits Rationalisten und Neopositivisten wie Leopold Goetz (Die Entstehung der Ordnung, Zürich 1954) meinen? Hegels Antwort ist nicht ungefährlich (dasselbe gilt für die Antworten aller großen Denker auf allerletzte Fragen), ist aber nur verständlich als Konsequenz seines Bemühens, Gott in allem die Ehre zu erweisen (vgl. oben die Texte, Lasson VIII, 159 ff.): deshalb übergibt er Ihm die ganze Last des »Negativen«. Hier berührt sich Hegel mit der Aussage vieler Mystiker und Frommer vom 13.–20. Jahrhundert: sie wollten gerne alles annehmen, was Gott ihnen zukommen läßt, und sei es auch die Hölle – die Hölle in Zeit *und* Ewigkeit ...

Die politische Ordnung (Jubiläums-Ausgabe VII, § 268–270, mit den Anmerkungen Hegels): Was hier Hegel über *Staat, Religion, Geist, Frömmigkeit, Freiheit* sagt, kommentiert sich wohl am deutlichsten durch die politischen, gesellschaftlichen, geistigen und religiösen Auseinandersetzungen unserer Zeit, gerade auch in Mitteleuropa, um Freiheitsräume des Menschen; um politische, gesellschaftliche und religiöse Räume, in denen der zur Freiheit berufene Mensch zu jenem Eigenstand aufsteigen kann, in dem er leben soll in jenem Vertrauen zu Gott, Vernunft, Geist, Wissenschaft, sich selbst, das Hegel erbeten hatte von den Hörern seiner Antrittsvorlesung in Berlin 1818. So schließt sich der Kreis dieser kleinen Textauswahl; er ist offen: die großen Fragen, mit denen Hegel rang, sind heute der Gesellschaft der Menschen vorgestellt in ihrer alten Dringlichkeit und mit neuen Möglichkeiten, wenn auch nicht einer perfekten Antwort, so doch einer sachgerechten Entsprechung.

FISCHER BÜCHEREI

	85. Thomas Mann	Herr und Hund
•	86. Friedrich Hegel	Auswahl: Friedrich Heer
	87. A. Lernet-Holenia	Die Standarte
	88. Inge Scholl	Die weiße Rose
•	89. Laotse	Herausgeber: Lin Yutang
	90. Manfred Hausmann	Abel mit der Mundharmonika
•	91. Karl Jaspers	Vom Ursprung u. Ziel d. Geschichte
•	94. Manfred Gräter	Konzertführer Neue Musik
	95. Evelyn Waugh	Tod in Hollywood
	96. Edzard Schaper	Das Leben Jesu
•	97. Platon	Mit den Augen des Geistes
	99. G. v. Bodelschwingh	Friedrich v. Bodelschwingh
x	100. Dante	Die göttliche Komödie
	101. Rainer Maria Rilke	Rodin
	102. Eckart von Naso	Seydlitz
•	103. Augustinus	Herausgeber: H. U. v. Balthasar
	104. Martin Buber	Die Geschichten des Rabbi Nachman
	105. Jean Giono	Das Lied der Welt
•	106. Paul Nettl	Mozart
x	107. Franz Werfel	Die Geschwister von Neapel
	108. Felix Salten	Bambi
•	109. Sören Kierkegaard	Ausw. u. Einleitg.: Herm. Diem
	110. Tennessee Williams	Die Katze auf dem heißen Blechdach Die tätowierte Rose
	111. Werner Bergengruen	Der Tod von Reval
•	112. Karl Marx	Ausw. u. Einleitg.: Franz Borkenau
	113. Curt Hohoff	Flügel der Zeit Deutsche Gedichte 1900—1950
	114. Mazo de la Roche	Die Brüder und ihre Frauen
•	115. Friedrich Nietzsche	Zeitgemäßes und Unzeitgemäßes
x	116. Georg Bernanos	Tagebuch eines Landpfarrers
	117. C. Mackenzie	Das Whisky-Schiff
•	118. S. Melchinger	Theater der Gegenwart
	119. Paul Claudel	Verkündigung
	120. F. E. Sillanpää	Sterben und Auferstehen
•	121. Novalis	Ausw. u. Einleitg.: Walther Rehm
	122. C. J. Burckhardt	Bilder aus der Vergangenheit
	123. W. S. Maugham	Silbermond und Kupfermünze
•	124. Meister Eckhart	Ausw. u. Einl.: Friedrich Heer
x	125. Charles Lindbergh	Mein Flug über den Ozean
	126. Alan Paton	Denn sie sollen getröstet werden
•	127. Walter Gropius	Architektur Wege zu einer optischen Kultur
	128. Ina Seidel	Unser Freund Peregrin
	129. Wolfg. Schadewaldt	Griechische Sternsagen
•	130. Thomas von Aquin	Ausw. u. Einleitg.: Josef Pieper
	131. Rudolf G. Binding	Erlebtes Leben
	132. Franz Kafka	Amerika
•	133. Niccolo Macchiavelli	Ausw. u. Einl.: Carlo Schmid
•	134. Arthur Schopenhauer	Ausw. u. Einl.: Reinh. Schneider
P x	135. Heinrich von Kleist	Die Erzählungen
x	136. Goethe	Goethe erzählt sein Leben

FISCHER BÜCHEREI · FRANKFURT/M · HAMBURG

	137. André Gide	Isabelle
•	138. A. de Tocqueville	Die Demokratie in Amerika
	139. Erhart Kästner	Zeltbuch von Tumilad
	140. Carl Zuckmayer	Der Seelenbräu
P	141. Francesco Petrarca	Dichtungen, Briefe, Schriften
	142. A. Herdan-Zuckmayer	Die Farm in den grünen Bergen
	143. Thyde Monnier	Nans der Hirt
•	144. Im Zeichen Buddhas	Ausw. u. Einl.: Edward Conze
×	145. Georg Büchmann	Geflügelte Worte
	146. Daphne du Maurier	Küß mich noch einmal, Fremder
•	147. Sigm. Freud	Totem und Tabu
P	148. Shakespeare	Komödien
	149. Charles Morgan	Der Richter
	150. Gertrud von le Fort	Der Papst aus dem Ghetto
•	151. Aristoteles	Nikomachische Ethik
	152. Christian Morgenstern	Gedichte
	153. William Saroyan	Menschliche Komödie
•	154. Konfuzius	Herausgegeben von Lin Yutang
P ×	155. Edgar Hederer	Das deutsche Gedicht
		Vom Mittelalter zum 20. Jahrhundert
	156. C. F. Ramuz	Das große Grauen in den Bergen
×	157. Edzard Schaper	Der Gouverneur
•	158. Wilhelm von Humboldt	Ausw. u. Einl.: Heinrich Weinstock
	159. William Faulkner	Die Unbesiegten
	160. Peter Bamm	Die unsichtbare Flagge
•	161. Werner Hofmann	Zeichen und Gestalt
P	162. Sophokles	Tragödien
	163. Henry Benrath	Die Mutter der Weisheit
	164. Ludwig Thoma	Altaich
•	165. Plutarch	Auswahl: Konrat Ziegler
	166. Virginia Woolf	Flush
×	167. Thomas Mann	Leiden und Größe der Meister
•	168. Thomas von Kempen	Nachfolge Christi
P	169. Michelangelo	Briefe, Gedichte, Gespräche
	170. Jack London	Die Perle
	171. Georg Bernanos	Die neue Geschichte der Mouchette
• ×	172. Walther Hofer	Der Nationalsozialismus
		Dokumente 1933—1945
	173. H. W. Geissler	In einer langen Nacht
	174. Martin Buber	Gog und Magog
•	175. C. G. Jung	Bewußtes und Unbewußtes
P	176. H. v. Hofmannsthal	Wert und Ehre deutscher Sprache
×	177. T. E. Lawrence	Aufstand in der Wüste
	178. John Galsworthy	Das Herrenhaus
•	179. Antoine E. Cherbuliez	Joh. Seb. Bach
	180. Christopher Fry	Venus im Licht
		Die Dame ist nicht fürs Feuer
	181. Francis Jammes	Hochzeitsglocken
	182. Goldschmit-Jentner	Vollender und Verwandler
•	183. John M. Allegro	Die Botschaft vom Toten Meer
P	184. Friedrich Hölderlin	Auswahl: Pierre Bertaux
×	185. Pierre La Mure	Moulin Rouge
	186. Gerd Gaiser	Die sterbende Jagd
	187. Eugen O'Neill	Trauer muß Elektra tragen
•	188. C. F. v. Weizsäcker	Atomenergie und Atomzeitalter
	189. Thornton Wilder	Die Cabala

FISCHER BÜCHEREI · FRANKFURT/M · HAMBURG